D1407720

L'ORDRE NATUREL DES CHOSES

Dans ce roman, composé de cinq parties où se succèdent les voix d'êtres malades, misérables ou délirants, les rêves de chacun des protagonistes se mêlent à la confusion des souvenirs en une tragique polyphonie.

Tour à tour prennent la parole : un homme âgé, petit fonctionnaire, amant de Iolanda, une jeune diabétique de trente ans sa cadette ; le père de Iolanda, ancien mineur à demi fou, la tante de la jeune fille, qui est lentement en train de mourir ; un ancien chef de la sureté, sans emploi depuis la Révolution des Œillets ; la famille Valadas qui comprend deux sœurs, un frère, Jorge, emprisonné et torturé, un second frère, Fernando, considéré comme le raté de la famille, et une demi-sœur, Julieta, fille illégitime, enfermée toute sa vie dans un grenier.

Ces récits de la mémoire, quêtes d'un sens à donner à une existence chaotique ou absurde, alternent tout au long du roman et finissent par se rejoindre. Le passé, comme un puzzle, se recompose en même temps que tous les discours s'entrechoquent. La réalité bascule, les frontières entre le plausible et l'impossible s'abolissent. La violence ordinaire des bas quartiers malfamés, les épiphanies de l'enfance, les cruautés du passé, les incertitudes du présent, le vrai et le faux s'imbriquent.

Dans une évocation superbe, toute d'ombres et de lumières, de Lisbonne et du fleuve Tage, omniprésent dans la ville, António Lobo Antunes dresse le portrait baroque d'un Portugal vieillissant, courant après une gloire enfuie. Plus que jamais, il mêle lyrisme et grotesque, satire et onirisme, déterrant toutes les hontes d'un peuple souillé de son propre sang dans ses guerres de décolonisation et qui a torturé ses propres enfants pendant la dictature.

Né en 1942, António Lobo Antunes vit à Lisbonne. Médecin, il participe à la guerre coloniale du Portugal en Angola de 1969 à 1973 et exerce, dès son retour, à l'hôpital dans un service psychiatrique qu'il finit par diriger. Auteur d'une douzaine de livres, dont La Mort de Carlos Gardel, Le Manuel des inquisiteurs, *ou encore* Le Cul de Judas, *son second roman, qui lui apporta la célébrité au Portugal. Il est aujourd'hui considéré comme l'un des auteurs portugais les plus importants de sa génération.*

António Lobo Antunes

L'ORDRE NATUREL DES CHOSES

ROMAN

Traduit du portugais
par Geneviève Leibrich

Christian Bourgois éditeur

TEXTE INTÉGRAL

ISBN 2-02-033833-5
(ISBN 2-267-01252-9, 1re édition)

Pour Isabel Risques,
pour toujours la meilleure
des Amies et à qui ce livre
doit tant, avec un baiser de gratitude
et la tendresse infinie d'
António

Livre premier

DOUCES ODEURS, DOUX MORTS

1

Je n'ai pas connu la famille de ma mère avant l'âge de six ans, Iolanda, ni l'odeur des châtaigniers que le vent de septembre apportait de la Buraca, avec les brebis et les chevreaux qui franchissaient la Calçada en direction du cimetière abandonné, aiguillonnés par un vieillard en béret et par les voix des morts. Aujourd'hui encore, mon amour, couché dans mon lit en attendant l'effet du valium, je sens de nouveau un ornement de sépulture me meurtrir la jambe comme les soirs d'été où je m'étendais dans un quartier de caveaux en ruine, à la recherche d'un peu de fraîcheur, j'entends l'herbe des tombes dans le drap, je vois les séraphins et les Christs en plâtre me menacer de leurs mains brisées; une femme en chapeau plantait des choux et des navets entre les racines des cyprès; les clochettes des cabris tintinnabulaient dans la chapelle sans images, réduite à trois murs calcinés et à un bout d'autel, avec une nappe, submergé par les plantes grimpantes; je regardais la nuit avancer de dalle funéraire en dalle funéraire, coagulant les bénédictions des saints en taches de ténèbres.

Mais hier, par exemple, tandis que j'étreignais ton corps en attendant que l'indulgence du remède me délivre des sursauts du souvenir, un crépuscule ancien m'est revenu en mémoire, c'était en 1950 ou 1951, les plates-bandes du jardin venaient d'être arrosées, monsieur Fernando, en tricot de corps, faisait de la gymnastique sur la véranda, une pelote de chats s'était perchée avec moi sur le mur dans la cour de la cuisine pour humer la brise de Monsanto et écouter les chevaux des monarchistes vaincus qui descendaient de la montagne (d'après ce que m'a raconté Dona Anita qui était une petite fille à l'époque) en route pour les cellules du Pénitencier.

Je ne comprends pas pour quelle raison, chérie, tu ne t'es jamais intéressée à mon enfance ; chaque fois que je te parle de moi tu hausses les épaules, ta bouche se tord, tes paupières s'étirent de mépris, des rides moqueuses surgissent derrière ta frange de cheveux blonds, si bien que je finis par me taire, honteux, disposant les verres, les assiettes et les couverts sur la table du déjeuner, pendant que ta tante tousse à l'office et que ton père tourne les boutons du téléviseur, à la recherche des stridences du feuilleton. Et pourtant, Iolanda, dès que tu t'endors, dès que ton visage froissé par l'oreiller retrouve son ancienne innocence de crèche de Noël, telle que je t'ai vue pour la première fois dans la pâtisserie à l'angle du lycée, quand tes doigts maculés d'encre et tes cahiers d'écolière m'ont ému d'une joie insensée,

dès que tu t'endors et qu'une blancheur d'orme rempli d'oiseaux traverse notre chambre, je discours sans que tu te moques de moi, je bavarde en planant au-dessus de toi, de tes paumes inertes et de tes cuisses sans défense, et la maison où j'habitais avant la famille de ma mère surgit de la nuit, née d'un défaut de la glace ou du tiroir de la commode où nos vêtements se mêlent à des nids de mites et à des poignées en cuivre depuis que tu m'as ordonné il y a plusieurs mois Viens et je me suis présenté avec un parapluie et deux valises éculées dans ce petit appartement de la Quinta do Jacinto, à Alcântara, pour expliquer que, oui, j'avais trente et un ans de plus que toi mais qu'un emploi de fonctionnaire, monsieur Oliveiras, ça n'est pas mal du tout et que bien sûr je paierai l'électricité, le loyer et les factures du boucher.

Écoute, mon amour. Peut-être me comprends-tu dans ton sommeil, peut-être ton corps se défait-il de son ironie à mon égard et m'aime-t-il, peut-être tes paupières, à présent douces, tressailleront-elles si je dis combien j'aimerais que tu me caresses et que tu me laisses te caresser, peut-être colleras-tu contre moi la touffe de poils de ton ventre et tes genoux s'écarteront-ils lentement sur une humide, une lisse, une tendre douceur de grotte qui emprisonne mon désir dans un étau de nacre. Mais tu m'ignores depuis l'été, amoureuse d'un camarade de classe enflammé d'acné et à la barbe naissante, qui vient nous voir sous prétexte d'éclaircir un doute en géographie ou en mathématiques et qui me serre les phalanges jusqu'à faire craquer mes os en un salut cruel. Réduit au rôle de vague parent en gilet et cravate, avec des mèches grisâtres et clairsemées, incapable de faire l'arbre fourchu, incapable de lire sans lunettes, incapable de courir vingt mètres à cause des hésitations de son cœur, bref incapable de rivaliser avec ce blanc-bec boutonneux, plus grand que moi, sans ventre, sans calvitie, sans plaque dentaire, dont les dix-huit ans me narguent, j'attends la nuit avec une immobilité de tarentule, quand ton corps, assaisonné de l'huile et du vinaigre de ton dentifrice et de ton parfum bon marché, se pelotonne sur le matelas, quand le rythme de ta poitrine devient secret comme celui d'un bateau, quand tes lèvres, s'avançant dans la moue du sommeil, soufflent un baiser qui ne m'est pas destiné, j'attends la nuit, mesurant la densité des ténèbres à l'insomnie de ton père et à la bronchite de ta tante de l'autre côté de la cloison, et je recommence mon histoire à l'épisode où je l'ai laissée, Iolanda, retournant à la maison où j'ai vécu avant de faire la connaissance de la famille de ma mère, avec ses mille corridors, ses mille mansardes, ses mille cachettes, la maison, la maison,

la maison, mon Dieu, entourée de mouettes au-dessus de la falaise et des vapeurs de l'océan, de portes claquées par le vent et de rideaux en lambeaux, avec son annonce Hôtel Central en demi-cercle sur la façade et les trois policiers de la police secrète, toujours en noir, le bras levé dans le salut nazi, qui buvaient l'orge du matin dans la petite salle de séjour.

Alors je me souviens des équinoxes qui désorientaient les bergeronnettes juchées sur le vaisselier, sur les ornements de la rampe et sur la torpeur des sinusites, et de la tempête qui balayait la petite place devant la pension, avec un antiquaire dans l'obscurité et des vitrines d'éventails espagnols et de Bouddhas rafistolés, alors je me souviens du garage et du mécanicien albinos qui réparait les automobiles en été en se traînant sous le ventre des moteurs. Les hiboux, Iolanda, s'écrasaient contre le fenestron de mon cagibi collé à la chambre de la cuisinière, avec un WC à côté du lit et la marée qui bouillonnait sans relâche dans le siphon, la clientèle de l'hôtel était constituée par nous deux, plus ma marraine et les trois policiers de la police secrète, mais quand venait juillet la plage était nettoyée de ses détritus, une chaleur amère apaisait les vagues et aussitôt la cuisinière et la vieille se relayaient dans le vestibule, un ouvrage au crochet dans leur giron, avec l'illusion qu'un taxi miraculeux débarquerait un groupe d'Américaines transies, terrassées par l'angoisse des pins et les ressorts du rembourrage.

Mon amour, si je pense à la petite villa parmi une demi-douzaine de chalets en ruine, sans propriétaire, où les araignées tissaient la déshérence, en équilibre au-dessus des ravins et du cri des oiseaux, et si je la compare à cet appartement à Alcântara près du passage à niveau du chemin de fer et des bateaux couronnés de dauphins sur le Tage qui frôlent nos taies d'oreiller, mes jambes cherchent involontairement le creux de tes genoux et ma poitrine se serre contre ton dos en une imploration de protection qui m'éberlue car je trouve ridicule qu'un homme de quarante-neuf ans cherche un refuge auprès d'une petite jeune fille de dix-huit ans occupée à rêver d'archanges en blouson de cuir fonçant sur leur moto pour l'arracher aux griffes du petit vieux inoffensif que je suis, paralysé de timidité et d'étonnement. Et pourtant, Iolanda, ne t'imagine pas que ma vie dans un petit village de la région d'Ericeira où les eucalyptus distillaient les larmes d'un inguérissable chagrin n'était pas agréable : elle l'était. Quand la sciatique ne la clouait pas sur son matelas où la souffrance la décharnait, la cuisinière jouait aux cartes avec moi dans la pièce où se trouvait la chaudière détraquée, pendant que les policiers de la secrète faisaient trembler le parquet audessus de nos têtes, ourdissant tortures et incarcérations. Certains matins d'automne, la mer et le vent s'apaisaient et on apercevait une langue de sable qui se peuplait aussitôt de tentes, de paniers de piquenique, de pyramides d'espadrilles et de familles en peignoir. Des mimosas jaillissaient des rochers et dans les chalets les chandelles des habitants d'autrefois vacillaient jusqu'à l'heure où un autocar ramassait les estivants qui rentraient en bringuebalant à Lisbonne, tandis que les vagues engloutissaient la plage, que le ciel se plombait de nuages de tempête et que des frises de mouettes piaillaient sur les rochers, le feuillage des arbres libérait des hordes de rouges-gorges déments, et ma marraine, indifférente à la tempête, prenait son crochet et rêvait à d'extravagantes Américaines en sandales et panama comme pour une expédition aux tropiques.

Un train a troué la nuit perpendiculairement aux réverbères de l'avenue de Ceuta et parallèlement au fleuve bordé d'entrepôts, de pontons, de grues, de mâts de charge, de conteneurs et de véhicules de manutention qui attendaient l'aurore couleur de citronnelle et les ouvriers marchant vers le Tage, difficiles à distinguer dans le soleil hésitant.

Le train, mon amour, a continué sa route vers Estoril et Cascais (de là où nous habitons, j'aperçois au loin des villas qui serrent entre leurs doigts des albatros et des paquebots) et notre premier étage de la Quinta do Jacinto a vibré comme si un tourbillon de bielles le lézardait tout d'un coup, secouant sur les étagères les ours en terre cuite et les éléphants en verre, les polichinelles en chiffon et le Wagner chromé, et faisant tomber de la commode le coffret en émail où tu ranges tes bagues, tes bracelets et les boucles d'oreilles en faux argent que je t'offre à Noël, s'il me reste quelque argent du viatique de l'État. Le train s'est dirigé vers Estoril pendant que des cloches tintaient et que des ampoules s'allumaient et s'éteignaient, il a dérangé les immeubles d'Alcântara et tu t'es tournée vers moi avec un gémissement enfantin, sans cesser de dormir. Tes chevilles se sont serrées entre les miennes et sans arrêter de parler ma bouche s'est approchée traîtreusement, furtivement, précautionneusement de la tienne : elle humait ton haleine, elle humait tes cheveux, elle humait ton cou, elle humait les plis de ta taille, les plis de ton ventre, et j'allais caresser ton pubis, sentir la texture dont tu es faite, quand le chat, effrayé par la frénésie de ma jubilation, a bondi du couvre-lit en s'emmêlant les pattes dans une lampe dont l'abat-jour s'est détaché, éclairant l'espace d'une seconde le mobilier de la chambre. Soudain tes coudes se sont agités, ton corps s'est écarté en pivotant sur les hanches et sur les épaules qui se sont libérées des bretelles, et je suis resté seul à remâcher mon chagrin, bercé par les wagons qui galopaient vers les égouts, les plages et les petits bateaux de la Linha, bercé, mon amour, par les vagues du fleuve, serrant entre mes mains, dans un geste de prière, une fesse absente.

Dans la pension où j'ai habité, chérie, avant la famille de ma mère, il n'y avait pas de chat : c'était trop humide, trop venteux, trop gris, et dans le misérable petit jardin derrière, avec sa brume, ses jaillissements de roseaux et ses chouettes colériques, les vagues qui partaient et qui arrivaient déferlaient dans les chambres en un tourbillon d'écume. Si bien que malgré les efforts de la cuisinière pour les séduire avec des écuelles de congre, les chats disparaissaient dans les eucalyptus, effrayés par le remue-ménage de la mer et les cadavres de matelots cramponnés à des fragments de gouvernail qui nous fixaient du haut des armoires entre des cartons à chapeaux.

Il n'y avait pas de chat mais nous avions un corbeau aux ailes rognées qui se dandinait comme un mousse et qui transmettait des renseignements sur la latitude aux gars de la secrète, de crainte qu'une fausse manœuvre ne précipite l'hôtel sur les rochers, ouvrant une voie d'eau irréparable sous les balcons. Dès potron-minet, le corbeau claudiquait sur le pont de commandement du rez-de-chaussée, s'assurant de l'exactitude du cap et de l'absence de cuirassés ennemis, et c'est lui qui a crié

– Tous à bâbord, préparez les canots

au moment où, inspectant la cabine du vestibule, il a découvert ma marraine face contre terre, serrant le crochet dans sa main.

J'ai évidemment entendu le hurlement du commodore, Iolanda, mais à l'intérieur de mon rêve, comme s'il faisait partie de l'histoire où un troupeau de nymphes me poursuivait dans les allées du jardin (les déesses potelées, roses, en tunique, des gravures dans le couloir, s'enlaçant dans un bois et dans un ruisseau), et même quand la cuisinière est venue m'appeler pour que j'aille au lit, sa voix, qui se confondait au début avec le crépitement des arbustes, a tardé à devenir réelle grâce à des métamorphoses que mon torse paraissait suivre, s'allongeant et rapetissant dans un froissement de vertèbres.

Ce qui est certain c'est qu'en descendant l'escalier, gêné par les mouettes qui s'éternisaient sur les fenêtres ouvertes, j'ai entendu le corbeau demander, désespéré,

– Où sont donc passés les gilets de sauvetage, bon sang?

et tout de suite après, je suis tombé sur les policiers de la secrète qui conféraient, prenant des notes, décidés à fusiller le vent ou à emprisonner les nuages, conformément à des instructions venues de nulle part, sauf peut-être du murmure des arbres ou du craquement des tables.

Je me souviens, avec la netteté des souvenirs d'enfance, de la silhouette des pins au-delà des maisons sur la place, des chèvrefeuilles et des eucalyptus qui encombraient la route, et de la jeep de la Garde à l'entrée de la pension, avec un soldat armé d'un fusil qui fumait à l'intérieur. Dans le vestibule, le caporal, qui avait courtisé la cuisinière avant ma naissance, et un deuxième soldat que je ne connaissais pas, tous les deux avec des guêtres et des cartouchières mais le calot à la main, observaient ma marraine sans oser la toucher, priant pour que le téléphone à manivelle fonctionne afin qu'ils puissent faire venir le médecin de Mafra qui m'attrapait de temps à autre le menton et soignait mes angines d'un badigeon féroce. L'albinos rôdait sous la pluie, intrigué, levant vers le ciel ses cils de porcelet,

et le docteur, Iolanda, est arrivé après le déjeuner,

flairant un malheur, dans un imperméable en caoutchouc et des bottes de pêcheur de morue, accompagné d'un sillage de perroquets de mer qui piaillaient dans les algues. Le corbeau, plus calme malgré le bourdonnement des pins du côté opposé aux vagues, a reculé vers l'escalier qui menait au premier étage en marmonnant des calculs de vernier. Le caporal a désigné ma marraine du petit doigt et le docteur, le sourcil compétent, s'est accroupi pour l'examiner, lui a ordonné

– Toussez

et a retiré de sa gabardine un stéthoscope avec des tubes interminables, pliés plusieurs fois dans une poche sans fond.

– Si elle ne tousse pas c'est peut-être parce qu'elle est morte

a-t-il conclu avec une voix de chef du garde-meuble, tandis que la tempête éparpillait ses syllabes tout comme elle soufflait les feuilles de l'acacia du jardin, réduit à une anatomie de côtes fracturées par l'eau, par le vent et par les pigeons crucifiés dans les branches. La cuisinière se grattait la paupière avec un coin de son tablier, le caporal s'est mis au garde-à-vous en signe de respect. Le soldat, aplati contre le mur, dénudait à l'intention de la défunte sa denture postiche : lui et moi devions êtres les seuls dans la pension à n'avoir jamais vu de cadavre, et le deuxième que j'ai pu observer, bien des années plus tard, fut celui d'un aiguilleur qui s'était jeté sous le train dans lequel je voyageais pour mon travail avec un collègue sur la ligne de la Beira Baixa. Je me souviens du suicidé, mon amour, sur le ballast des traverses, et de m'être étonné de son visage intact et de la paix et de la dignité de ses traits : je suppose que c'est à partir de cet instant que j'ai cessé d'avoir peur des grippes.

Je me lève du lit, je relève un peu les stores et les lumières d'Alcântara s'étendent jusqu'aux docks et au Tage parsemé de canots pêchant des poissons dans la bave. A ce moment de la nuit, équidistant entre le coucher du soleil et l'aurore, la circulation sur la petite place est inexistante et les feux passent du rouge au vert en commandant à des ombres. Le brouillard de mars transfigure les édifices, les imprégnant d'une majesté qu'ils ne possèdent pas le jour, et quand je pense à cela, Iolanda, le silence de la chambre me remplit de craintes que je comprends mal, semblables à celle que j'éprouvais en entendant le médecin de Mafra expliquer au caporal méfiant en rangeant son stéthoscope immense :

– Ça ne fait pas un pli, l'ami, si elle ne m'obéit pas, c'est qu'elle a clamecé, et comme il n'y a pas de traces de balles on va prévenir le curé d'Ericeira vite fait bien fait.

De sorte que l'après-midi même, mon amour, ou le suivant, ou un autre (depuis l'âge de quarante ans j'ai des difficultés avec mes reins et avec les dates), pendant qu'un orage de fin du monde s'abattait sur la villa et que la pluie jetait à bas une partie de la clôture, on a tracé une raie dans mes cheveux, on m'a mis une cravate noire et on m'a transporté à l'église dans la jeep de la Garde le long d'un trajet de cauchemar où les éclairs éblouissaient les cèdres et les noyers, des oiseaux migrateurs sanglotaient dans des enchevêtrements d'osier, des chiens aux grandes bouches velues, terrorisés par les coups de tonnerre, s'enfuyaient en glapissant sur les sentiers et dans des flaques de boue. Des maisons d'émigrants surgissaient en tournoyant et s'enfonçaient dans la terre. Je ne suis pas retourné à Ericeira mais comme au Portugal tout stagne et tout est suspendu dans le temps, sauf moi qui vieillis, je suppose que rien n'a changé depuis lors : Alcântara, par exemple, durera mille ans telle que je la vois en ce moment où ma montre marque trois heures du matin : un quartier de bureaux et de garages qui se multiplient sur les terrains en friche et le désordre de la marée montante avec son âpreté et sa résonance de tunnel qui avance sur le goudron jusqu'au seuil de la porte.

Et exactement comme ici, à Alcântara, en cet instant de la nuit, pendant que toi, ton père et ta tante dorment sur les grabats défoncés des pauvres, exactement comme ici, Iolanda, me reviennent en mémoire le mauvais goût des objets dans le salon et les archipels d'humidité sur les murs et je me souviens aussi, tandis que j'attends un autre train roulant vers Estoril ou vers le Quai de Sodré, des crêpes de l'église sur un tertre couvert d'arbustes et de pommiers résistant au vent du nord, des panneaux représentant des saints dans la maison mortuaire et d'une fissure dans les briques par où entrait la mer d'hiver et par où l'on voyait les cheminées d'Ericeira se lancer pêle-mêle à l'eau. Un Jésus en cuivre pendait de sa croix comme une goutte d'eau d'un robinet, il y avait des restes de draperies sculptées dans le bois, un merle se reposait de la pluie sur une poutre, les policiers de la police secrète étaient assis sur un long banc et un sacristain clignait dans notre direction ses yeux de toucan. Maintenant que plus personne n'habitait dans la pension, des dizaines de taxis venaient probablement de Sintra, tous phares allumés, parmi les pins débraillés pour déverser devant l'hôtel des groupes d'Américaines centenaires qui grelottaient dans leur robe décolletée à cause de la température polaire. Les chambres étaient inondées de valises et de malles, une boue fétide palpitait dans les bidets, des cannes trébuchaient dans l'escalier, descendant, montant, des serrures claquaient avec un petit jappement oxydé, quelqu'un avait réparé la chaudière dans la cave qui ronronnait avec une torpeur duodénale, des coups de marteau énergiques détruisaient l'étage supérieur, et le corbeau, incommodé par le bruit, croassait des jurons nautiques sur le carrelage de la cuisine. Peut-être la marée descendante découvrait-elle une langue de sable entre les rochers, peut-être une lumière oblique égayait-elle les saules pleureurs et les pots de magnolias, peut-être y avait-il des bateaux à l'horizon, des pétroliers, des corvettes, des caravelles glissant vers la rue Oito de la Quinta do Jacinto. Assis sur un petit trône bancal, sans comprendre ce qui se passait autour de moi car jusqu'à l'âge de huit ans le monde m'avait épargné ses mystères, je n'ai même pas remarqué une dame qui m'a emmené avec elle à la fin de la journée, après avoir empaqueté mes vêtements avec l'aide de la cuisinière dans un sac de matelot dérobé au rebut de la cave.

J'abaisse le store au moment même où le train approche et où les panneaux publicitaires, les buis, les lampes et les lanternes du fleuve se mettent à vibrer et où la chambre rapetisse sur une obscurité sans espoir, j'atteins le lit d'un pied prudent pour ne pas me blesser à l'angle d'un meuble, et en me couchant à côté de toi la tête de lit cède, le matelas s'amollit et ton corps soupire avec des roucoulements de cèdre. C'est le moment, Iolanda, où je me permets de te dire je t'aime, où j'ose caresser la courbe d'une épaule, où j'avance la bouche dans l'espoir de sentir sur le bout de ma langue la saveur de plume de tes cheveux. Le comprimé de valium a flétri mes gestes et embué mes idées sans paralyser ma mémoire. Nous sommes en avril, je me penche vers toi dans la pâtisserie où je t'ai rencontrée pour la première fois avec deux camarades rieuses et chuchotantes, mâchant du chewing-gum devant des glaces à la fraise, je t'ai demandé si cela te dérangeait que je m'installe à ta table avec le thé au citron des gens enrhumés. Et je suis resté là une heure, troublé, anxieux, pendant que vous vous montriez des photos d'acteurs, que vous discutiez flirts et vernis à ongles et que vous râliez contre l'interrogation de philosophie de la veille, toutes très intéressées par un moustachu brun avec des mèches bouclées et des souliers pointus qui prenait un café au comptoir en feuilletant un journal sportif.

2

Parole d'honneur, je ne sais rien, c'est vraiment une manie chez vous, attendez un peu, ne vous en allez pas, des fois que je me souviendrais de quelque chose si vous qui êtes mon ami écrivain vous me filiez un petit secours pour le loyer de ma piaule, un cagibi pouilleux, cher comme tout, dans une pension de frangines, place de l'Alegria, où les torgnoles des macs et les gloussements des bambochades m'empêchent de fermer l'œil, et ça, monsieur, jusqu'à des cinq, six heures du matin, quand les arbres commencent à se dépêtrer de la nuit et que les pigeons descendent de la Mãe d'Agua en se disputant dans les massifs de fleurs les dernières miettes qui ont échappé aux mendiants repus. Le jour, je vois les pigeons de ma fenêtre, paralytiques et désœuvrés, qui mitonnent leurs misères au soleil, et la nuit j'assiste au calvaire des petites, les pauvrettes, qui arpentent le bitume en bas, dans un sens et dans l'autre, sur l'Avenue, entre deux infections des ovaires et un avortement chez la faiseuse d'anges de Loures, dans un sous-sol tapissé d'images saintes qui pue le poisson grillé, avec une vieille qui gémit dans un coin. Vous ne me croyez pas, ami écrivain ? Eh bien, figurez-vous qu'après la Révolution, pour ne pas aller plus loin, après que l'armée m'a bouclé à Caxias une chiée de mois, sans aucun motif, dans l'aile juste en face de la mer, devant les mouettes et la splendeur du crépuscule, je suis retourné au rez-de-chaussée que je louais à Odivelas, à côté d'une infirmière qui faisait passer les petits anges des michetonneuses dans sa salle de séjour, à côté de la table mise et du fauteuil d'invalide où sa mère dodelinait de la tête, son transistor à piles collé à l'oreille. Que me dites-vous de cela ? L'ennui, c'est qu'avec l'invasion des communistes, la femme et l'invalide ont pris la poudre d'escampette pour continuer, dit-on, leur métier à Paris, dans des quartiers d'émigrés noirs, arabes, espagnols, yougoslaves, portugais, des malheureux qui passent leurs dimanches assis sur des cailloux à s'imprégner de la grisaille du ciel, si bien qu'il y avait des centaines de bonnes femmes enceintes qui attendaient dans le vestibule en équilibre de cigogne sur leurs talons aiguilles, se dévisageant les unes les autres avec des paupières boueuses d'insomnie. Un flic les a aiguillonnées avec sa matraque, comme des dindes de Noël, en direction de l'arrêt de l'autocar pour Lisbonne et les pauvrettes se sont installées sans protester sur les banquettes, comme dans des nids, aplatissant contre les fenêtres des visages d'aquarelle. Quant à moi, j'ai tenu quelque temps à Odivelas, regardant la caserne des pompiers derrière les rideaux, sans travail, sans sécurité sociale, sans retraite, me laissant pousser la moustache pour qu'on ne me reconnaisse pas aux photos dans les journaux, jusqu'à ce que le proprio débarque en me traitant de fasciste, qu'il confisque mes meubles et les prospectus de mon cours d'hypnotisme par correspondance à cause du loyer en retard et qu'il me pousse vers la sortie avec des bourrades. Le mec du deuxième étage à gauche qui prenait l'apéro avec moi à la brasserie et qui me filait des renseignements gratis, m'a sauté dessus en m'insultant et en me bourrant de coups de pied dans les mollets, même que j'ai encore des cicatrices, un inconnu s'est approché de moi et m'a craché à la figure, les murs se couvraient de faucilles et de marteaux, des lambeaux d'affiches se décollaient des murs, des ouvriers hurlaient en brandissant le poing A bas la dictature vive le socialisme, et j'ai pensé Je suis cuit, les Russes vont bientôt me jeter dans un train et m'encager en Sibérie, dans une cabane en bois où je claquerai des dents. Alors je n'ai fait ni une ni deux, je suis allé voir un avocat qui fabriquait de faux certificats médicaux et de fausses cartes grises et j'ai changé le nom sur ma carte d'identité avec les derniers sous que je possédais, je me suis déniché une paire de lunettes noires comme celles des accordéonistes aveugles, j'ai cessé de me raser les joues et grâce à un noceur portant bretelles je me suis trouvé la mansarde à putes de la place de l'Alegria où j'habite, avec son lit fangeux et le permanganate dans un coin, et là je suis persécuté par les tourterelles qui ne me lâchent pas, pas même quand je vais aux chiottes au fond du corridor, chiottes dont se servent toutes les chambres de mon étage, et toutes les filles et tous les clients de ces chambres, avec les tourterelles qui chantent et qui papotent sur l'avant-toit, qui épient derrière les vitres, qui se lissent les plumes, les tourterelles des jardins voisins, les tourterelles d'Alcântara ou de Chelas, les tourterelles d'Almada, les tourterelles des entrepôts abandonnés, des coques de bateau pourries et des palais du Tage, les tourterelles vagabondes, les tourterelles sans feu ni lieu, les tourterelles gitanes, les tourterelles, ami écrivain, qui rigolent et se foutent de nous sur l'appui étroit de la fenêtre,

des tourterelles différentes de celles du Campo de Santana, grasses, solennelles, dignes, matriarcales, accrochées aux gouttières, au faîte des toits ou aux plus hautes branches des arbres, des tourterelles et des canards, monsieur, et le cri des paons au moment où le jour agonise, sans compter la sirène des ambulances qui affluent vers la constellation d'hôpitaux autour d'ici, hôpital Saint-Joseph, hôpital des Capucins, hôpital d'Arroios, hôpital Sainte-Marthe, hôpital d'Estefânia, et les fous de l'hospice Miguel Bombarda, couverts de décorations, qui se baladent parmi les massifs et quémandent des cigarettes aux feux rouges, les fous et les clochards entortillés dans des journaux contre la rosée de l'aube, sans nous compter nous-mêmes, ami écrivain, en train d'observer tout cela, chacun avec son rafraîchissement et sa soucoupe de lupins, dans un restaurant à côté de la faculté de médecine, cet édifice à colonnes que j'imagine peuplé de macchabées dépecés par des étudiants en blouse blanche.

Vous n'avez jamais pensé à cela? Vous ne vous êtes jamais imaginé nu, puant le formol, flottant ventre en l'air dans une cuve de marbre en attendant qu'on vous charcute les côtes avec une cisaille énorme? Depuis que la démocratie m'a fait perdre mon emploi de chef de brigade à la Direction générale de la Sûreté et que je bouffe la soupe du curé du Beato, depuis que les communistes ont encerclé le bâtiment de la rue António Maria Cardoso, le matin après le coup d'État, barricadés dans l'immeuble nous brûlions des papiers, nous épiions à travers les persiennes et nous trottions au hasard, pistolet au poing, ne sachant que faire, je sais qu'un de ces jours deux pompiers m'emporteront dans le corridor de la pension, emmailloté dans un drap, accompagné de la consternation des petites en soutien-gorge et slip, ils me descendront sur un brancard de toile et me déverseront en bout de parcours sur une table en pierre parmi d'autres tables en pierre avec des corps macérés, pendant que des olibrius en tablier de caoutchouc s'emploieront à dépiauter un ventre d'enfant avec des scies et des pinces. Je rêve parfois à cela jusqu'à ce que les tourterelles me réveillent, j'entends parfois les tenailles me triturer les os et je hume l'odeur molle de mes viscères exposés, il y a des fois, ami écrivain, où on me coud le ventre et la poitrine avec du fil à sac et je me réveille en sursaut et en criant, debout au milieu de la chambre, et je mets des siècles à me rendre compte que je suis vivant, que je respire, que je peux, si je le veux, aller sur cette terrasse du Campo de Santana, regarder les fous haranguer les cygnes de l'après-midi. Ces histoires de défunts ne vous donnent pas soif? Non, pas de bière, je ne bois pas d'alcool et je ne fume pas, commandez-moi plutôt une eau minérale non gazeuse et des sandwiches au fromage car les souvenirs font mal et j'ai la gorge méchamment serrée.

Mais, pour passer directement à ce qui vous intéresse, je pense qu'un petit chèque de vingt mille escudos me rafraîchirait la mémoire car il est difficile de se souvenir de ce qui s'est passé il y a tant d'années, surtout quand le proprio est pendu à mes basques et me menace tous les soirs, me disant que si je ne le paie pas dans la semaine qui vient il me flanque à la porte et vous me voyez dormir, à soixante-huit ans et avec l'hiver qui approche, sur un banc de jardin public, dans un renfoncement du Château ou sur les marches d'un immeuble, le dos moulu par l'inconfort du bois? Ce ne sont même pas des honoraires, monsieur, pas du tout, c'est un emprunt, donnez-moi votre adresse et si je décroche un emploi je vous rends l'oseille immédiatement, je suis en train d'organiser un cours d'hypnotisme par correspondance, il me manque juste le capital pour faire imprimer les leçons car les illustrations coûtent cher, les gens m'envoient l'argent et moi je leur envoie les cours, ensuite ils n'ont plus qu'à s'amuser à la veillée, un turban orné d'un rubis autour du front, faisant des passes magnétiques et ordonnant à la famille, Éveille-toi, avec un peu de chance ils sortiront par le balcon et se mettront à flotter, vous imaginez des dizaines et des dizaines de bonnes femmes qui volettent dans les airs et les maris désespérés qui crient, Reviens ici, Alice, pendant que leur épouse s'éloigne en direction de l'Espagne comme les canards en automne, et moi, avec toujours plus d'apprentis, j'installe des succursales à Covilhã et à Avintes, par exemple, Viseu tout entière se met à léviter et à voguer vers le Maroc, vous imaginez Portalegre ou Caldas da Rainha en train de faire de l'auto-stop dans les airs pour aller à Londres, l'hypnotisme est le transport de l'avenir, ami écrivain, et puis nous aimons tous trouver des prospectus dans notre boîte aux lettres, ouvrir l'enveloppe et découvrir un monsieur en habit qui pointe un index sévère en demandant avec indignation QU'ATTENDEZ-VOUS POUR ÊTRE HEUREUX? GRÂCE AU COURS D'HYPNOTISME DU PROFESSEUR KÉOPS JE SUIS DEVENU UN HOMME À SUCCÈS. Et à propos d'hypnotisme, ami écrivain, ce qui ferait descendre agréablement mon sandwich maintenant, ce serait un petit jus de carotte et un bifteck car je me sens diablement faible.

Mais pour revenir à nos moutons, le visage sur cette photo ne m'est pas étranger, qui aurait dit que vingt mille escudos et un repas stimuleraient ma mémoire, si vous mettez cinq cents escudos sur la table je vous jure que je le déterre, il faut simplement feuilleter le passé, voyons voir, tout ça pour moi est comme un album, il s'agit de remonter en arrière et je vous trouverai vite la bonne page, montrez-moi de nouveau le bonhomme, ça a dû être il y a longtemps, bon sang, filez-moi le renseignement, ami écrivain, ça ne s'est pas passé pendant mon enfance, ce que je vois là c'est Odemira, des kilomètres de plage, août, ma mère qui boitille vers l'étendoir entre les agaves, un panier de linge dans les bras, et les vagues, bon Dieu, les vagues, la réverbération des vagues sur le cobalt du ciel, ma mère reflétée à l'envers sur les nuages, en train de suspendre des caleçons, ma sœur dans la poussette, mon père dans un cadre sur le buffet, cravate et raie au milieu, et un grand silence dans la campagne jusqu'aux montagnes au loin. Et la taverne, et le curé, et les maisons l'hiver, tristes, tristes, pâlissant sous la pluie, les chiens sans abri dans les rues désertes comme s'ils cherchaient, truffe à terre, les petits qu'on leur a volés, votre paroissien ne fait pas partie de mon enfance, je n'ai jamais joué avec lui et j'ai quitté l'Alentejo avant de terminer l'école, attendez, ne vous énervez pas, ce qu'il faut c'est du calme, nous avons maintenant des flopées de cartes postales de l'époque où je suis venu à Marvila et où on m'a placé chez mon oncle qui était portier chez Philips, un gros veuf toujours soûl qui habitait avec sa chienne à un cinquième étage tout près du Tage et qui se cramponnait à la rampe avec des bouillonnements et des défaillances dans la poitrine, qui m'ordonnait Mesure-moi le pouls, mon garçon, mesure-moi le pouls dare-dare, fais venir l'infirmier de la polyclinique, je vais avoir une attaque et alors bonjours les dégâts.

Marvila, mais dans la partie basse, ami écrivain, ne confondons pas, des rails de tramway, des murs, des petites fermes minables, des vieux qui tapent le carton sur la promenade, mon oncle, bourré de vin comme une outre, qui s'empoigne avec sa propre ombre, qui fait des bonds, qui virevolte pour la fuir, qui la piétine avec ses chaussures, qui la supplie Lâche-moi, ou alors vautré, cuvant sa cuite, pendant que je faisais l'apprenti garçon de boutique dans une mercerie, et le veuf, monsieur, me confisquait toute ma paye et mettait au clou le mobilier qui restait pour payer ses gnôles au troquet, des meubles dépareillés, tables de rebut, chaises sans siège qu'il précipitait à coups de pied dans l'escalier, mon oncle dont la femme avait consacré son existence au spiritisme, qui était morte d'une maladie mystique transmise par un ange, et qui tournicotait dans la maison en faisant frissonner les théières avec son haleine anxieuse. Il y a de bonnes chances que nous tombions sur le bonhomme de la photo ici à Marvila, car en ce temps-là, en 1930 et des poussières, à la veille de la guerre avec les Allemands, ça pullulait d'espions étrangers en chapeau et gabardine à col relevé qui se poignardaient dans les venelles, ce n'est pas impossible du tout; attendez un peu, je sens que ça vient, je vais vous découvrir son visage sur les photos des bals du Club récréatif, au milieu de guirlandes, d'inscriptions humoristiques et de ballons au bout d'un fil de fer, ou parmi les sourires du Groupe d'excursionnistes exhibant le gros saucisson du déjeuner avant d'embarquer pour Fatima. Si votre paroissien n'était pas une des âmes en peine qui exhalaient des vapeurs de soufre dans l'appartement de mon oncle, et si un agent secret anglais ne l'a pas assassiné à un coin de rue près du Tage, on tombera sûrement sur lui au moment où on s'y attendra le moins, soit sous un halo trouble, frottant de craie une queue de billard à l'Oriental, tête inclinée sur le côté et préparant son coup, soit en train de ronfler une bouteille à la main, appuyé à un tonneau dans un entrepôt des docks, au milieu de mendiants qui vendent des billets de loterie suspendus en accordéon au revers de leur veste, des mendiants qui s'amusent à compter les hirondelles dans les matins d'avril et qui retroussent leur pantalon jusqu'aux genoux pour pêcher des coquillages dans le sable à Chelas. Non, c'est inutile, ça ne vaut pas la peine, il n'est pas là non plus, ami écrivain, peut-être qu'un riz au lait sucré m'enlèverait le goût du bifteck, chercher quelqu'un est un sacré boulot, je pensais qu'on aurait de la chance dans la salle de billard car tous fréquentaient cette pièce enfumée avec des fauteuils d'osier pour que les anciens champions aux phalanges tordues par la goutte puissent suivre les parties avec des soupirs nostalgiques, ils posaient tous leur cigare sur le rebord de la table, ils soulevaient le talon en découvrant une chaussette écossaise et s'étiraient au-dessus du drap pour peaufiner le coup décisif, un peu plus de mollet, s'il vous plaît, ça y est, vous n'êtes jamais allé là-bas ? Jamais un roublard ne vous a offert un avantage de dix à cinquante avec un petit sourire innocent, jamais vous n'avez respiré l'odeur de tabac et de feutre sous les lampes dépolies ? Je parcours les visages et je ne découvre pas celui que vous voulez, tout est flou, vous avez remarqué ? Est-ce à cause de la nicotine, est-ce à cause du brouillard du fleuve à cinq cents mètres de nous ? Les vitamines d'une banane ou d'une poire seraient un remède souverain et guériraient vite ma myopie, regardez, ne bougez pas, regardez, ce type en veston rayé là-bas qui bavarde avec un vieux me semble bien être votre gus, non, plus en arrière, près de la porte des cabinets, le nez, la bouche, la forme du menton, je ne me trompe pas ? Vous avez raison, excusez-moi, celui-ci est blond, plus trapu, plus costaud, quand on veut très fort quelque chose on confond tout, pas vrai ? Si on attend, est-ce que je sais moi, une femme, et que pour une raison ou pour une autre elle est en retard (bien que les femmes n'aient pas besoin de raisons pour ne pas être à l'heure), à partir d'un certain moment toutes les femmes ressemblent à celle que notre impatience attend, nous saluons des inconnues, nous demandons pardon, honteux, nous reculons vers la devanture du magasin de mode à laquelle nous étions appuyés, pathétiques, ridicules, confus, avec trop de mains et pas assez de poches, et nous sommes comme cela maintenant, vous et moi, ami écrivain, la paupière déçue devant les billards de Marvila, pendant que le serveur du bar essuie les verres avec un chiffon crasseux en sifflant une musique idiote.

En tout cas, attendez voir, ce type ne m'est pas inconnu, le blond, celui qui bavarde avec le vieux en peau de mouton et casquette, c'est-à-dire avec le vainqueur du tournoi à trois tables de billard de l'Association sportive de Penha da França, en 1923, avec une série monumentale de douze coups dont on parle encore aujourd'hui avec respect dans le quartier, si vous êtes né dans le coin vous vous en souvenez certainement bien que vous soyez plus jeune que moi, je parie que votre père vous en a parlé, ce fut un événement, le vieux, c'est sûr, il n'y a aucun doute, est le grand Fausto Junior en personne, le roi du massé, mais c'est le deuxième qui m'intrigue, celui qui se mouche, celui qui se fourre le petit doigt dans l'oreille, quel cochon, vous avez raison, et moi qui mange ma banane pendant que ce type se racle les muqueuses sans aucune considération et nous zieute de loin tandis que le grand Fausto Junior disserte à propos d'une trajectoire compliquée, ce type dont les autres s'écartent avec crainte, ami écrivain, observez sa moustache à la Clark Gable, on le distingue maintenant très bien à la troisième table, eh bien, c'est l'homme qui m'a fait travailler pour la Police politique quelques mois après la guerre, mon oncle était mort depuis peu d'un vomissement de sang et j'avais été exempté du service militaire à cause du défaut à cette main, j'habitais seul dans la maison de la spirite, harcelé par le bourdonnement des spectres. Maintenant ce n'est plus le grand Fausto Junior qui bavarde avec le moustachu, regardez, c'est moi, le champion des trois tables s'est installé sur sa chaise et étudie avec dédain le ballet des joueurs, j'ai quelque peu changé, j'ai du ventre, un double menton, pourtant on voit tout de suite que c'est moi, tranquille, attentif, silencieux, appuyé à ma queue de billard à côté du marqueur qui se gratte la jambe avec la cheville de l'autre jambe et qui se mord la lèvre pendant que le moustachu, la paume sur mon épaule d'abord puis autour de mon cou, me parle à l'oreille de la nécessité de défendre la Patrie, tu m'entends, de défendre les Portugais, tu m'entends, de me défendre moi-même contre les invasions russes et les tanks qui roulent dans le but de détruire Odemira, de raser les pins nordiques de la place, d'obliger tout le monde à conduire des tracteurs et à extirper les pierres des champs, commandés par des traîtres payés en roubles qui conspiraient déjà, canines pointant comme des vampires, dans des sous-sols peuplés de rats, de vodka, de mitrailleuses, de listes de condamnés à mort parmi lesquels je figurais et de tracts annonçant les funérailles de Dieu.

Je peux avoir un café, monsieur? Un café me ferait du bien et accélérerait ma digestion, la lavasse du Fort de Caxias a rendu mon intestin paresseux, mes tripes refusent de fonctionner, il y a des jours où je me déchire les entrailles assis des heures d'affilée sur la cuvette de la pension devant les tourterelles goguenardes à la fenêtre, pendant que les petites qui viennent d'expédier un client, pressées par l'urgence de leur vessie, frappent de leurs poings la porte derrière laquelle, cramponné des deux mains aux carreaux de faïence, j'implore mes boyaux de se délester dans un trou au fond duquel on entend comme dans un coquillage la fermentation du fleuve. L'inconvénient à Lisbonne, ami écrivain, c'est que dans chaque quartier on trébuche sur le Tage comme sur un objet oublié, le Tage apparaît derrière tous les volets, il fait tanguer les lits pendant qu'on dort avec son va-et-vient de berceau, le Tage et ses lumières nocturnes qui blessaient mes yeux quand, en compagnie du moustachu et de deux ou trois collègues, je sortais à l'aube blême arrêter des communistes dans des quartiers dont je ne soupçonnais même pas l'existence, enfonçant des portes, titubant dans l'obscurité jusqu'à un matelas où une forme effrayée essayait de se lever, fouillant la chambre, la salle de déjour, la salle de bains et la citerne de la chasse d'eau à la recherche d'un faisceau d'armes ou d'une imprimerie clandestine, et me dirigeant enfin, pendant que la victime protestait de son innocence et que la famille hurlait de douleur sur le palier, vers une petite auto garée sur le trottoir dans laquelle un agent en casquette allumait cigarette sur cigarette. Et que ce soit à Campo de Ourique ou à Graça, monsieur, que ce soit à Alvalade, à Póvoa de Santa Iria, à Amadora, à Benfica, que ce soit sur le Quai de Sodré ou à Barreiro, le Tage était là, avec ses marécages, ses bateaux, son vacarme et la géométrie de ses mâts, respirant au-delà de la dernière rangée de maisons presque translucide. Si ce n'est pas une indiscrétion, où habitez-vous, monsieur? Rue de la Madalena, près de Martim Moniz, après les magasins de prothèses pour estropiés? Vous avez remarqué qu'il n'y a pas là de restaurant où l'on n'entende pas le murmure du fleuve, où les vitrines n'ondulent pas au gré de l'humeur des marées, où les établissements ne craquent pas sous les assauts des courants du Bugio, où les vitres ne tressautent pas sous les pulsations des phares. Lisbonne est une ville submergée, monsieur, l'eau se referme au-dessus de notre tête, les nuages sont des bancs d'algues qui flottent, les mannequins des tailleurs sont des sirènes décapitées, affublées de térylène ou de cheviotte et soulignées à la craie à l'endroit où le bougran est cousu. Et au-dessus de tout cela, mon cher, intacte, limpide, pure, à une distance difficile à concevoir et à mesurer, au-dessus du corail des toitures, des grottes à crabes des rues et des paquebots que sont les monastères, au-dessus du mystère d'algues des arbres et de la profondeur de congre des sous-sols des veuves où la tristesse s'enveloppe du linceul des fleurs de cire des fiançailles défuntes, au-dessus de tout cela, ami écrivain, je vous signale que j'ai besoin d'un petit plat d'amandes pour rafraîchir ma glotte que le café a ébouillantée, au-dessus de cela, serpentant, sans les toucher, autour des antennes de télévision et des cheminées d'usine, des ruines du Château et des quartiers habités par des canaris, des huissiers et des majors, la Voie lactée qui s'enfuit pour se fondre avec la terre du côté d'Alverca où le fleuve se mue en flammes sidérurgiques et en usines de ciment.

Non, ne protestez pas, ne me grondez pas, je vous donne ma parole d'honneur que je fais de mon mieux et malgré tout c'est comme ça, la mémoire a son mécanisme à elle, son rythme, ses lois, ses caprices, nous le trouverons ce bonhomme, quand nous nous y attendrons le moins, dans un endroit quelconque du passé, peut-être au poste de la PIDE à Damão, où on m'a envoyé dénicher des communistes dans la mousson, mais là-bas il n'y avait que l'inspecteur et une demi-douzaine de mulâtres que l'ouragan avait décidé de ne pas emporter, peut-être à Póvoa de Varzim où je suis passé agent de deuxième classe et où j'ai tamponné des rapports et écouté tomber la pluie, mais le gus n'est toujours pas là, je n'ai jamais rencontré quelqu'un avec cette tronche, ni dans la rue, ni au cinéma, ni au casino où les roulettes tournaient, reflétées dans les stalactites des lustres, et je ne le vois pas non plus dans le petit hôtel borgne où on m'a envoyé à Ericeira, avec deux collègues, pour surveiller en catimini, déguisé en voyageur de commerce, un mécanicien albinos qui avait pris part à la grève de Marinha Grande, un malheureux réfugié derrière des bidons d'huile et des cônes de pneus pour se protéger du soleil, un petit hôtel vide, monsieur, perché sur les rochers, habité par deux vieilles, un mioche et un corbeau qui se prenait pour un marin et qui traînait son jabot sur le parquet en croassant depuis le matin O Almerinda, ma putain, vire-moi cette merde à bâbord, dans une colère de rage de dents sans remède. Vous me demandez quand ça s'est passé ? Eh bien, ça a dû se passer, non, non je sais parfaitement, attendez, vers 1949, 1950, si je ne me trompe pas, oui, 1950, je venais d'avoir un petit ennui avec la police car un démocrate était mort entre mes mains pendant un interrogatoire, je lui posais mes questions tout à fait dans les règles et patatras, par terre, raide mort, les dents de devant brisées et pissant du sang par l'oreille, l'infirmier m'a recommandé en hochant la tête, La prochaine fois, ne les marquez pas, flanquez-leur des chocs électriques dans la bouche, ça laisse moins de traces que les coups, le directeur adjoint m'a convoqué dans son bureau, Franchement, l'ami, servez-vous un peu de votre cervelle, si vous les refroidissez tous, nous serons bientôt au chômage, réfléchissez donc, et comme la semaine précédente un autre socialiste avec qui je bavardais depuis trois jours, l'empêchant de dormir, s'était jeté par la fenêtre par pur entêtement, on m'a exilé à Ericeira où j'ai été chargé de surveiller l'albinos sans toucher un cheveu de sa tête, car des martyrs nous en avons à foison, un maniaque, ami écrivain, qui aimait se balader sous la pluie les après-midi où les vagues grimpaient sur les rochers, crachant des oiseaux jusqu'aux vérandas de la pension, tandis que nous écrivions mémo sur mémo, claquemurés dans une chambre, Aujourd'hui il a passé la journée tout entière sans rien faire, assis sur un petit banc à l'entrée du garage, Aujourd'hui à dix-sept heures treize il a appliqué une rustine sur une chambre à air et il a nettoyé le carburateur de la jeep de la Garde, on en avait ras le bol du corbeau, du mauvais temps et des vieilles qui vivaient dans l'espoir de remplir l'hôtel de touristes, d'animer les chambres d'une frénésie de pensionnaires déménageant dans les corridors à cause de l'orage, sans que nous prêtions attention au mioche qui, s'il est toujours vivant, doit avoir au moins la quarantaine et qui s'amusait dans la cave avec les albatros oubliés par l'équinoxe.

Qui, le gamin? Sans blague, c'est le gamin qui vous intéresse, ami écrivain, vous ne vous foutez pas de ma poire, par hasard? Eh bien il ne ressemble pas pour un sou à la photo, le mioche, ça alors, quelle surprise, un gosse qui n'ouvrait pas la bouche, en tout cas moi je n'en ai jamais entendu sortir un seul son, tout de suite après l'enterrement de la propriétaire de la pension des parents à lui l'ont emmené à Lisbonne et je n'ai plus jamais pensé à lui jusqu'à cet instant, sans compter qu'on a autre chose à faire et comme il s'agissait d'un enfant, monsieur, ça n'a rien d'étonnant, je me souviens qu'il avait peur de tout, qu'il ne souriait jamais, qu'il mangeait seul, je me souviens de l'avoir vu penché au-dessus de l'appui de la fenêtre vers les chalutiers qui s'élançaient sur la plage, un gamin, l'ami, moi j'étais préoccupé par l'albinos, et vous, on n'a pas idée, vous vous intéressez à un gamin, votre serviteur a beau être un fin limier, comment voulez-vous qu'il le découvre, dites-moi un peu, à travers une photographie d'homme fait, commandez-moi donc une crème caramel avec suffisamment de sauce car vous avez réussi à me donner faim, fichtre, expliquez-moi où le type habite et ma pomme vous découvrira tout ce que vous voulez savoir pour un prix raisonnable, le cours d'hypnotisme par correspondance patientera sur l'étagère quelques mois, celui qui a envie de voler attendra, car je commence à en avoir ma claque de la misère, je paierai mon loyer avec votre flouze et il me restera de quoi m'offrir une demi-heure d'oubli avec une des filles les plus câlines de la pension, un laideron, une des moins demandées, une qui a eu des malheurs, ce ne sera même pas pour faire l'amour, au diable l'amour, ce sera plutôt un prétexte pour pouvoir pleurer, pour blottir mon angoisse contre son cou et pleurer, pour oublier le Fort de Caxias, le grincement des verrous et les pas des soldats de l'autre côté de la porte, oublier, ami écrivain, les tanks de la Révolution, les gifles des gens et les nuits passées à dormir n'importe où, semaine après semaine, renfoncements d'escalier, camionnettes de livraison, bancs sur le Campo de Santana, écoutant les scarabées briser leurs œufs et les cygnes se lamenter comme des enfants fiévreux, tu me files quelques ronds et je t'apporte la biographie de ce pèlerin, mon garçon, excuse-moi de t'appeler garçon mais tu as l'âge d'être mon fils et je ne suis pas homme à faire des chichis, mon gars, la semaine prochaine on se retrouve ici au restaurant, ne te fais pas de bile, mange ton bifteck bien peinardement et je te raconterai l'histoire du mec de bout en bout, aujourd'hui je vais employer ton pognon avec une des filles généreuses de la pension, je me ferai couper les cheveux, tailler la barbe, je prendrai une douche aux bains publics de la Mãe d'Agua, je m'achèterai une chemise au poil, je boutonnerai le col et toutes m'accueilleront, je n'aurai qu'à frapper à la porte et Salut, entre donc, et quant à toi, petit, finis la crème caramel car je n'ai plus faim et délecte-toi de l'ombre des arbres, délecte-toi des pigeons, délecte-toi des tourterelles de l'hôpital Saint-Joseph, des tourterelles de la morgue, délecte-toi des immeubles là en bas et de l'embrouillamini des grues et des conteneurs sur les docks, au-dessus du profil de la berge. Et si par hasard tu aperçois un mec en turban qui flotte sans s'échouer sur les cornières, tu peux être sûr que ce n'est pas mon élève : mes élèves, mon garçon, ont reçu mon enseignement et par conséquent ils migrent vers le soleil en bandes nombreuses, comme les cigognes et les canards en automne.

3

Parfois, Iolanda, quand la cloche du passage à niveau se tait enfin, les chiens de la Quinta do Jacinto se dirigent en meutes vers le fleuve, attirés par une odeur de poisson, le moteur des chalutiers s'interrompt à l'approche de l'aurore et on entend le muet travail de dentelle de la vermoulure dans le silence de la maison,

parfois, quand je prends conscience du matin dans le premier ambre des miroirs vides, labourés par les larmes de la nuit, quand ton corps surgit de l'obscurité sous le drap comme les fauteuils d'août dans une maison déserte et que tes épaules et ton nez émergent de l'ombre, telles des corolles mortes sur l'oreiller,

parfois, mon amour, quand il fait définitivement jour, quand le réveil est sur le point de sonner, quand les savates de ton père traversent le parquet, faisant trembler les armoires, pour aller boire un verre d'eau à l'évier de la cuisine, et que ta tante se déplace dans sa chambre pour s'habiller avec des mouvements de chrysalide,

parfois, quand je me tais sur le matelas, maudissant l'histoire que je raconte, quelques secondes avant que la sonnerie de la pendulette ne m'appelle à grands cris pour mon travail de fonctionnaire,

il m'arrive de te haïr,
pardonne-moi,
comme se haïssent les voisins du dessous, un couple de retraités qui s'insultent entre leurs dents dans un vacarme de casseroles et de marmites, et à qui j'ai rendu visite un dimanche après le déjeuner sur l'ordre de ta tante, si solidaire des autres, si pleine d'inimitié à mon égard, pour que je débouche avec un fil de fer recourbé leur WC obstrué dans un appartement archi-encombré, avec des belettes empaillées sur les commodes et un canari qui lançait des trilles sur le balcon couvert devant une feuille de laitue. Penché sur la cuvette, à croupetons sur le carrelage pour repêcher des algues dans le siphon, je sentais les vieux dans mon dos se chuchoter leur hargne à travers des incisives gâtées, et quand j'ai tiré la chasse pour vérifier le résultat de mes manœuvres j'ai cru entrevoir du coin de l'œil des doigts qui se tendaient pour étrangler un cou et un tournevis qui se plantait dans une cuisse, traversant d'un coup l'étoffe de la robe de chambre. La cataracte d'eau a débordé dans un tourbillon explosif, se précipitant vers la moquette de la salle de séjour, et le couple, oubliant de s'étriper avec la pince à glaçons et les couverts à poisson, a retourné sa furie contre moi qui essayais d'arrêter, les genoux trempés, l'hémorragie de la chasse avec la petite serviette-éponge du bidet. Je me souviens d'avoir glissé sur le plancher, Iolanda, et d'être tombé dans une mare qui s'étendait, entraînant une pile de revues vers la chambre à coucher, je me souviens d'une petite table, chargée de bibelots en étain, qui a commencé à osciller comme un navire ballotté par les caprices de la marée, je me souviens des retraités décomposés par la rage, des algues autour de la taille, et d'avoir été chassé à coups de balai sur le palier en même temps qu'un mélange d'alluvions (paniers percés, bottes sans semelles, tessons de

bouteille, boîtes de conserve et méduses putrides) et de m'être accroché comme à une bouée au tablier de ta tante qui me fixait d'en haut, bras croisés, secouant la tête de contrariété. Encore aujourd'hui, à Alcântara, mon amour, on parle du mobilier d'une maison de la rue Oito qui a décidé de s'en aller vers le Tage un dimanche après-midi, emportant avec lui un service en porcelaine orné de paysages chinois et un fonctionnaire qui vivait en concubinage avec une lycéenne et qui se débattait, terrorisé.

Dans la villa où l'on m'a emmené après le décès de ma marraine, il n'y avait pas de vieillards qui se détestaient, pas de bibelots d'étain, pas de piles de revues anciennes. Elle était située au numéro trois de la Calçada do Tojal, une rampe qui à l'époque se perdait parmi les fermes et les ruches (un bourdonnement d'abeilles flottait dans l'air et le jour se voilait d'ailes), et les branches des glycines qui débordaient de murs auxquels il manquait des briques rasaient les trottoirs de leurs grappes. Le palmier de la Poste se dressait à trente ou quarante mètres, et un peu plus loin, vers les portes de Benfica (une paire de petits châteaux pour rire, prolongés par des guérites rongées par le temps) se trouvait la villa où un barbu jouait du violon, tailladant son instrument en gémissements cruels. Un jour férié quelconque, il y a plusieurs mois, à l'Arco do Cego, devant un cinéma fermé dont la salle tombait en ruines derrière la grille de fer, j'ai pris un autocar pour mon enfance et j'ai voyagé dans des rues inconnues, flanquées d'immeubles opaques, tous identiques, où je n'ai pas reconnu une seule façade, et j'ai débarqué dans un quartier peuplé de salons de coiffure et de cabinets d'orthodontistes où je me suis perdu. Je n'ai pas retrouvé le palmier ni les murs tapissés de glycines, le bourdonnement des abeilles n'obscurcissait pas le ciel, des immeubles de dix étages avaient englouti les fermes où étaient nés des fraisiers et des choux argentés par la bave bleue des escargots. Après avoir marché des kilomètres autour de bureaux remplis de câbles électriques, j'ai découvert une plaque vissée au mur, à côté d'une boutique de modiste, annonçant Calçada do Tojal, et pourtant, Iolanda, même la rampe n'existait plus, aplanie par des bulldozers géants : il n'y avait plus que des balcons vitrés et encore des balcons vitrés, des stores et des châssis en aluminium, et un monsieur âgé qui promenait un petit chien qui levait la patte sur les automobiles de la place. Si bien que je suis retourné au cinéma de l'Arco do Cego, me sentant un homme sans passé, né à quarante ans sur la banquette d'un autocar, en train de s'inventer une famille qu'il n'avait jamais eue dans une zone de la ville qui n'avait jamais existé. Ainsi, hier soir, par exemple, en te parlant de mes tantes, j'ai eu la sensation désagréable que je te mentais, que je créais des intrigues sans queue ni tête à partir d'un vide de parents et de voix dans ma vie passée. Et je me suis effondré sur l'oreiller dans un vertige d'horreur, ayant honte de moi, écoutant les phrases que tu souffles dans les draps en conversant avec une réalité qui ne m'appartient pas.

Quoi qu'il en soit, Iolanda, la maison de la Calçada do Tojal que je garde en mémoire et qui vibre la nuit à Alcântara, près de ce fleuve que je déteste, était une villa de trois étages après un portail hérissé de lances et un bout de pelouse planté d'arbustes qui agitaient leurs branches comme des membres rabougris, et munie tout au fond d'une cage d'oiseaux avec des arabesques en forme de lotus où un renard au regard éploré tournicotait dans une angoisse sans nom. Bien des années avant ma naissance, le propriétaire avait divisé la maison en deux : la famille de ma mère occupait le côté gauche donnant sur le palmier de la Poste et le côté droit était habité par un illusionniste doté d'une ribambelle d'enfants déjà adolescents qui sortaient de son haut-de-forme de magicien à un simple claquement de doigts. Au mois d'août, en habit et la poitrine constellée de décorations de pacotille, l'artiste partait en tournée en province avec un cirque et je m'étonnais de voir sur la Calçada un cortège de roulottes bariolées, de cages d'où surgissaient des cous de girafe et des rugissements de lion, d'équilibristes jetant en l'air des ballons rayés et de clowns qui me lançaient des adieux avec leurs gants interminables. La femme du magicien venait dire au revoir près du mur, entourée d'enfants, au son d'un paso doble joyeux joué par l'orchestre du cirque, et en l'absence de l'illusionniste des enfants continuaient à naître, chaque accouchement était souligné par un roulement de tambour et les marmots descendaient du ventre maternel pour se diriger d'un pas ferme vers l'école, une table de multiplication sous le bras.

Je n'ai jamais visité la maison du magicien, Iolanda, qui était sûrement bourrée de caisses décorées de petites étoiles où il enfermait des dames élégantes qui réapparaissaient en souriant après une demi-douzaine de passes magnétiques d'une caisse voisine ou de pages de journaux roulées en cône qui contenaient à l'intérieur tous les drapeaux du monde, et de cordes dont les nœuds se nouaient et se dénouaient à un signe de la main. La cohabitation avec le surnaturel me terrifiait et quand j'étais seul je croyais entendre à travers la cloison qui séparait les deux moitiés de la demeure une odeur démoniaque de soufre et les applaudissements du parterre ébaubi par un truc quelconque dont le secret touchait à la lisière glissante et dangereuse du miracle ou du péché. Si bien que je me sentais plus à l'aise du côté où habitait la famille de ma mère, salons immenses en enfilade plongés dans une pénombre aride, peuplés de portraits de militaires, de gravures représentant des chevaux au galop, d'horloges à pendule de cuivre sonnant des heures inégales comme si le temps claudiquait de fatigue sur les cadrans ouvragés.

Ce qui m'a d'abord impressionné dans la Calçada do Tojal ç'a été l'absence de la mer, remplacée par le bruit des arbres et par le tintinnabulement de pétales des plantes grimpantes. Un silence qui sentait le chat siamois et le napperon en dentelle stagnait dans les corridors et provenait de l'eau des vases que personne ne changeait, des rais de lumière surgissaient de sous les portes, révélant les dessins du tapis de couloir au premier étage où étaient situées les chambres, chacune avec sa coiffeuse et une odeur de biscuit et de tilleul. Au milieu du corridor un escalier menait à l'étage du dessus où il m'était interdit de monter et la clarté du rez-de-chaussée mourait sur les marches dans une poussière diffuse.

Ici, à Alcântara, Iolanda, loin du palmier de la Poste et des potagers qui grimpaient vers le cimetière, séparés par des palissades en planches, la dimension des fenêtres et l'haleine du fleuve empêchent les ombres d'installer leurs menaces, leurs secrets et leurs murmures dans des pièces qui attendent la marée montante pour glisser vers la barre. Mais à l'autre bout de la ville où les cheminées des villas étaient les seuls mâts possibles et où seuls les carrés de haricots se fronçaient de petites vagues domestiques détruites par l'appétit des lézards, tout me semblait immense et d'une densité étrange, proche de l'étonnement et du rêve. Du moins, mon amour, c'est ainsi que je me rappelle ma vie quarante ans plus tard, maintenant que j'ai grandi, que j'ai attrapé des rides et que ma bouche parcourt ta nuque sans oser un baiser, maintenant que mes mains enlacent ta taille et que je sens tes côtes se gonfler et se rétracter au rythme de ta respiration, comme les baguettes d'un éventail réunies par les plis des muscles. C'est de cette façon que je me rappelle ma vie dans la maison de la famille de ma mère, avec mes tantes, mon oncle et les portraits des militaires avec cravache et éperons sur les trumeaux, me fixant avec une sévérité que les années se sont chargées d'adoucir. Après le dîner mon oncle m'emmenait à la pâtisserie en face de l'église et, un verre de limonade à la main, j'assistais à sa conversation avec ses amis bronchitiques qui crachaient leurs poumons dans leur mouchoir entre deux gorgées de café. Les tonneaux de bière poussaient des soupirs entremêlés de bulles de gaz. Un groupe de dames fardées, avec des boucles d'oreilles en fausses perles, tapotaient leurs mèches autour d'une théière, et mon oncle, cigarette au bec, leur lançait des œillades en enflant comme un pigeon dans son vaste gilet. Nous sortions en humant le sillage de leur parfum et un jour, l'une d'elles, mariée à un vétérinaire qui officiait à Santarém, s'est séparée des autres en boutonnant son manteau et s'est mise à marcher lentement le long des merceries et des boulangeries de la route de Benfica, ses talons plantés comme des clous dans nos cœurs exaltés. La cigarette de mon oncle pointait vers ses fesses comme un harpon, son coude n'arrêtait pas de me meurtrir les reins et je ne crois pas exagérer, Iolanda, si je dis qu'on entendait du côté de la Calçada do Tojal le paso doble de l'orchestre du cirque et les éclats de rire des clowns qui appelaient l'illusionniste de leurs roulottes pour qu'ils partent avec leurs girafes tristes et leurs lions en feutrine pour aller hisser la coupole de toile dans des villages perdus. La dame de la pâtisserie est entrée dans un immeuble avant le Conseil de paroisse, elle a allumé la lampe du vestibule, mon oncle m'a tiré par la manche et a pressé le pas, ses semelles grinçaient, le paso doble s'est intensifié dans un vacarme de trombones, nous étions devant la porte de la maison, clignant des yeux et poussant la porte, lorsque le cortège de camions des artistes a roulé sur la route à quelques mètres de nous, un dompteur coiffé d'un panama et brandissant une cravache était juché sur une cage, des petits garçons pédalaient sur une seule roue en décrivant des cercles gracieux sur le toit de la billetterie et en se lançant une masse d'anneaux. La voiture de tête, couverte d'affiches, dans laquelle voyageait le directeur, a freiné en éternuant des sifflements, les autres se sont immobilisées et ont lâché des ballons qui s'empêtraient dans les platanes ou s'évaporaient dans les ténèbres, la girafe palpait l'obscurité avec l'antenne de son cou tandis que l'orchestre sur un camion découvert égrenait en sourdine une valse langoureuse commandée par un maestro qui fustigeait les clarinettes avec sa baguette. Alors, Iolanda, l'illusionniste a sauté de la cinquième ou de la sixième roulotte en faisant jaillir des as et des lapins de ses poches, il a couru vers le vestibule où nous nous trouvions, mon oncle et moi, et l'épouse du vétérinaire, toute frissonnante au milieu des pots de fleurs dans l'entrée, a laissé tomber son manteau sous les applaudissements des nains et est apparue presque nue dessous, illuminée par un projecteur violet, l'illusionniste a gravi les marches, l'a prise dans ses bras tandis que suspendue à ses épaules, elle levait une main en arabesque comme les trapézistes saluant le public à la fin de leurs numéros, ils ont grimpé dans le camion de la femme à barbe et de l'âne savant qui devinait l'avenir, et des spectateurs en pyjama, réveillés par la musique, lançaient des serpentins depuis les appuis des fenêtres, à un signal du directeur du cirque le cortège s'est ébranlé sous des fusées de larmes, une pluie de confettis, des bâillements de tigres et des exclamations de funambules, le chef d'orchestre, moulant les notes avec ses phalanges, a entamé une marche militaire et la caravane s'est évanouie dans la nuit, et dans la rue il n'est resté qu'une illusion de musique, des projecteurs cherchant les artistes qui avaient disparu, des spectateurs fermant la fenêtre pour retourner au lit et rêver d'équilibristes et de chiens savants, mon oncle et moi étions seuls sur le trottoir, bouche bée, secouant des vestiges de serpentins comme toi tu secoues mes baisers quand j'ose toucher ta joue dans un élan de tendresse. Nous sommes restés là quelques minutes éternelles pendant que l'univers se remettait en place autour de nous, les lampes du cirque, suspendues aux arbres comme des pommes, mouraient lentement et les choses retrouvaient l'ordre habituel, humble, quotidien, résigné. Les réverbères de la rue ont repris leur éclat, l'enseigne de la boulangerie a sangloté dans les tubes de néon, la première chauve-souris a attaqué les papillons autour d'une lampe au-dessus d'une modeste orfèvrerie, mon oncle a allumé une autre cigarette et déclaré d'une voix où transparaissaient les semences amères de sa déception

– Ce ne sont pas les femmes qui manquent en ce monde

et nous avons continué notre chemin vers la Calçada do Tojal sous une bruine tiède jusqu'à ce que la vue des bougainvillées et le bourdonnement des abeilles me rassérènent, et je me suis endormi bercé par les heures des pendules, rêvant de militaires dans des cadres en faux argent, comme ici à Alcântara, quand je m'écroule enfin sur l'oreiller, à côté du mépris de ton corps, je rêve de notre fête de noce dans un salon rempli de tes camarades de lycée, chacune faisant des bulles avec du chewing-gum rose, pendant que le champion de karaté donne des tapes sur l'épaule de ses amis et que ta famille s'agglutine dans un coin en une grappe résignée.

Contrairement à mon oncle, mes deux tantes, qui

enseignaient le catéchisme à l'église à des petits garçons promis à un avenir de chanoine, refusaient de fréquenter la pâtisserie qu'elles tenaient pour une espèce d'antichambre de l'enfer pleine de messieurs vicelards se saoulant à l'eau minérale et discutant de fesses et de football. Elles gaspillaient leur temps à la maison, engloutie dans la pénombre des sofas, et de temps en temps elles époussetaient les meubles avec des plumeaux, sourdes aux glapissements du renard qui tournait dans sa cage, angoissé et ahuri. Toutes deux étaient les sœurs de ma mère, elles ne s'étaient pas mariées, l'une d'elles, la plus vieille, s'appelait Dona Maria Teresa et ne souriait jamais : si elle vivait encore, elle me reprocherait ma folie de vivre avec toi, mais il se peut que sa sœur, Dona Anita, qui était venue me chercher à Ericeira et que mes rhumes préoccupaient et qui faisait irruption dans ma chambre à chacun de mes éternuements comme si un ressort la propulsait depuis l'étage du dessous, me pardonne, avec un froncement de son nez de tortue qui se terminait par un cartilage bifide. Peut-être que mon oncle non plus ne serait pas d'accord, irrité par ton haleine de jacinthe de diabétique qui vérifiait la couleur de son pipi avec un petit ruban tous les jours dans la salle de bains. Pourtant, ma chérie, son opinion ne changerait pas ma décision, car je t'aime, tout comme je me moque des grimaces de tes amies ou de l'air railleur des serveurs au restaurant le dimanche quand nous dînons dehors dans la brasserie du rond-point où les crabes et les tourteaux, pinces attachées par des ficelles, se bousculent dans un aquarium en tournant vers le haut les petits boutons vernissés de leurs pupilles, tout comme Dona Maria Teresa quand je lui ai demandé après plusieurs mois de séjour à Benfica, un soir qu'elle ranimait les plantes du salon en les aspergeant d'eau, ce qui était arrivé à mes parents.

Tout comme aujourd'hui ta maladie me surprend,

Iolanda, avec ses tremblements, ses évanouissements, ses sueurs, son odeur de pétales écrasés et sa souterraine et intense communication avec la mort qui te vieillit en dedans, comme si tes organes, cœur, estomac, foie, très anciens et pourris comme ceux des héros dans les cryptes, se décomposaient sous la victorieuse jeunesse de la peau, d'ailleurs pendant mon enfance, à Ericeira d'abord, et ensuite dans la Calçada do Tojal, mes parents représentaient eux aussi un mystère absolu pour moi. On ne me parlait jamais d'eux, il n'y avait pas une seule photo d'eux entre les vases de porcelaine ornés de feuilles de platane, les militaires dans leur cadre et les ovales en argent avec des garçonnets sur des tricycles sur fond de genêts et de bisaïeules rondouillardes, et je les imaginais vivant en Afrique ou à Macao, entourés de Chinois devant des voiliers en parchemin échoués au bord d'une rivière. Après le dîner, couché dans mon lit sans parvenir à m'endormir, quand j'entendais les chiens de troupeau de l'Espagnol, je sentais dans le vent leur voix étouffée me chuchoter des conseils que je n'arrivais pas à comprendre. Dona Maria Teresa roulait en silence ses yeux de langouste, Dona Anita était chagrinée de ma maigreur et m'offrait des galettes qui avaient un goût de craie, mon oncle, monsieur Fernando, lançait des œillades aux dames et parlait de son frère aîné, monsieur Jorge, emprisonné à Tavira pour avoir conspiré contre le gouvernement dans une caserne au bord de la mer où le son des trompettes se mouillait d'embruns. Je suis attristé que toi, qui es née au Mozambique pendant l'année de la Révolution, tu ne puisses comprendre l'époque de ma jeunesse où les hommes revêtaient le dimanche matin l'uniforme de la Légion portugaise et défilaient dans les rues de Lisbonne, je suis attristé, car cela t'éloigne de moi, que tu n'aies pas connu les processions, les hymnes, les discours, les cafés débordants d'uniformes qui criaient des chansons guerrières autour de petits verres de cognac pendant que des fonctionnaires de la Police politique notaient sur des petits carnets le nom des suspects communistes. Même monsieur Fernando, fils d'un brigadier héros des soulèvements monarchiques, baissait la voix et contemplait les agents avec une espèce de respect gêné, oubliant les dames qui se pâmaient, extasiées, une biscotte à la main, devant les décorations des patriotes. Très longtemps avant ta naissance, Iolanda, Lisbonne, ville de boas, de missionnaires et de prêtres, était un carrousel de miliciens orgueilleux et inutiles, de multitudes de chanoines et de francs-maçons qui se consumaient dans les forts de l'État, pendant qu'en calot et culotte courte j'étais initié à des rudiments martiaux dans la cour de récréation de l'école. Lisbonne, mon amour, c'était les messes radiodiffusées, les autels de saint Antoine, les mendiants et les aveugles jouant de l'harmonica au coin des rues, car je n'ai jamais rencontré autant d'aveugles que pendant cette époque pénible, des aveugles adossés aux immeubles, des aveugles tâtonnant le long des trottoirs, un accordéon sur le dos, des aveugles tragiques à la sortie de l'exposition perpétuelle du Saint-Sacrement, des aveugles chantant des fados accompagnés de petits malins à favoris qui empochaient les aumônes, des aveugles menaçants qui vendaient des babioles sur le parvis, des aveugles orgueilleux, au menton altier, aux carrefours, des femmes aveugles avec des enfants aveugles dans les bras qui ne pleuraient jamais, des aveugles ivres se répandant en courbettes entre les palmiers nains dans les tavernes, des aveugles suspendus dans l'air, comme des anges, au bout de parapluies ouverts, des aveugles, des mendiants et des gitans sur des charrettes usées par les mille chemins du monde, en quête d'un terrain vague où planter leur tente, mais surtout des aveugles fixant le néant de leurs pupilles brumeuses, des milliers d'aveugles occupant les venelles, les ruelles, les places, les cours de maisonnettes basses avec des échoppes de cordonniers et de maréchaux-ferrants, des aveugles buvant de l'eau dans l'abreuvoir des mules, des aveugles bavardant entre eux de leur monde d'ombre, des aveugles, des mendiants et des gitans dans les fermes du Tojal, volant le miel des abeilles, les légionnaires, les aveugles, les dames des pâtisseries, les agents de la police secrète, les braillements des guerriers du dimanche, et je demandais à ma tante Que sont donc devenus mes parents? et elle roulait les yeux sans interrompre son crochet, des aveugles nous touchant au portail ou errant sur la pelouse, s'étant trompés d'adresse, et à cet instant, chérie,

des aveugles

j'ai entendu pour la première fois, faisant vibrer les calices, les feuilles des plantes et l'arbuste de mon sang,

des aveugles

un bruit de pas à l'étage du dessus.

4

Non, attendez, calmez-vous, ne commencez pas, soyez sincère, ami écrivain, regardez-moi dans les yeux et dites-moi si par hasard vous avez rencontré quelqu'un avec un turban piqué d'un rubis sur le front, en train de voler au-dessus des toits de Lisbonne ? Alors, si vous n'en avez pas vu c'est parce que pendant toute la semaine j'ai totalement oublié l'hypnotisme par correspondance pour enquêter sur votre bonhomme, questionner, espionner, me démener, prendre des photos, à l'exception d'une ou deux petites siestes rapides dans la pension de la place de l'Alegria avec une nana sympathique, bien potelée comme je les aime, qui s'est employée à me faire oublier mes misères avec des caresses modiques et un massage du dos, et cela, dites-vous bien, avec au moins une demi-douzaine de tourterelles sur l'appui de la fenêtre en train de chanter tout en me regardant me contorsionner comme un poisson hors de l'eau dans le fouillis des draps. Elle s'appelle Lucilia, elle est un peu bigleuse de l'œil gauche, c'est une mulâtresse venue d'Angola sur un bateau de va-nu-pieds sans le sou fuyant la guerre civile, et il y a quelque chose chez elle, un je ne sais quoi, peut-être l'odeur, qui me rappelle les plantations de coton avant l'aube, quand le brouillard qui recouvre les villages nègres pèse sur les arbres comme sur un bras de fauteuil et que les tournesols tendent leurs tiges en direction de la lumière. A propos, la dernière fois que j'ai été avec elle je n'ai pas pu la payer car je n'avais plus un radis, Lucilia, excuse-moi, je te paierai sans faute lundi, et la grassouillette fumait, étendue sur le lit, sa pupille bigleuse errant sur le mur et la bonne pupille me fixant avec un sourire, Ne vous en faites pas, monsieur Portas (je m'appelle Ernesto da Conceição Portas), ce n'est pas ça qui va nous gâcher la vie, des ennuis tout le monde en a, ne vous faites pas de mauvais sang, et donc, ami écrivain, vous allez m'avancer un petit supplément pour que j'achète un bijou à la pauvre fille exploitée par un maquereau noir, avec des écouteurs sur les oreilles, qui de temps en temps lui pétrit la tronche à coups de poing pour bien établir sa position, ça encore je peux le comprendre, l'ennui c'est que ce crétin n'y va pas de main morte et que la malheureuse apparaît avec une joue en bouillie, des sparadraps plein le menton et un sourcil recousu, boitant au milieu de ses collègues, à l'heure des conquêtes sur l'Avenida. Si bien que, pour vous avouer la vérité, lors de la dernière sieste, je n'ai même pas eu envie de faire l'amour, car si le strabisme me joue déjà des tours, vous pouvez imaginer le reste, les sparadraps, les œdèmes, les bleus, les estafilades sur la bouche, alors nous sommes restés à bavarder de choses et d'autres sans que votre serviteur se déshabille, chacun à un bout du lit, sans que les tourterelles se rendent compte de ce qui se passait, le front plaqué contre la vitre. Lucilia m'a expliqué que bien qu'elle ait reçu une éducation de fille blanche et qu'elle ait fini sa première année de lycée, elle avait travaillé dans un bar à Carmona avec un Italien pédé au piano, et moi, en échange, je l'ai légèrement éclairée sur le fonctionnement de la Police politique, sur le fait que pour défendre la sécurité de la Patrie on risque sa peau pour quatre méchants sous, sur les injustices que la Révolution m'a faites, me foutant au chômage sans aucune considération, sans aucun respect pour mes efforts, sans même la misère d'une retraite, cela sans parler du fait, mais la gratitude est un sentiment dans lequel je ne crois plus, franchement, si tant est que j'y aie jamais cru, on ne voit partout qu'indifférence et égoïsme, sans parler du comportement des gens à mon égard, ils m'agressent dans la rue, m'insultent, me traitent d'assassin et de voyou, me crachent dessus, je suis chassé d'un endroit à l'autre, sans argent, sans amis, obligé de mettre mes meubles au clou, Lucilia s'en est émue, car ces petites sont des sentimentales, il suffit de toucher leur corde sensible, Lucilia m'a dit d'une voix mouillée On se croirait vraiment dans un film, et elle a sorti une bouteille de sous son lit pour mieux s'émouvoir encore, l'alcool aide les larmes, elle m'a offert une petite gorgée d'un truc affreusement brûlant et j'ai passé une demi-heure à sangloter, effrayant les tourterelles, la fenêtre s'est vidée de ses bestioles et les toits et les gouttières de la place de l'Alegria ont surgi, j'ai même cru voir un cousin à moi qui s'intéresse à la lévitation nager au-dessus du Principe Real, et pendant ce temps, dans à peine un petit nuage, la mulâtresse préoccupée faisait pleuvoir des claques sur mon échine en disant Allons, allons, monsieur Portas, allons, allons, monsieur Portas, un œil sur moi et l'autre au plafond avec une indifférence bizarre, elle a même voulu se lever pour appeler ses copines mais je lui ai fait signe que ça n'était pas nécessaire, Ne bouge pas, petite, où vas-tu, et elle a continué à m'étriller et à boire au goulot pour se calmer, si bien qu'au bout d'une éternité, quand mes hoquets se sont apaisés et que j'ai réussi à respirer normalement, Lucilia, à force de téter la boutanche non seulement ne disait plus rien de sensé mais de plus elle s'est mis à chanter une musique française en beuglant tellement fort que le maquereau noir, alarmé, a enfoncé la porte, suivi de quatre ou cinq compères crépus en chaussures de tennis et chemise à ramages, scintillants de bagues et de bracelets en laiton, qui avaient l'air de travailler dans le bâtiment à en juger d'après leur pantalon poussiéreux, de sorte que j'ai boutonné le col de ma chemise, rectifié le nœud de ma cravate, lâché un dernier hoquet qui a ramené le souvenir de l'alcool sur ma langue, et je me suis dirigé vers la sortie le plus dignement possible, m'écartant le plus que je pouvais des Cap-Verdiens, qui me regardaient, adossés au mur, sans ouvrir la bouche, et une fois dans le corridor, libre de toute menace, j'ai entendu retentir la première gifle pédagogique qui a dû atteindre en plein les dominos de la mulâtresse qui s'est tue soudain, suivie d'une dégelée de coups de pied éducatifs accompagnés d'une réprimande paternelle dans un portuguais rudimentaire. Aujourd'hui, après le déjeuner, avant de vous rejoindre, j'ai rencontré la mulâtresse dans le vestibule de la pension : elle n'était plus saoule, elle avait un bandage autour du front, le nez couvert de pansements, une minerve autour du cou, un membre dans un plâtre, et elle marchait avec difficulté car ses pieds étaient couverts d'ecchymoses, elle s'appuyait sur une béquille qui se ployait en arc à chaque pas. Elle ne m'a pas regardé (il m'est difficile de savoir quand un louchon me fixe, d'habitude je me promène d'orbite en orbite, hésitant, cherchant la bissectrice des pupilles), et elle a grimpé l'escalier jusqu'au troisième étage avec une lenteur de langouste. Je l'ai vue disparaître en traînant la jambe sans un gémissement, accompagnée de son maquereau noir, mains dans les poches, qui avait l'air de la mener paître comme une brebis estropiée. Il se peut toutefois qu'une de ces prochaines semaines, quand la fille sera remise de ses gnons, je retourne dans sa chambre pour discuter, étendu sur son lit, de ce que la vie a fait de nous, la chassant elle du bar de Carmona, loin des planteurs peloteurs et de la maison partagée avec l'Italien qui inondait l'étagère de la salle de bains de flacons et de pommades pour teindre les cheveux, et me transformant moi, qui ai trimé pendant trente ans, mal payé, risquant sans cesse de me faire trouer la peau au service du bien-être du pays, en professeur d'hypnotisme par correspondance dont les élèves ont du mal à s'élever dans les airs, assis ici avec vous à une terrasse du Campo de Santana où les cygnes commencent à s'agiter avec la tombée de la nuit.

Avez-vous remarqué les ombres qui descendent du Patriarcado, les platanes qui s'unissent, mêlant leurs branches, les pigeons qui émigrent dans les potagers voisins, le changement de tonalité du sifflement des ambulances? Le coucher du soleil m'effraie, ami écrivain, je ne me suis jamais senti à l'aise dans l'obscurité, j'ai envie d'allumer toutes les lampes en attendant que le jour se lève et de rester sur une chaise, éveillé, luttant contre le sommeil, si bien qu'à la police je m'offrais pour les corvées à partir de minuit dont mes collègues ne voulaient pas, interrogatoires, filatures, perquisitions, gardes, écoutes téléphoniques, espionnage interminable avec magnétophone et jumelles de couples qui tapaient à la machine des manifestes et des tracts, qui polycopiaient des circulaires contre le Gouvernement appelant à l'insurrection armée un peuple aliéné qui s'entassait dans des autobus à la sortie du travail pour retourner dans des banlieues suffoquant sous les cheminées d'usines, bref n'importe quelle tâche qui me délivrerait des ténèbres et de leurs mystères qui me dérangent et m'oppressent depuis mon enfance. En conséquence de quoi, avec les années, j'ai appris à dormir le jour en gardant les stores remontés pour chasser la pénombre, pendant que les tourterelles de la place de l'Alegria entrent dans ma chambre et se perchent sur la commode et sur les pommettes du lit, et je finis par me réveiller avec un mal de tête atroce, des fientes plein le parquet et une ultime plume sur mes lèvres, ces oiseaux attendant que je cesse de respirer pour expirer sur ma bouche.

Je sais que c'est vous qui payez, pas la peine de me le rappeler, j'arrive enfin à votre sujet, je vais vous en parler de votre bonhomme, si vous croyez que depuis notre déjeuner je me suis occupé d'autre chose vous vous trompez, êtes-vous tombé par hasard sur un prospectus de cours d'hypnotisme dans votre boîte aux lettres, mêlé à votre facture de gaz, à la publicité éhontée d'un parti politique et à la lettre d'un cousin émigré au Luxembourg se plaignant de la tyrannie de son patron? Bien sûr que non, ami écrivain, vous n'avez pas pu recevoir de prospectus car je n'en ai envoyé à personne, ce qui prouve, si ma parole ne suffisait pas, que depuis la promesse que je vous ai faite je manque même à mes obligations de professeur, je ne vais même plus à ma boîte postale retirer les questions et les devoirs de mes élèves, or supposez maintenant qu'un étudiant insensé fasse flotter sa mère dans le salon et ne réussisse pas à la faire redescendre, vous imaginez la responsabilité, la dame horriblement fâchée, essayant de s'agripper à une console avec le manche de son ombrelle, exigeant que sa famille la fasse atterrir et tintin, le fils se juchant sur un escabeau pour lui servir son déjeuner, une belle-fille perverse ouvrant toute grande la porte de la véranda dans l'espoir que la vieille disparaisse en protestant et en appelant la police dans l'automne de Campo de Ourique, imaginez un type hypnotisé au-dessus de la taille seulement, se baladant en transe, incapable de rester sur place, usant le tapis dans le couloir à Telheiras? Enseigner entraîne des responsabilités, monsieur, surtout dans des disciplines aussi délicates que celle-ci, et sincèrement, je me sens fautif d'oublier mes disciples pour m'occuper de votre affaire presque sans recevoir un traître sou, car ce que vous me donnez suffit à peine à couvrir mes frais, et cela, ami écrivain, vingt-quatre heures sur vingt-quatre sans penser à autre chose, parce que je vous ai trouvé sympathique, car pour mon malheur je vous ai trouvé sympathique et, croyez-moi, cela ne m'arrive pas souvent, alors que la dégaine du gars sur la photo ne me revient pas, on imagine un certain visage et on s'aperçoit ensuite qu'on s'est complètement gourré, un mec tout petit, chauve, avec une grosse tête, sans cou, mal fagoté, employé au Secrétariat d'État au Tourisme, il arrive à neuf heures et part à cinq heures, numérotant des photocopies dans un bureau sans horizon tapissé de fichiers. Je suppose qu'il est resté là parce que personne ne s'est souvenu de lui, tellement superflu qu'on a oublié son existence et son nom, il pourrait s'effondrer, patatras, à cause d'une embolie ou d'un infarctus, que ses collègues en train de lire le journal ne le remarqueraient même pas, on ne lui connaît ni frasques ni aventures, il n'a même pas eu de passade avec la standardiste de son service, une blonde platinée du tonnerre, casque à écouteurs planté sur sa permanente, à cinq heures dix il rangeait les dossiers, plaçait les photocopies dans une corbeille métallique, prenait sa veste sur sa chaise et quittait l'édifice sans jamais utiliser l'ascenseur, sans saluer qui que ce soit, sans inviter le collègue de la table voisine à un café avant de prendre le métro, et dehors, serviette et parapluie sous le bras, il attendait à l'arrêt l'arrivée du moyen de transport pour Alcântara, et moi qui ai voyagé avec lui sans qu'il me reconnaisse d'Ericeira, me faisant bousculer comme lui, me faisant marcher sur les pieds comme lui, souffrant de la même circulation hoquetante, moi qui l'ai suivi jusqu'à la Quinta do Jacinto, un quartier de logements bon marché, avec des jardins devant, séparés par des allées numérotées, moi qui l'ai vu pousser une porte sous un porche et disparaître à l'intérieur comme un bonbon complètement sucé, je me suis demandé ce qui vous pousse, vous un écrivain, un homme qui vend des romans, qu'on voit à la télévision, qui a son nom dans les revues, à vous intéresser à un blanc-bec qui habite dans un immeuble minable de la rue Oito, rongé par les vapeurs du fleuve et par l'odeur d'égout qui guette par les trous des murs comme un animal sans feu ni lieu. Une bicoque de la rue Oito, franchement, on n'a pas idée, mon garçon, une masure pour retraités et bonniches au crépi qui s'écaille et à la tuyauterie en piètre état, un portail déglingué, deux pieds de chèvrefeuille qui crient au secours à la mer indifférente, des fenêtres étroites, un lavabo où l'eau jaillit par à-coups, à quoi te servent tant de débris, mon garçon, tu es sûr que ta cervelle est en état de marche, quel livre peut bien donner une histoire comme ça, ce n'est pas la tristesse qui manque dans cette ville, avant-hier je me suis arraché à mes soucis, j'ai pris le tram Quai du Sodré, j'ai tiré la sonnette et j'ai montré le bout d'une carte en disant à la femme en tablier qui me dévisageait sur le paillasson que je vérifiais la sécurité des logements municipaux, Des logements quoi? a demandé la créature d'un ton soupçonneux, craignant une expulsion ou une amende, Municipaux, ai-je répondu en avançant d'un pas, alors la femme en tablier s'est écartée et j'ai aperçu un portemanteau incrusté de nacre, un calendrier de 1965 représentant un paysage autrichien avec tous les mois intacts qui recouvrait le compteur d'eau, une petite salle avec des chaises rangées autour d'un téléviseur antédiluvien, des chambres où l'on distinguait à peine les courtepointes des lits et un petit potager à l'arrière, comprimé entre deux murs, avec un noyer dont les fruits s'entrechoquaient dans un tintement mélancolique et une dizaine de légumes découragés. La femme m'observait, flairant la disposition de mes humeurs municipales pendant que j'étudiais les fissures du plafond et la moisissure du mur, pendant que, faisant claquer ma langue de contrôleur contre mon palais, je déambulais, ami écrivain, pour vérifier l'isolation des fils électriques et des prises, que j'affrontais des chambres sans fenêtres, saturées de transpiration, d'essences de droguerie et de parfums de supermarché, dans lesquelles j'ai dû marcher de biais pour ne pas trébucher sur des pantoufles et des pots de chambre, me demandant ce qu'il pouvait y avoir d'intéressant dans la pénurie d'argent et m'interrogeant sur le motif qui t'a conduit à choisir ces personnes amères, pleines de peurs et de la rancœur des malheureux, dans la multitude des milliers de créatures amères qui habitent dans cette ville de merde où le soleil paillette la misère d'un manteau de lumière. J'ai pris congé de la femme qui s'est plantée sur le seuil, demandant avec insistance Vous n'avez rien découvert de mal, n'est-ce pas, vous n'avez rien découvert de mal, n'est-ce pas? et j'ai quitté la rue Oito de la Quinta do Jacinto à l'instant où une locomotive secouait les fondations des maisons, et Alcântara m'a paru dessinée sur le papier de soie du crépuscule par un crayon qui avait entassé des corniches galopant en direction du Tage. A proximité de l'avenue de Ceuta une chienne en chaleur est passée, une bâtarde bouillonnante de désir, convoitée par un essaim de mâles de différentes tailles et nuances qui bondissaient les uns sur les autres en bavant de concupiscence. J'ai appliqué un coup de pied à la chienne qui a disparu en glapissant, accompagnée de ses prétendants qui cherchaient à chevaucher son arrière-train à tour de rôle, je les ai encore aperçus sur un talus herbu, et en arrivant à la pension j'ai eu l'impression de voir de nouveau ces bêtes, se dirigeant vers la Lapa à pas lents, la femelle en tête, traînant le fardeau de sa nature, et les autres derrière, montrant les dents et s'arrêtant pour pisser contre un banc de jardin, j'ai eu l'impression de les voir trotter dans Lisbonne, pénis fané, comme vous trottez vous, excusez la comparaison, derrière le dadais d'Alcântara, comme je trotte moi aux alentours de la chambre de Lucilia, plaquant mon oreille contre le bois pour agoniser de jalousie en entendant des soupirs destinés à stimuler les clients et les halètements de ceux-ci, pour imaginer ses spasmes de plaisir sous les torgnoles du marquereau noir, comme je trotte moi, tourmenté par une mulâtresse aux pieds noueux de callosités, moi qui ai presque soixante-dix ans et une tension artérielle déplorable, vous voyez le ridicule, m'énerver à cause d'une pouffiasse qui aime se faire dérouiller par le premier venu, qui se tortille de plaisir au moindre coup, qui fond en orgasmes si on lui triture les rotules, moi qui n'ai jamais manqué de femmes du temps de la police, je tendais le doigt et vlan, je me suis même envoyé une communiste dans une cellule de la PIDE, entre deux interrogatoires, et je n'ai pas eu à la supplier, Qui sont tes contacts, ma petite, et elle, tout émoustillée, me souriait, les mains sur les hanches, Approche donc un petit instant et je vais te balancer cela, maintenant que je suis vieux, l'ami, maintenant que j'ai perdu ma patience et mes dispositions, je me fais du mauvais sang à cause d'une gredine qui tète de l'essence de térébenthine et de l'alcool de pharmacie et qui bat la semelle la nuit à la recherche de partenaires à deux cents escudos les dix minutes, alors que je pourrais être bien peinard en train de faire des mots croisés ou de penser aux vacheries que m'a faites le socialisme, moi qui devrais enguirlander mes élèves qui oublient leur turban et les passes magnétiques et qui se condamnent ainsi à un misérable destin terrestre, marchant comme tu marches toi, mon garçon, en s'esquintant les cors sur les pavés au lieu de se déplacer, heureux, sans poids, au gré des caprices du vent. Pour nous deux, ami écrivain, il n'y a pas de solution, nous sommes comme les soupirants de la chienne qui exhibent leur cul dans tout Lisbonne, sauf que moi, bon sang, c'est tout de même une femme, bonne ou mauvaise, qui m'enflamme, tandis que toi tu te mets la cervelle à l'envers pour un mec qui ne vaut rien, qui ne vaudra jamais rien, et à propos de qui quatre-vingt-dix pour cent des gens paieraient pour ignorer qui il est, un quinquagénaire sinistre qui habite dans cette saloperie de Quinta do Jacinto et qui vit en concubinage avec une greluche diabétique bourrée d'insuline qui pourrait être sa petite-fille et qui le déteste, et qui entretient avec un salaire dont je me demande bien comment il dure jusqu'à la fin du mois son père et la tante qui m'a montré la maison pendant que dans l'appartement d'à côté un couple que je n'ai pas réussi à voir s'envoyait des bordées d'injures, la maison, le potager minable, la présence du fleuve derrière le mur et les trains d'Estoril et de Lisbonne qui se croisent sur la voie ferrée qui sépare Alcântara de la muraille, et moi, ne comprenant pas, je réfléchissais à tout cela, ami écrivain, je rassemblais les faits, je les abandonnais, je les réunissais à nouveau, soupçonneux, Il y a quelque chose qui m'échappe, quelque chose qui cloche, quel fichu intérêt peut bien présenter le mec de la photo, et la diabétique, et la Quinta do Jacinto, et soudain, ce matin, avant de venir te retrouver, j'étais en train de me raser, j'ai compris et je suis resté planté devant la glace, ou plutôt devant le bout de glace que je possède, la moitié de la figure pleine de savon, j'ai compris, rasoir en l'air, que ton bonhomme n'existe pas, pas plus que n'existent le noyer, ni le père, ni la tante, ni la Quinta do Jacinto, ni même Alcântara, non plus que le Tage, et que tu m'as précipité dans cette mystification bizarre pour deux ou trois billets de banque, que tu as inventé toute cette intrigue pour tes chapitres, allons, avoue-le, que tu m'as obligé à perdre mon temps et celui de mes élèves pour des histoires à dormir debout, et maintenant qui me dédommagera pour les problèmes d'hypnoses ratées que je vais devoir résoudre, qui me défendra devant les tribunaux si des gens commencent à disparaître à Lisbonne, j'ai compris, j'ai envie de me vider la vessie et je dois encore avoir de la crème à raser dans les oreilles car dans l'excitation de ma découverte je n'ai pas fait pipi et je ne me suis pas essuyé la figure avec la serviette, j'ai compris qu'il n'y a pas de tourterelles, que Lucilia n'existe pas, que la pension de la place de l'Alegria n'existe pas, que le maquereau noir n'existe pas, qu'il n'y a pas de PIDE, qu'il n'y a pas eu les communistes, que mon passé n'existe pas, ni Damão, ni la maison d'Odivelas, que je n'ai pas existé, qu'il n'y a pas le sandwich presque sans jambon que je mâche ici, assis à votre table, que vous non plus n'existez pas, ami écrivain, et que nous nous trouvons tous les deux, écoutez-moi bien, non pas sur le Campo de Santana qui n'a jamais existé, avec ses paons, ses mendiants et ses fous, mais suspendus dans des espèces de limbes, en train de parler de rien, entourés de toits et d'arbres et de gens dépourvus de substance, dans une Lisbonne imaginaire qui dégringole vers le fleuve dans une précipitation confuse de ruelles inventées.

5

Hier, Iolanda, quand j'ai demandé un congé à mon service pour t'accompagner à la consultation de l'Association des diabétiques et que nous sommes partis très tôt pour ne pas rater le médecin,

(si tôt que la nuit du fleuve entrait avec les lumières des bateaux dans le jour de la ville)

hier, pendant que nous nous dirigions vers le rond-point d'Alcântara à la recherche d'un taxi, j'ai senti que la blancheur et l'ombre se bousculaient sur la muraille du Tage et qu'il n'était pas impossible qu'un chalutier vogue dans la rue, patron au gouvernail et lanterne de poupe projetant des éclairs sur le bitume,

tout comme il n'était pas impossible que les maisons de la Quinta do Jacinto plongent des racines de stuc dans l'eau,

je t'ai aimée parce que tu m'as permis de vivre avec toi dans le miracle d'un soleil couchant ou d'une aurore où les arbres s'ébouriffaient d'algues et où les pétroliers prenaient la dimension de cathédrales, avec des saints, des cierges et des autels dans la cale, des notes de chant grégorien sortaient avec la fumée d'énormes cheminées. J'ai aimé tes épaules étroites, ton nez que la grippe faisait couler, ta voix qui s'énervait et qui me houspillait, tes jambes maigres sous ta gabardine, j'ai aimé la fragilité de ton corps et ta façon de marcher, courbée par la bise de février, et j'ai aimé,

pardonne-moi,

ta maladie qui me permet de t'accompagner dans l'aube de Lisbonne comme si nous formions un couple aux yeux d'autrui, bien que tu m'attribues la responsabilité de ton rhume et de l'insuffisance des transports, que tu exiges que je découvre un taxi dans le brouillard qui dilue les automobiles, et que tu cries que tu me détestes, tes yeux brillants de fièvre cillant au-dessus des franges de ton écharpe. Je trottais autour du rond-point en faisant des signes aux voitures, car je ne pouvais pas traverser à cause des camionnettes venant du sud qui descendaient du pont en secouant leurs flancs, et pendant que je gesticulais je me suis souvenu de l'angoisse de Dona Maria Teresa, un soir, il y a de nombreuses années, dans la Calçada do Tojal,

(et l'enfance surgit devant moi, indifférente à ta colère, dans ce matin d'Alcântara, comme les ossements des martyrs surgissent de sous les dalles)

quand le renard s'était évadé de la cage à oiseaux, qu'il avait traversé le ruban de cailloux et qu'il était entré en glapissant dans la maison, renversant des petites tables avec des pieds en forme de pattes de coq et des colonels du Génie photographiés en France pendant la guerre qui tombaient par terre sans un gémissement, nous regardant avec des pupilles pleines d'un héroïsme glacé.

Le renard, sans savoir quoi faire, continuant à glapir, a envahi le salon dans un tourbillon de poils, et mes tantes qui tricotaient des napperons dans des fauteuils crevés à force d'usure, éclairées par le filet de lumière qui traversait les rideaux, se sont levées comme un seul homme, chassant avec leurs aiguilles la bête qui s'est cognée contre une horloge, réveillant une volée de carillons et de sanglots de coucous, en enfin, Iolanda, quand tu éternuais pour la troisième fois, tirant des Kleenex de ton sac, une petite ampoule verte a surgi, naviguant autour du rond-point derrière un corbillard, et voulant te faire plaisir, oubliant la circulation, j'ai bondi sur le bitume, menacé par des garde-boue, des klaxons et des insultes, le renard s'est retourné, entraînant l'étoffe du lit de repos et un vase en porcelaine qui s'est brisé en mille morceaux sur le parquet, le taxi s'est immobilisé à côté de nous, capot frémissant, pendant que tu ouvrais la portière en me traitant de crétin, m'imputant déjà tes pneumonies futures, m'avertissant, furibonde, Ne t'avise pas de me toucher, et tu t'es installée sur le siège rembourré en te mouchant, Dona Anita s'est précipitée vers le lit de repos pour sauver un coquillage en argent et un cœur en cristal mais elle a trébuché sur le fil du radiateur électrique, s'est retenue à une chaise qui est tombée sur le côté comme un cadavre déjà rigide, et tu m'as dit en tirant sur tes vêtements, Tu froisses ma gabardine avec ton gros derrière, imbécile, des fourgonnettes étirées par le brouillard passaient sans relâche à côté de nous, les feux de circulation oscillaient dans la brume, une odeur d'égout montait de la muraille et on devinait le fleuve aux mugissements des bateaux, une deuxième chaise est tombée sur le tapis enroulé par le renard, le radiateur a commencé à brûler un rideau qui se tordait en répandant de la cendre sur le parquet, Un seau d'eau, a imploré Dona Maria Teresa, craignant que les majors ne prennent feu sur les commodes, Excuse-moi, t'ai-je dit en soulevant les fesses et en fermant la portière dans laquelle mon pardessus s'était coincé, Dona Anita, assise par terre, cherchait ses lunettes à tâtons, et le renard a filé vers le deuxième étage, regrettant sa cage dans le jardin et le mur sur lequel le soir on voyait les troupeaux sur le haut du Tojal, gardés par des bergers qui conversaient avec leurs brebis dans une langue faite de sifflements. Une file d'automobiles protestaient derrière nous et dans le brouillard qui se dissipait et révélait des immeubles, des rues, une pâtisserie dont on retirait les volets, j'ai aperçu du côté de l'avenue de Ceuta le gant d'un policier pendant que j'entendais le ronflement d'un phare, le vrombissement d'un moteur et les pattes du renard qui dévalaient les marches :

– Où allez-vous, finalement ? s'est impatienté le chauffeur en tambourinant sur le volant.

– Tu m'as froissé ma jupe, c'est malin, as-tu protesté en montrant un bout d'étoffe, je vais être belle en arrivant chez le docteur.

Le rideau a fini de se consumer, il s'est détaché des anneaux et a flotté dans la chambre en répandant des escarbilles tandis que le radiateur commençait à dévorer le tapis sur lequel se dressait la table du dîner avec au milieu le plat de bananes et d'oranges que personne ne mangeait et qui exhalaient une odeur fade quand on se penchait sur elles. Dona Maria Teresa a grimpé l'escalier à la suite du renard et Dona Anita, qui avait retrouvé ses lunettes auxquelles il manquait un verre, contemplait les militaires avec une désolation infinie, indifférente au radiateur qui rongeait l'un après l'autre les dessins du tapis, écoutant le bruissement des arbres que l'absence de vent et la venue de la nuit apaisaient. Derrière nous, les voitures allumaient leurs phares, le gant du policier, un sifflet entre l'index et le pouce, devenait frénétique, le brouillard se dissipait, révélant de nouvelles rues, des rails de tramway, des traces de couleurs sur les cheminées et les toits.

– A l'Association des diabétiques, nous devons être là-bas avant neuf heures, ai-je dit au chauffeur qui en avait déjà sa claque de nous et qui s'agitait sur sa banquette, répondant au flic avec un geste d'excuse. Si nous ratons la consultation, nous devrons attendre deux mois, au bas mot.

– Heureusement que les photos de papa ne sont pas cassées, s'est consolée Dona Anita en ramassant des bouts de verre, heureusement qu'il n'est rien arrivé aux photos de Verdun.

– A l'Association des diabétiques, vous auriez pu le dire plus tôt, a soupiré le chauffeur en embrayant mollement et en se perdant dans le matin clair et sonore où un ultime nuage s'échappait vers Algés, au milieu du troupeau de voitures qui tournaient autour du rond-point où le gant du policier ne réussirait pas à le débusquer. Si j'écope d'une amende à cause de vous, gare à vous.

Le soleil effleurait le palmier de la Poste, une des spirales du radiateur, épuisée d'avoir mâché de la laine, a claqué avec une détonation et perdu son éclat, Dona Anita a penché la tête à gauche comme un toucan borgne à cause de l'unique verre de ses lunettes et s'est mise à inventorier les débris avec la pointe de son soulier, on entendait le renard galoper, des oratorios se précipiter à terre en pulvérisant des martyrs en terre cuite et Dona Maria Teresa crier Appelez la Légion, faites vite venir Fernando avant que l'animal n'ait l'idée de grimper au grenier, mais nous avons dépassé le flic, Iolanda, sans que le gant, occupé par une mobylette en travers de la chaussée, ne fasse attention à nous, et nous avons roulé vers la place d'Espagne, tournant le dos aux trains pour Alcântara et aux bateaux du Tage, le bruit du phare s'est tu, un bidonville a succédé à des logements auxquels il manquait des murs. Des panneaux publicitaires plantés de part et d'autre de la route glissaient vers nous et ton profil fâché voyageait sans me regarder dans la misère de Lisbonne qui se déployait en cinémas, magasins, garages, immeubles d'un mauvais goût criard. Le chauffeur slalomait d'une voie à l'autre, évitant les camions grâce à une succession d'infractions, Dona Anita, en entendant sa sœur, s'est précipitée sur le téléphone posé sur l'annuaire et sur un petit carnet contenant les numéros du boucher, de la couturière et du boulanger, pendant qu'un saint Expédit dégringolait dans l'escalier, perdant un membre à chaque marche, et je cherchais en moi des mots pour m'excuser d'avoir froissé ta jupe, d'avoir chiffonné ta gabardine avec mes fesses, de bousculer sans cesse ta vie par mon ineptie, et au bout d'une demi-heure à peine, Iolanda,

quand le soleil a glissé vers le palmier et que l'intérieur de la maison a ressemblé à une ville bombardée, bien que défendue par des colonels retranchés derrière des cadres en écaille et en plaqué argent,

j'ai entendu des bottes marcher sur la rampe qui séparait le portail de l'entrée de la maison, j'ai entendu des voix, des toussotements, des ordres, une clé qui luttait avec la serrure, et monsieur Fernando, en uniforme de la Légion, calot, bottes de cheval, éperons et pistolet au poing, a surgi dans le salon, accompagné d'une dizaine de miliciens, fusil à l'épaule, qui ont salué Dona Anita, occupée à tenter de reconstituer un Molière en biscuit, ils se sont dispersés dans les pièces, tirant sans désemparer, à la recherche du renard fugitif. Le chauffeur, après avoir insulté un tramway dont le trolley s'était détaché du câble et qui refusait d'avancer, obstruant une venelle, a arrêté son taxi et débranché la petite machine à compter les centimes en face de l'Association des diabétiques, à l'entrée de laquelle s'amoncelait une grappe de malades qui frottaient leurs mains l'une contre l'autre dans le froid, j'ai porté mes doigts vers ma veste pour le payer, sans rien trouver, je me suis aperçu que dans ma hâte j'avais oublié mon portefeuille à la Quinta do Jacinto et que je n'avais que de la menue monnaie mêlée à des papiers et des boîtes d'allumettes dans la poche de ma canadienne. Tu tenais la poignée, prête à sortir de la voiture, le chauffeur attendait, prenant des notes sur un carnet, un des miliciens a tiré sur le lustre de la salle à manger qui s'est écroulé par terre, monsieur Fernando a retenu les patriotes Assez de casse comme ça, la bête est là-haut, l'eau d'un tuyau jaillissait à gros bouillons derrière la tenture, inondant le tapis et avançant vers le carrelage de la cuisine, le chauffeur a posé très calmement son carnet sur la banquette, a tordu le torse et demandé d'une voix attendrie :

– Vous avez oublié votre portefeuille, c'est ça?

Les diabétiques entraient dans le bâtiment de l'Association coincé entre des immeubles en construction, une femme en blouse et toque a regardé par une fenêtre pendant que je vérifiais à nouveau le contenu de mes poches, j'imaginais des cabinets remplis de blocs de prescriptions, d'instruments chirurgicaux et de bureaux de marché aux puces, des salles d'attente bourrées de gens, un écriteau Défense de fumer fixé avec du scotch sur un panneau en liège, des microscopes, des cobayes, des becs Bunsen, et omniprésent, dans les cabinets des médecins, dans la salle d'attente, dans le laboratoire, dans le corridor et surtout dans les WC, le parfum de chrysanthème du diabète qui s'insinuait dans la structure de pierre et de sable à travers les imperfections du crépissage. Et l'idée m'est venue qu'il y a des moments, mon amour, quand je ne suis pas avec toi, au travail, pendant le déjeuner, dans le vestibule au travail, sur les photocopies que je tamponne, dans l'autobus du retour, où je découvre sur mon corps, dans mes vêtements, dans mon haleine, l'odeur de chrysanthème que tu dégages, si bien que je me sens aussi proche de toi que si je t'habitais, comme si tu étais, répondant à mon plus cher désir, ma seule nourriture, mon pays, ma ville, mon foyer, comme si ton sang illuminait ma voix et que je marchais dans la Quinta do Jacinto, guidé par l'encens de tes yeux, à la rencontre de la jeune poitrine qui m'attend. Un sourire interminable a fendu le visage du chauffeur :

– Et bien entendu vous n'avez pas non plus vos pièces d'identité, n'est-ce pas ?

Dans ces occasions, Iolanda, et seulement dans ces occasions, quand mes cinquante ans s'éloignent de moi et me libèrent, me laissant alerte, ingambe, sûr de moi, fort, sans peur, délivré du doute, mon existence acquiert une limpidité matinale, prend une saveur de mois d'août, une texture qui me rassure, me mûrit et me justifie, mes nerfs se détendent et je réussis à dormir, je n'irai pas jusqu'à dire dans le nid de ta tendresse mais dans ton acceptation de moi, couché à côté de toi sans tourment ni douleur, comme sous la douche d'ombres des sycomores en été, respirant le parfum des chrysanthèmes.

– Et je vous donne mon adresse et cet après-midi vous irez à Cabo Ruivo me payer ma course, j'ai bien deviné ? a demandé le chauffeur, maintenant complètement tourné sur son siège, une main plaquée sur mon genou et me comprimant les os. Vous n'avez pas de papiers qui prouvent votre identité mais je peux être tranquille, n'est-ce pas, car en arrivant chez moi la première chose que j'apercevrai c'est une enveloppe avec l'argent et le pourboire glissée dans la boîte aux lettres car vous êtes la personne la plus sérieuse du monde, c'est bien cela ?

Les diabétiques continuaient à affluer à l'Association pour leur consultation, enveloppés dans de longues capes tristes, un type avec un nœud papillon s'est penché Vous êtes libre, et les légionnaires qui tiraient sur les soupières de la Compagnie des Indes et sur les photos des troufions se sont précipités dans l'escalier, derrière monsieur Fernando qui beuglait Empêchez-le d'arriver au grenier, empêchez-le d'arriver au grenier, brandissant son pistolet de guerre qui se dilatait et rétrécissait en pulvérisant les fleurons du plafond.

– Le fait que je sois libre ou pas, a dit le chauffeur sans lâcher mon genou, dépend de ce paroissien-ci.

Une penderie s'est écroulée, immobilisée contre l'arche du salon, réduite à un monceau de planches et de portemanteaux en fil de fer et en bois. Quelqu'un avait remonté le phonographe qui entonnait maintenant l'hymne italien avec des fausses notes, les bottes couraient à l'étage du dessus, une deuxième penderie s'est précipitée dans l'escalier avec un élan suicidaire, une voix s'indignait Ce putain de renard m'a mordu, et le chauffeur qui me triturait les cartilages a cessé soudain de sourire :

– Vous avez trente secondes pour finir cette comédie. Et vous, la petite, calmez-vous, car c'est à votre papa que je parle.

– Ce n'est pas mon père, c'est mon parrain, as-tu dit dans un mélange de fureur, de chagrin et de honte, en exhalant un relent de veillée funèbre.

Et j'ai aussitôt rapetissé, je me suis ratatiné sur la banquette, offensé dans mon amour pour toi, le serrant contre ma poitrine comme un cadeau dont personne ne veut.

– Parrain et filleule, c'est rigolo, ça, a déclaré le chauffeur en me froissant les muscles de la cuisse et en cherchant son briquet et son paquet de cigarettes sur le tableau de bord avec sa main libre. Eh bien, écoute-moi bien, la blondinette, si ton vieux ne crache pas l'oseille illico nous allons tout droit au commissariat, peut-être que le commissaire vous mariera.

La musique du phonographe est devenue si stridente qu'elle étouffait les cris, les coups de feu, la crainte de mes oncles que le renard se réfugie dans le grenier et la frénésie des légionnaires dans le corridor. La maison vibrait au son des grosses caisses de l'hymne, Dona Anita, chignon en bataille, semblait se déplacer au rythme du tambour, le radiateur liquéfiait une poupée en papier mâché, un renfort de patriotes a franchi la porte, détruisant à coups de baïonnette les portraits qui avaient survécu jusque-là, les médecins observaient des radiographies et des échantillons de sang pendant que les infirmières préparaient des seringues d'insuline, les patriotes, grenades à la ceinture, montaient et descendaient les marches, l'homme au nœud papillon s'était rallié au chauffeur et proposait la mairie pour le mariage, et sur ces entrefaites monsieur Fernando, calot sur la nuque, est apparu au salon en tenant le renard suspendu par la queue, et j'ai reculé de frayeur jusqu'à l'encoignure où étaient rangés les verres et les coupes en voyant ses yeux vides.

Iolanda, mon amour, dimanche de ma vie, je t'aime. Je t'aime et je crois, j'ai cette prétention, je crois comprendre ton impatience, tes colères subites, ton alternance d'intelligence et de stupidité, d'apathie et d'impétuosité, d'innocence et de malice, je crois comprendre ton refus de parler, tes sautes d'humeur puériles, ton dégoût de moi. Mon âge et mes becs de perroquet s'interposent entre nous comme un mur qui t'empêche de m'estimer, nous sommes séparés par des années et des années d'expériences et de peurs que nous n'avons pas partagées, que nous ne pourrons pas partager. Et pourtant, ma chérie, je comprends quand ton visage s'assombrit et se voile le soir, quand tu t'assois à table pour manger à contrecœur le poulet ou la brème de ta tante, quand tu jettes ta serviette sur la nappe, repousses le banc et t'enfermes dans ta chambre sans explications ni excuses, contemplant le fleuve au-delà des trains, des mouettes et des grues, mât contre mât, très nettes dans la nuit tombante.

Iolanda, je t'aime. Je t'aime dans ton impossibilité

de manger des gâteaux que tu transformes en décision personnelle, en volonté hautaine, j'aime tes pupilles qui commencent à se voiler de cataractes, tes reins qui souffrent en silence, les protestations de ton pancréas. Je t'aime avec la pitié infinie, extasiée, de la passion, je t'aime quand tu transpires en dormant, je bois chaque goutte de toi quand je te parcours pore après pore de ma langue avide. Ma vie avec ses angoisses et ses mystères non élucidés, l'absence de mes parents pendant mon enfance, le voisin illusionniste, le grenier où les pas résonnaient, ma vie a cessé d'être une énigme pour moi depuis que je t'ai rencontrée, si bien que le passé me revient avec autant de clarté que l'épisode d'hier dans le taxi, devant l'Association des diabétiques, qui a pris fin quand une secrétaire est sortie confirmer qui nous étions et me prêter l'argent de la course, au grand chagrin du nœud papillon qui espérait bien voir des joues fendues et des matraques valser dans l'air. Le passé me revient si nettement que je n'ai pas besoin de fermer les yeux pour voir de nouveau monsieur Fernando descendre l'escalier en tenant le renard par la queue, suivi de sa horde de patriotes armés de fusils, mes tantes qui sont décédées depuis longtemps de maux indéchiffrables, la maison dévastée, sans électricité, aux tentures dégoulinantes d'eau, aux murs criblés de balles, qui a été remplacée par un salon de beauté ou une boucherie, et le phonographe à pavillon est si réel que je suppose toujours que tu l'entends quand tu te tais subitement, cuiller en suspens au-dessus de la soupe tel un flamant, le phonographe qui rejoue l'hymne dans un déchaînement de trompettes, faisant déferler des vagues de musique sur les commodes démantibulées.

6

Soyez patient, ami écrivain, je n'ai presque pas eu de temps cette semaine mais je n'ai pas abandonné votre affaire, je vous le garantis, j'ai même songé à m'y consacrer vingt-quatre heures sur vingt-quatre et pour moi vingt-quatre heures sur vingt-quatre c'est vingt-heure heures sur vingt-quatre, même si on me paie des clopinettes comme c'est le cas, j'ai même acheté une carte d'abonnement pour prendre votre bonhomme en filature, un magnétophone et un rouleau de pellicule, tenez, voici les factures, le propriétaire du magasin dit que ce n'est pas pressé, j'ai dans la poche la liste des voisins à interroger car la parentèle a été dispersée par la vie, je suis bourré de bonnes intentions et voilà-t-il pas, c'est le destin, ou bien le diable, que toutes les tourterelles du monde s'engouffrent dans ma chambre, pas cinq, ni sept, ni dix, mais des douzaines et des douzaines qui envahissent ma chambre, j'ai ouvert la porte, monsieur, et je n'entendais que des roucoulements, il y avait tant de volatiles que je ne retrouvais même plus mon lit, des ailes, des becs, des yeux, des queues en éventail, des pattes, des plumes qui montaient et descendaient sans que personne souffle dessus, j'ai songé à fuir, à abandonner ma valise, ma brosse à dents, mes vêtements, à fermer la porte à clé, à dévaler l'escalier et la rue jusqu'au Terreiro do Paço, devant les bacs, mais une voix de femme m'a appelé par mon nom au milieu des oiseaux, et c'était elle, ami écrivain, c'était Lucilia me souriant sur mon matelas couvert de poussière et d'œufs peinturlurés, le maquereau noir était parti au Cap-Vert enterrer sa mère, et elle était seule, qui l'aurait dit, sans avoir à faire la retape la nuit sur l'Avenida, toute seule, mon garçon, bien peinarde, sans gifles, sans insultes, sans criailleries, sirotant sa bibine de droguerie, Lucilia, le rêve de ton serviteur, la nénette idéale, vautrée dans mes draps et m'offrant sa bouteille, et d'autres tourterelles sur l'appui de la fenêtre, d'autres tourterelles sur les cornières, d'autres tourterelles dans ma chambre, des tourterelles blanches, bleues, grises, des tourterelles différentes de celles de la place de l'Alegrìa, des tourterelles qui se promenaient sur le plancher, sur le siège de l'unique chaise, sur le plateau de l'unique table, des tourterelles sur la poitrine, sur le visage, sur le sourire, sur les cuisses de la mulâtresse, des tourterelles en veux-tu en voilà, ami écrivain, m'appelant sur l'oreiller où j'agonise à chaque aurore, crucifié par la colite, des tourterelles et Lucilia, mon garçon, qui m'attendait, qui me faisait signe avec sa bouteille, qui me tirait la langue, qui me dérangeait avec ses grimaces, qui se foutait de moi tendrement, Lucilia, débarrassée du Noir, à ma portée, qui bavardait avec moi, qui me défiait, qui descendait son pouce jusqu'à ma ceinture, jusqu'à ma braguette, Lucilia qui m'enlevait mes souliers, qui déboutonnait ma chemise, qui défaisait la boucle de ma ceinture, qui m'embrassait, qui m'attirait à elle, qui me disait,

Approche donc, Portas,

qui me caressait les épaules, les fesses, le creux des genoux, et moi, préoccupé, repoussant la queue d'un oiseau avec la main

Et si le Noir rapplique, Lucilia?
et la frangine, très assurée, tétant le goulot
T'en fais pas, il mettra au moins un mois à revenir, au Cap-Vert les enterrements ça n'en finit plus
et moi, plus serein, imaginant des centaines de Noirs en train de danser sur une île autour d'un cercueil, suggérant
Tu pourrais faire un saut à la brasserie en bas à côté des pompiers et me rapporter un croque-monsieur au fromage pour mon déjeuner
moi, en train de lui donner des ordres, tu comprends, de dépenser son argent, moi, qui avais passé tant de temps sans personne à tirer le diable par la queue, avec une femme juste pour moi, à mes ordres, m'obéissant, faisant mes quatre volontés, se décarcassant pour me faire plaisir, de sorte que vous comprendrez, ami écrivain, qu'avec l'âge que j'ai, un âge où on n'attend plus rien, il était naturel que devant tant d'aubaines réunies je néglige l'imbécile sur la photo, que j'oublie la carte d'abonnement, que j'oublie le magnétophone, que j'oublie le rouleau de pellicule, que j'oublie la liste des voisins et que je reste en pyjama, un pyjama appartenant au maquereau noir, superchic, que Lucilia m'a sorti de sa commode avec une paire de chaussons à pompons, pendant qu'elle chassait les tourterelles de la chambre, qu'elle nettoyait le drap, qu'elle nettoyait le plancher, qu'elle nettoyait le couvre-lit des déjections des oiseaux, concentrant son œil sain sur ce qu'elle faisait et le strabique voguant à la dérive, puis elle a repris sa place dans le lit pendant que je finissais le pain de mie, que je suçais des restes de fromage d'entre mes molaires, que je léchais les miettes et la margarine sur mes doigts, et que je disais à la mulâtresse d'un air faussement indifférent
Un petit jus ne serait pas de refus, c'est sûr
et j'occupais la place de l'orphelin qui devait danser à cette heure sur la plage parmi les cocotiers,

entouré de trois cents cousins germains et de quatre cents cousines dans des jupettes en paille, priant les fétiches pour l'âme de sa maman, et j'ordonnais, la bouche pleine de pain

Cette nuit tu travailleras jusqu'à cinq heures du matin sur l'Avenue car j'ai besoin d'un veston convenable

et j'avais la main prête pour la mornifle car il n'y a rien de mieux qu'une rouste pour vous séduire une femme, une beigne bien appliquée et, hop, les voilà qui tremblent de passion. Mon chéri, mon trésor, mon chou, ce genre de crétineries, et que je te multiplie les caresses, et les cadeaux, et les petits coups de tête tendres, et que je te fasse du genou, pendant que les tourterelles donnaient des coups de bec contre les vitres sans réussir à entrer parce que j'avais fermé la fenêtre, les tourterelles qui cherchaient Lucilia, laquelle reçoit un monsieur âgé dans la chambre du fond ou retourne sur l'Avenue s'offrir à ceux qui quittent le turbin à six heures, si bien qu'ayant tant à faire avec la mulâtresse, comment aurais-je pu trouver du temps pour votre travail à vous, ami écrivain, de temps en temps je trébuchais sur l'appareil photographique et je me disais

Je n'ai pas encore parlé aux voisins, quelle chierie, demain sans faute je m'en occupe

et j'ai fini par utiliser la pellicule à nous tirer le portrait au Zoo, la mulâtresse et moi, devant la cage aux lions nous demandions à un inconnu

Vous ne pourriez pas nous prendre en photo, s'il vous plaît, il suffit d'appuyer sur ce bouton

et nous nous enlacions en souriant, adossés à la grille, si cela vous intéresse je vous montrerai Lucilia en train de donner des petits poissons aux morses et des cacahuètes aux gorilles, je vous montrerai Lucilia et moi tendant une pièce de dix escudos à l'éléphant, Lucilia et moi dégustant des boissons sur la terrasse près des tobogans pour les enfants, j'en ai même oublié la PIDE, j'en ai même oublié la prison, j'en ai même oublié les communistes, j'en ai même oublié votre existence, que voulez-vous, ce furent des jours de pure extase, de miracle authentique, de bonheur parfait, je pouvais mourir en paix parce que j'avais connu le paradis, je songeai même à proposer le mariage à la mulâtresse, à louer, avec ce que la fille gagnait avec son boulot plus l'hypnose par correspondance, un appartement à Birre, un deux-pièces avec de la marmorite donnant sur des dizaines de deux-pièces avec de la marmorite, à la présenter à un frère à moi qui a un débit de tabac à Cacém, nous sommes allés là-bas lundi matin avec le car, moi avec une cravate et Lucilia avec une robe en simili peau de tigre qui laissait les hommes noyés dans l'écume de désir que son sillage abandonnait sur les trottoirs, nous sommes entrés main dans la main dans l'établissement rempli de journaux, de revues, de briquets, d'inutilités diverses et de fournitures scolaires, et j'ai immédiatement aperçu Augusto, le crayon sur l'oreille, me ressemblant, mais en plus chauve, qui servait une cliente derrière le comptoir, nous nous sommes avancés dans le magasin mais mon frère ne nous a pas remarqués, nous nous sommes plantés devant lui, je me suis raclé la gorge, j'ai gazouillé

Salut Augusto

et le frangin, auquel je n'avais pas rendu visite depuis que la démocratie s'est installée dans ce pays, a levé le menton en direction de ma voix et a ouvert de grands yeux, contemplant avec fascination les merveilles glandulaires de Lucilia que le tigre et un soutien-gorge à armature multipliaient par deux, contemplant la fantastique ondulation de ses cuisses, les boucles d'oreilles en forme d'ananas et ses cheveux crêpés teints, la mulâtresse a soupiré pour agrandir son décolleté pendant que la cliente du débit de tabac, petite et laide, avec des bas à varices, la regardait avec l'indignation de l'envie, il y avait déjà une paire de garçons en âge d'aller au lycée qui lorgnaient de la rue les fesses de Lucilia, mon frère, le crayon sur son oreille secoué de tremblements, m'a découvert et la ligne de ses lèvres s'est soudain durcie

Si tu viens me quémander de l'argent je te préviens, pour éviter les discussions, que je n'en ai pas

les seins de la mulâtresse, qui avait extrait une petite glace de son sac à main et qui colorait ses lèvres de violet, faisaient craquer l'un après l'autre les agrafes de son corsage, sa bouche tendue vers le rouge à lèvres englobait l'univers dans une promesse de plaisir qui submergeait mon frère, moi-même et les spectateurs à l'entrée du débit de tabac, et qui s'étendait à tout Cacém, excitant les mécaniciens dans les ateliers de Rio de Mouro et les ouvriers et les contremaîtres des petites usines de Mem Martins, pris d'une envie dont ils ignoraient la cause ou l'origine

Je ne suis pas venu te quémander de l'argent, Augusto, je suis venu t'inviter

ai-je dit

tu es la seule personne de la famille qui me reste

et maintenant, ami écrivain, ce n'était pas seulement le corsage, c'était la jupe qui menaçait de se déchirer, incapable de contenir l'exubérance des hanches, incapable de contenir la protubérance ravinée du pubis, et j'imaginais les jambes de Lucilia, gainées de bas constellés de petites étoiles, dévorant le débit de tabac de Cacém, j'imaginais mon frère reculant, paniqué, les mains tendues, vers le fond de sa boutique, je l'imaginais suppliant

Non non non

j'imaginais les étudiants galopant de frayeur, se débarrassant de leur serviette, en direction de Carcavelos, Augusto a retiré le crayon de son oreille et l'a abandonné sur le comptoir

M'inviter, qu'est-ce que c'est encore que cette plaisanterie, m'inviter?

Lucilia, qui paraissait moins bigleuse dans l'obscurité, rangeait dans son sac son rouge à lèvres et son petit miroir rond décoré de l'emblème du club de foot de Belem

M'inviter?

répétait Augusto en secouant la tête

et combien elle coûte ton invitation, dis voir un peu?

alors, ami écrivain, j'aurais voulu que vous voyiez ça, moi-même j'ai été surpris par la violence de cette réaction chez une personne aussi douce, alors les cheveux crépus de la mulâtresse se sont soulevés comme la huppe d'un cacatoès, elle a dardé ses seins sur mon frère qui a vite tenté d'adoucir sa question par une espèce de sourire

Si vous croyez que nous sommes venus vous taper, eh bien, vous pouvez aller vous faire voir, viens, Portas, on se taille, cette andouille me dégoûte

ses fesses vibraient, ses narines vibraient, la paille de fer qu'était sa tignasse vibrait, les ananas se détachaient de ses boucles d'oreilles, pendant que moi, une paume sur son épaule, je tentais de la calmer

Allons allons mignonne, allons allons mignonne, Augusto n'a pas voulu t'offenser, il n'est pas au courant de nos projets, c'est tout

et Lucilia, indifférente à mes exhortations, renversait une pile de journaux et de revues sur le comptoir en répétant

l'andouille, l'andouille, l'andouille

et elle a giflé Augusto dans le petit débit irrespirable, un établissement de quartier avec des œufs sur le plat en carton dans la vitrine, tu vois le genre, une boutique minable que mon frère et sa femme ont héritée du beau-père d'abord et que lui a héritée de sa femme après, quand elle est morte d'un anévrisme en achetant du poisson au marché, les sardines se sont éparpillées sur le sol mouillé, et Augusto, qui n'avait pas d'enfant, a vécu seul ensuite dans la villa Gomes à Cacém, et la mulâtresse l'insultait, son orbite saine débordant de haine et la bigleuse s'arrondissant avec une expression évangélique

Espèce d'ours

jusqu'au moment où, me souvenant des techniques du mac noir, je lui ai appliqué un coup de pied dans les tibias et je me suis interposé entre eux deux en criant

Lucilia, arrête, sans cela je te fracasse la mâchoire

la paupière angélique a glissé sur moi sans me voir, l'orbite haineuse m'a dévisagé un instant puis s'est éteinte, Augusto, libéré, s'est assuré qu'il n'avait perdu aucun de ses boutons de manchette en nacre, puis s'est agenouillé pour ramasser par terre journaux et revues et, le visage à la hauteur de mes chevilles, m'a demandé

De combien as-tu besoin, dis voir un peu?

et moi, ami écrivain, j'ai pensé à la villa Gomes à côté de la villa Notre Foyer et de la villa Antuves, j'ai pensé à mon frère prenant des comprimés pour ses maux d'estomac dans la cuisine, j'ai pensé à la misère de sa vie, finalement semblable à la mienne, mon garçon, si bien qu'une solidarité émue m'a amolli l'âme et je me suis penché, tout remué, pour lui susurrer avec affection, avec amitié, avec tendresse

Je n'y avais pas pensé, Augusto, mais puisque c'est toi qui as mis la question sur le tapis, file-moi l'argent que tu as dans la caisse.

Tu as remarqué comme la soirée est belle, ami écrivain, comme les mûriers sont tranquilles, tu as vu les chats allongés entre les pots de fleurs? Même les pigeons se sont calmés aujourd'hui, indifférents aux casquettes d'épouvantail, aux mégots et aux vestes râpées des retraités. Une soirée du tonnerre pour la saison, une soirée du tonnerre pour les fous de l'hôpital Miguel Bombarda qui tendent leur paume aux camionneurs au feu rouge du Largo do Mitelo, une soirée du tonnerre pour nous, et comment, qui réchauffons nos rhumatismes devant la Faculté de médecine et la grosse bâtisse des autopsies où les défunts sont étendus dans des tiroirs en attendant le coutelas qui les taillera en pièces, nous on est en bonne santé, on est entiers, on est vivants, quel triomphe, on mâche avec nos fausses dents et on sent une saveur de printemps, un souffle de mai, la fraîcheur du fleuve. Un après-midi splendide, mon garçon, presque aussi beau qu'avant-hier, un de ces après-midi qui éloignent les maladies et nous font le corps fuselé, comme une espèce de zeppelin, l'après-midi où j'ai décidé, affublé du pyjama du Noir, de rester au lit avec Lucilia, de me couper les ongles et d'écouter la radio, pas dans ma cambuse encore souillée par les tourterelles mais dans la chambre des plaisirs de la mulâtresse, tapissée de miroirs qui avaient perdu la capacité de restituer le monde. Lucilia, vautrée sur mon nombril, buvait à sa bouteille et je somnolais, sentant contre mon flanc le flanc dodu de la strabique dans lequel battait un sang de forêt vierge. Les portes des cagibis de la pension, qui contenaient presque chacun son officiante, claquaient bruyamment comme des volets de pendules à coucou, la voix du propriétaire vitupérait à l'étage du dessous et la sirène des pompiers convoquait d'altruistes êtres casqués pour qu'ils se précipitent sur les lieux d'un sinistre quelconque. La musique de la radio m'engourdissait, ma panse était lourde des croissants de la pâtisserie, j'avais placé l'amabilité d'Augusto à la banque pour qu'elle y fasse des petits, et avec une douzaine de chemises neuves et le loyer de la pension à jour, je me croyais heureux, invulnérable, riche et à l'abri des catastrophes du monde, et quand un doigt a frappé légèrement, j'ai consenti

Entrez

pensant que c'était une collègue de la louchonne, Élisabeth ou Mafalda, qui travaillaient dans les cabinets voisins et qui venaient parfois exhiber une jupe ou se plaindre des exigences des clients, la poignée a tourné et le mac noir, qui s'était laissé pousser la moustache dans les paillotes de son île, a surgi sur le seuil en nous fixant avec son impassibilité habituelle. La mulâtresse a aussitôt lâché sa bouteille et sauté du lit, sa pupille erratique plus errante que jamais, suppliant

Pardon Alcides, pardon Alcides, je te donne ma parole que ce type a payé

pendant que, les pieds sur une peau de veau, je me dépêchais de chercher mon caleçon pour m'en couvrir les parties, les autres Noirs ont surgi derrière le mac, dans leur pantalon d'ouvrier, et ils m'ont plaqué contre le mur, j'avais mis mes chaussettes et mes souliers mais je ne retrouvais pas ma chemise, j'ai commencé à avoir mal au ventre et j'avais envie de vomir, je ne sais pourquoi, le mac noir a écarté Lucilia d'une mornifle et la mulâtresse est tombée sur le dos en soupirant

Ne m'abandonne pas, Alcides, ne m'abandonne pas

un des amis du mac a allumé une cigarette et ses traits ont disparu un instant dans la fumée, je suis sorti dans le corridor, nauséeux et titubant de peur, me tenant le ventre à deux mains pour déverser mon âme dans l'évier, et j'ai entendu derrière moi les cris d'amour de Lucilia que l'orphelin traînait par les cheveux et qu'il jetait sur le lit.

Vraiment, quel après-midi du tonnerre pour la saison, ami écrivain, quelle paix chez les morts dans la bâtisse de la morgue, et nous, on profite bien peinardement du bon petit soleil, on est tout rayonnants, je me taperais bien un autre rafraîchissement, un autre sandwich, une petite assiette d'escargots ou de graines de tournesol, que je mangerais avec toi en taillant une bavette, pendant que ton bonhomme, avec sa gabardine et sa serviette, retourne à Alcântara pour y retrouver le dédain de sa diabétique, le voici dans l'autobus, le voici qui traverse le rond-point, le voici qui gravit la rampe de la Quinta do Jacinto, le voici qui malaxe la monnaie dans ses poches à la recherche de sa clé, le voici entrant chez lui, saluant la tante et le père de la minette qui ne répondent même pas à son sourire, le voici mettant le cap sur la chambrette où la diabétique est plongée dans un livre d'histoire en compagnie d'un camarade qui entoure ses épaules de son bras, le voici qui pose sa serviette à côté du lit, qui fixe la malade et le garçon sans remarquer les mains aux ongles rongés qui se touchent au-dessus du cahier ouvert, le voici, ami écrivain, qui se dirige vers le potager à l'arrière, avec un banc de pierre le long du mur et un noyer dont les bras ploient vers le sol, le voici qui nettoie le banc avec son mouchoir, le voici dans la nuit de Lisbonne qui s'épaissit autour de lui, le voici qui se confond avec le mur comme ma voix se confond avec le premier cri de paon sur le Campo de Santana, le voici qui n'attend rien, qui ne pense à rien, qui ne sent rien, qui se tait, vieilli, apathique, tellement apathique qu'il ne remarque même pas le train de Cascais qui bondit au-dessus des jardinets de la Quinta do Jacinto et qui lui passe sur le corps, emportant dans la kyrielle de vitres des wagons le silence sans rêves dont il est fait.

7

Ne prends pas en mauvaise part, Iolanda, le fait que je t'aime plus à certains moments, en hiver surtout et avant le mois de vacances, quand je bâille dans la maison sans rien à faire pendant que tu vas sur les plages de Caparica avec tes camarades de lycée et que tu reviens en fin d'après-midi, rouge de soleil, avec un panier en paille tressée plein de crèmes, de serviettes de bain et de galets,

à certains moments, quand je me sens plus fatigué, plus tendu, plus vidé de force et d'énergie, quand l'argent de mon salaire ne suffit pas aux dépenses du ménage et que je demande des avances au guichet de la comptabilité, il m'arrive de songer à prendre mes cliques et mes claques et à quitter la Quinta do Jacinto sans que personne le remarque, pour refaire ma vie (comme cette expression, refaire sa vie, devient étrange à cinquante ans, vous ne trouvez pas?) en un autre endroit de la ville, loin du fleuve, loin des trains, loin de ta rudesse cassante, loin de la bouche fâchée de ton père, loin des récriminations et de l'absence de tendresse qui m'oppressent et me désolent, refaire ma vie à Campo de Ourique, à Campolide, à Alvalade, à Portela, me traînant dans des cafés que je ne connais pas, dînant dans des brasseries dont j'ignore le menu, répondant aux annonces matrimoniales du journal et rencontrant, un œillet à la main, des dames aussi solitaires que moi, afin d'unir notre désolation après la cérémonie à la mairie dans un lit dont les planches protestent au moindre soupir, nous réveillant aux coups moliéresques frappés par les voisins indignés qui servent de prélude aux baisers de la vieillesse.

Je songe à déguerpir au mois d'août, Iolanda, comme j'ai songé à le faire tout au long de cet été interminable et brûlant comme un cri de peur

(la peur de te perdre, la peur que tu meures, palpitant entre mes doigts comme un cœur d'oiseau)

quand, excédé de m'asseoir matin et soir, muni d'un arsenal de revues, dans la pâtisserie Paradis de Pedrouços, regardant un employé balayer la sciure par terre et la verser dans un seau, je suis allé à Caparica te chercher dans mon foutu veston, dégoulinant de sueur au milieu d'adolescents en bermuda, j'ai marché de plage en plage, mes chaussettes dans mes souliers et mes souliers à la main, scrutant la mer à ma droite et les restaurants et les bosquets de pins qui se multipliaient à ma gauche, croyant te reconnaître dans chaque silhouette, dans chaque jeune fille qui surgissait de l'eau ou qui s'enduisait d'huile près d'une planche à surfer, dans chaque torse arqué par le soleil, seins à l'air comme une figure de proue. La tête protégée par un mouchoir noué aux quatre coins et le pantalon retroussé jusqu'aux genoux pour ne pas en mouiller le térylène, je ne me suis jamais senti aussi étranger que dans cette violente débauche de couleurs qui mettait en relief l'outrage de mon habillement devant des centaines de dieux bronzés. J'ai fini par m'asseoir sur une pierre au bord de la route pour faire de l'auto-stop avec la main qui tenait les souliers, auprès des fourgonnettes qui rentraient en ville. Une voiture à plaque étrangère dans laquelle des Allemands en sandales vociféraient d'énergiques ballades m'a recueilli, moribond, au moment où ma mâchoire pendait jusqu'au bitume dans un renoncement d'agonie, et m'a déposé, jambes flageolantes et mouchoir sur la tête, au rond-point d'Alcântara, devant les racines du pont et un pétrolier qui glissait comme un cygne, élevant des ailes symétriques en direction de l'embouchure. Je suis rentré à la Quinta do Jacinto, suivi de la colère du tailleur qui pestait sur le seuil de sa boutique contre les ivrognes diurnes au vin extravagant qui attentaient sans vergogne à la réputation du quartier.

Entre nous, mon amour, je t'avouerai que je suis encore retourné à Caparica deux ou trois fois, avec mon costume et mon mouchoir, et que de nouveau j'ai patiné sur l'étendue de sable, empêtré par les nageoires qu'étaient mes souliers vernis. Jamais je ne t'ai trouvée. D'ailleurs je n'espérais pas te trouver, et dans le tréfonds de mon âme je ne le désirais même pas. Je voulais juste revoir les vagues qui abandonnent sur le rivage les rues, les épiceries, les statues, les processions dont notre pays est fait. Je voulais voir ma terre naître du jusant avec ses femmes résignées et ses coqs lointains, ses wagons d'émigrants et les chaînes d'or autour de cous bruns. Je voulais entendre les voix qui surgissent de la mer en même temps que les nuages, les figuiers, les moineaux, les sapins et les acacias qui répandent du pollen sur la plage et qui font jaillir les navires et le mystère du sang des veinules du marbre. Je voulais voir mes parents. Je te jure que je voulais voir mes parents, car maintenant que ma vésicule me joue des tours ils me manquent, Iolanda, ici, couché à côté de toi sans oser te toucher, je voudrais les sentir près de moi, effaçant mon angoisse avec leur sérénité d'adultes, jusqu'à m'endormir à l'abri de leur silhouette qui serait là le matin, me souriant du haut de la proximité familière et douce de la tendresse.

Si bien, Iolanda (ne m'en veux pas de t'aimer), que de temps en temps j'ai envie de fuir à Campo de Ourique ou à Campolide, à Alvalade ou à Portela, comme quand j'étais petit, dans la maison de la Calçada do Tojal, condamné à contempler le crochet de mes tantes pendant des jours d'affilée, je rêvais de m'enfuir dans la caserne de la Légion à Amadora, entonnant des marches guerrières contre la menace communiste. Monsieur Fernando revenait les fins de semaine de ces exercices de haine, flamboyant de patriotisme et d'anis, il s'asseyait à table et coinçait sa serviette sous son cou, il hurlait pour qu'on lui apporte sa soupe et je le considérais

(et quand je l'évoque en train de faire de l'œil aux dames dans la pâtisserie je le considère encore)

capable d'arrêter à lui tout seul une colonne de blindés russes s'acheminant vers les ministères de Lisbonne.

La caserne de la Légion, chérie, où l'on défendait le monde, était un petit édifice vulgaire, dans une rue vulgaire, près d'un marchand de charbon où des garçons noirs comme des ramoneurs mettaient des briquettes en sac, situé presque en face du siège du Groupe excursionniste Les Cinq Unis de Briol, des fenêtres duquel s'échappaient des carambolages de billard et des disputes d'ivrognes. Les aides-charbonniers, les alcooliques des trois billards et les miliciens munis d'armes sans cartouche, incapables de tirer, se croisaient sur le trottoir, de sorte qu'il n'était pas rare qu'un excursionniste pénètre dans la caserne, queue de billard sous le bras, gravisse l'escalier en bousculant des héros, fasse irruption dans le cabinet du commandant qui dépliait des cartes sur son bureau devant son état-major au garde-à-vous, enduise de craie sa queue de billard, indifférent aux points stratégiques de Carrazeda de Anciães, indiqués par des épingles, et renverse un presse-papiers d'un coup bien appliqué.

Si bien que je me suis enfui vers la caserne de la Légion, Iolanda, assoiffé de clairons, de roulements de tambours, de charges de cavalerie rédemptrices, tandis que les formes et les sons de l'aube prenaient possession de la ville comme maintenant, à l'instant précis où je te parle, quand l'appel du premier train déchire la nuit du côté de Caxias, j'ai dépassé Pedralvas et j'ai avancé dans Venda Nova où le parfum des camélias s'épanchait au-dessus des murs, entendant des cris de guerre et des ordres militaires. Mon sang battait au rythme des horloges du Tojal et j'imaginais les Russes débarquant à Leixões, avides de violer des cimetières, fracassant à coups de crosse des anges en calcaire comme ton père renverse des chaises quand il revient des WC, cherchant du genou dans l'obscurité l'emplacement du lit, et tu changes de position dans ton sommeil, tu t'éloignes de moi et tu enfouis tes mèches dans l'oreiller.

Je suis entré à Amadora, chérie, me languissant déjà de mes tantes, déjà préoccupé par leur inquiétude, par leurs avis de recherche lancés auprès de la police, de la Garde, des hôpitaux, effrayé par les derniers chiens et par les premiers coqs, et à cet instant la lune s'est évanouie juste quand le soleil se dilatait entre les peupliers, du côté opposé à l'océan, extrayant de l'ombre sûrement peuplée de communistes cachés au coin des rues et prêts à tirer sur moi avec leurs mitraillettes un petit jardin public avec ses balançoires, ses haies, le sommet d'un girouette en forme d'étoile qui étincelait dans la lumière. Tout comme maintenant à Alcântara, Iolanda, où je me perds constamment, je tournais en rond, revenant sans cesse vers le parc aux balançoires, ce vendredi matin-là, sans trouver la caserne de la Légion, dans les rues transversales d'Amadora dont les établissements s'ouvraient les uns après les autres, leurs employés s'étirant et bâillant sur le seuil, secouant les restes de sommeil qui résistaient, visqueux, sur la peau. Des gens armés de parapluies trottaient vers les arrêts d'autobus pour aller à leur travail, des nuages arrivant de Mafra ou de Sintra s'amoncelaient à l'est, les Russes élevaient des barricades sur la route de Lisbonne, réglant le cran de mire de leurs canons et ils communiquaient entre eux par l'intermédiaire de téléphones de campagne, pendant que, passant pour la dixième fois devant une droguerie qui n'avait pas encore ouvert, avec des flacons de térébenthine dans la vitrine, j'attendais que surgisse en courant, armé de baïonnettes et de revolvers, un peloton de miliciens entonnant des refrains de combat, qui chasseraient les communistes vers les champs d'Amadora où la nuit persistait, deux fois plus sombre au-dessus des landes où se terraient des hiboux terrorisés par l'absence de ténèbres, comme à la Quinta do Jacinto, mon amour, quand je t'abandonne enfin et que je me tais, vaincu par l'implacabilité de la lumière, cherchant sur ma moitié de matelas un espace où détendre mes muscles douloureux, et qu'aussitôt tu me secoues, assise sur les draps, protestant que je ronfle et m'envoyant chercher dans le tiroir l'ampoule d'insuline de ta première injection. C'est alors que préparant la seringue et écoutant tes sarcasmes j'ai envie de faire ma valise et de t'abandonner, de marcher, même en hiver, sur les plages de Caparica sous la bruine de janvier, de marcher sur le sable sans me fatiguer, sans me presser, sans me tourmenter, jusqu'aux cabanes de Fonte da Telha où des tribus de gueux s'agitent parmi les saules pleureurs, allumant les réchauds à pétrole sur lesquels ils posent des boîtes en fer-blanc rouillées.

J'ai fini par trouver la caserne de la Légion en suivant un livreur de charbon qui semait une poussière de briquettes tel un ange terrestre, un peu comme les boulangers répandent sur les paliers un halo de farine qui ressemble à la poussière des étoiles, et voici qu'est apparu dans la paix de neuf heures le petit bâtiment de trois étages avec sa hampe sur la façade, le siège du Groupe excursionniste Les Cinq Unis de Briol et une sentinelle avec un fusil préhistorique à l'entrée, son calot lui cachant les sourcils comme des poils de caniche. On entendait les boules s'entrechoquer et les ivrognes jacasser, on entendait les gammes du pipeau d'un repasseur de ciseaux, on entendait un perroquet parler sur son perchoir, mes tantes parcouraient l'annuaire téléphonique à la recherche du numéro des hôpitaux, les Russes prenaient position dans le jardin des balançoires pour envahir le pays, des sous-marins patrouillaient le long de la côte, des cuirassés et des porte-avions accostaient à Arrábida, emprisonnant les malheureux en panama qui pêchaient des crabes sous les falaises, Il n'y a personne ici de ce nom, répondait l'infirmier, avez-vous essayé la morgue, madame? le rémouleur, sifflant dans son pipeau, poussait sa petite voiture en direction de la caserne, le soleil, à présent vertical, révélait les défauts des murs pignons, La morgue, insistait l'infirmier, essayez donc la morgue, madame, car ceux que nous avons ici sont tous vivants, et à cet instant précis un communiste s'est faufilé par la porte de la cuisine et a égorgé Dona Anita avec le couteau à viande, les pas dans le grenier sont devenus apeurés et rapides, Dona Maria Teresa a lâché l'appareil et a regardé fixement sa sœur, les mains sur la bouche, La morgue, conseillait l'infirmier, ne négligez pas la morgue, insistez auprès des types, décrivez-leur votre neveu, menacez-les d'écrire aux journaux, il y a toujours là-bas plus de six cents cadavres que personne ne réclame, vous imaginez ce que ça donne six cents macchabées dans un placard? un deuxième communiste a brandi la potiche chinoise de la famille au-dessus de la tante encore vivante et avant que la porcelaine ne se fracasse sur son occiput, je me suis précipité vers la sentinelle (bien que j'aie du mal à croire, Iolanda, à une caserne qui en fait est un quatre-pièces, salle de bains et cuisine) en criant

Les Russes sont en train de tuer mes tantes, les Russes sont en train de tuer mes tantes

d'un ton si désespéré que le repasseur de ciseaux a fait taire son pipeau et qu'il est resté à me regarder, oubliant d'appuyer sur la pédale qui faisait tourner la meule à affûter.

Mais même si je le voulais, et je jure que je ne le veux pas, je ne pourrais pas quitter la Quinta do Jacinto, je ne pourrais pas te laisser, toi, ton père et ta tante, manger les dahlias du jardin, sans argent pour les fins de mois à cause des pensions de retraite misérables, je ne pourrais pas accepter que tu abandonnes tes études pour travailler à la caisse d'un supermarché ou au comptoir d'une boutique afin que vous puissiez manger de la blanchaille le mercredi et du pot-au-feu le dimanche, afin que tu puisses t'acheter des chaussures neuves tous les six mois aux soldes du Combro, et pour faire des ménages le samedi afin de payer les factures de l'eau, de l'électricité, du gaz, sans parler du proprio, furieux contre vous et prêt à vous traîner devant les tribunaux à cause des loyers en retard. Je ne peux pas m'en aller, je suis prisonnier de toi comme une chauve-souris l'est de la nuit, je tourne autour de ton corps en décrivant des ellipses insensées, et je paie l'eau, et je paie l'électricité, et je paie le gaz, je paie tes vêtements, je paie le rosbif, je paie le merlan et le beurre, je me mets d'accord avec le proprio pour le paiement du loyer, je promets de réparer l'évier et de refaire l'enduit des murs, je promets que tu baisseras la radio pour ne pas déranger le voisinage, je promets que ton père n'insultera plus la veuve de l'étage du dessous quand elle se plaint que notre linge goutte sur le sien, je promets et je paie, Iolanda, je paie et je promets pour la joie de vivre avec toi, ou plutôt pour que tu t'endormes et te réveilles à côté de moi, embaumée dans ton odeur de chrysanthèmes, évitant mon corps avec ton corps, agacée par mes manies, par le timbre de ma voix, par ma manière de me déshabiller et d'éternuer, par mes lunettes, mon nœud de cravate, ma façon de manger, mes chemises et mes pantalons élimés parce que je n'ai même plus d'argent de reste pour les gitans du Relógio. Je ne peux pas te laisser engloutir les dahlias du jardin, tout comme le légionnaire ne m'a pas lâché le bras et m'a conduit en haut de l'escalier, à travers un tunnel de pages dactylographiées, jusqu'au cabinet du commandant où un type dans un dolman déboutonné, les coudes sur un bureau couvert de dossiers, de télégrammes et de coupures de journaux, chuchotait au téléphone

Ma petite chatte

avec un sourire extasié.

– Pardon, mon commandant, a dit la sentinelle, excusez-moi d'interrompre votre travail mais ce jeune garçon vient d'arriver à la caserne en jurant que les Russes sont en train de massacrer sa famille.

L'autre, gêné, a murmuré dans le micro

Ne sors pas de chez toi, pas même pour aller chez le coiffeur, je te rappelle, ma petite chatte, une urgence vient de me tomber dessus

Il a boutonné son dolman pour gagner du temps, a consulté un ou deux télégrammes, s'est assuré qu'il avait bien son pistolet à la ceinture et s'est calé au fond de son siège avec la sérénité des braves :

– Les Russes ? Qu'est-ce que c'est que cette histoire de Russes, Saramago ?

Une camionnette de livraison bouchait la rue, déversant sur le trottoir des sacs de charbon, et la poussière de houille qui entrait par la fenêtre dansait entre les meubles à la recherche d'une surface où poser ses étincellements de mica. Un joueur de billard, cramponné à sa queue comme à une houlette de berger, chantait au premier étage des Cinq Unis de Briol que j'imaginais décoré de crachoirs en émail et d'une pinacothèque d'eaux-de-vie, les communistes vissaient des mortiers et des pièces d'artillerie au coin des rues sur le bitume desquelles gisaient des ménagères mortes, leur panier à provisions à côté d'elles, si bien que j'ai prévenu le commandant

Ils sont à moins de deux cents mètres d'ici, on n'arrive pas à circuler à Venda Nova à cause des tanks, si vous ne faites rien ils me flanqueront avec mes tantes et celui qui se promène au grenier dans un wagon à bestiaux et ils m'enverront en Sibérie,

alors, Iolanda, le commandant, que la peur rendait transparent, s'est tourné vers le légionnaire et il a ordonné dans un chuchotement incertain,

Appelez le piquet

et pendant que le patriote, lui aussi blanc, sortait et criait dans le corridor

Hé Viegas, hé Viegas

le héros s'est étiré vers le téléphone, a composé un numéro, a refait le numéro et soufflé en un écho moribond

Enferme-toi dans l'appartement, ma petite chatte, les Russes tuent à tort et à travers et ils se sont déjà emparés de la Mairie.

Sincèrement, Iolanda, je n'ai pas envie de faire ma valise et de partir. Je plaisantais quand je t'ai parlé de Campo de Ourique, quand je t'ai parlé de Campolide, comment est-ce que je pourrais vivre avec une dame de soixante ans à Alvalade, avec une dame de soixante ans à Portela, avec une veuve brûlant de me faire plaisir, toujours en train de me demander

Que veux-tu pour le déjeuner, mon petit chéri?

toujours jalouse, toujours en train de m'acheter

des vêtements, toujours tellement disposée à être d'accord avec moi que sa soumission m'énerverait, que les promenades avec elle le dimanche, les tartes au fromage achetées au Guincho me feraient hurler d'impatience, me donneraient envie de lui taper dessus avec le cric, de lui enfoncer un tournevis dans le ventre, de lui tordre le cou, la simple idée d'accompagner au cinéma sa sollicitude bavarde m'obligerait à me suicider avec des comprimés, en plongeant la tête tout au fond du four. Je n'ai pas envie d'épouser des bouffées de chaleur ménaupo-siques, des kystes d'ovaires, des mains parsemées de taches de vieillesse, des amies impliquées dans de tortueuses histoires d'amour avec des notaires dont le stimulateur cardiaque fait cliqueter des passions électriques sous le Damart. Laisse-moi rester à Alcântara sur un coin de ton lit comme un animal inoffensif, laisse-moi bavarder avec ton sommeil, laisse-moi mourir d'amour pour toi comme les légionnaires voulaient mourir pour la Patrie avec leur fusil sans culasse et leur pistolet de carnaval, marchant à la rencontre des Russes en s'évanouis-sant de terreur pendant que le commandant pous-sait le bureau contre la porte, agrippait le téléphone, assis par terre, et murmurait, gémissant et avalant des calmants

Je ne peux pas aller à notre nid d'amour à cause des communistes, ma petite chatte, je suis respon-sable du Portugal tout entier, tu imagines la respon-sabilité, dès que Staline sera sous les verrous j'irai chez toi, mais en attendant, pour plus de sécurité, enferme-toi dans l'office et cache l'argent et les bagues que je t'ai donnés dans le lave-vaisselle.

Livre Deux

LES ARGONAUTES

1

Il y a ceux qui volent dans les airs et ceux qui volent sous terre sans être encore morts et j'appartiens à ces derniers, ma fille, si bien que je volais à trois cents mètres de profondeur, lanterne au front, dans les galeries d'une mine à Johannesburg, au milieu de Noirs, poussant des wagonnets de minerai le long de murs qui suaient et parfois, à l'heure du déjeuner, mâchant des conserves sur un rail, j'écoutais les défunts flotter dans leur costume de mariage et avec leurs fleurs affreusement tristes très au-dessus de moi, presque tout près du soleil, juste séparés du jour par les pierres tombales et les croix de pierre, les trépassés qui ne se hasardaient pas à descendre aussi bas que nous ni à monter avec nous dans l'ascenseur qui nous débarquait à la surface à la fin du travail, pioche à la main, toussant dans notre mouchoir, nous arrachant de la nuque l'élastique de nos lunettes, apercevant tout à coup au lieu des lampes, des cavernes d'ombre et des nappes d'humidité dans les galeries de la mine, les arbres et les maisons, avec une chambre et une douche, du quartier aux ruelles parcourues de hordes de chiens où nous dormions.

Ce fut à Johannesburg, quand je volais sous terre au milieu d'une bande de Noirs, chacun avec sa pioche et une ampoule sur son casque, que je me suis étonné pour la première fois que les cadavres ne profitent pas de l'ascenseur de la mine pour s'en retourner dans la ville où ils étaient nés, des tubéreuses plein les bras et vêtus de leurs habits de noce, entrant par la porte de la cuisine et soulevant le couvercle des marmites du dîner. Ce fut à Johannesburg que je me suis étonné qu'ils ne veuillent pas retourner dormir dans leur lit défait, qu'ils ne veuillent pas recommencer à travailler dans les fabriques de faïence ou de bière, faisant valser leurs habits de noce au milieu de collègues qui ne s'apercevaient même pas de leurs sourires, jusqu'au moment où j'ai compris, ma fille, que les défunts ont peur que la famille, désormais installée dans leur absence, dans le regret d'eux, dans le soulagement que leur maladie soit finie, ne les reçoive plus maintenant que leurs meubles et leur argent ont été partagés, que leurs lettres intimes ont été lues, ils ont peur que la famille refuse la censure de leur silence, et c'est peut-être pour cela, à cause de cette espèce de pudeur, à cause de cette espèce de peur que ta mère ne quitte pas son bout de cimetière à Lourenço Marques pour venir ici, auprès de ta tante et auprès de moi, et auprès du jobard qui nous paie nos achats d'épicerie, qui nous paie notre loyer, pour le plaisir de voir les casseroles danser sur leur clou quand passent les trains d'Alcântara.

A Johannesburg, en 1936, je volais sous terre, extrayant de l'or des parois quatorze heures par jour, et le dimanche j'oubliais d'être un oiseau, je m'asseyais sur une chaise sur la véranda de la buvette avec une douzaine de bouteilles de bière pour oublier Monção, écoutant les insectes qui grouillaient dans l'herbe et regardant les nuages qui arrivaient de la mer, pendant que les mioches tambourinaient sur des bidons dans le village noir patrouillé par des policiers à cheval, et dans mon souvenir le Minho était une crèche de Noël en terre cuite, la rivière entre ses jupons de saule me séparait de l'Espagne, des petits villages, des maisons en pierre avec des jalousies et des blasons qui resplendissaient au soleil, des bœufs aux flancs haletants dans la chaleur d'août au milieu des champs qu'il fallait labourer, pendant que les bouteilles de bière se vidaient la nuit de l'Afrique éteignait mon enfance et je me levais de la chaise en trébuchant sur les bidons, en trébuchant sur les chevaux des policiers, en trébuchant sur les ordures et sur la puanteur du campement des Noirs, à la recherche de la case d'une métisse sénégalaise plus vieille que moi

(au temps où il existait des personnes plus vieilles que moi)

une créature qui nettoyait le bâtiment de l'administration de la mine et qui me recevait sur sa natte entourée de lampes à huile, me protégeant de la nostalgie de Monção, des coups de tonnerre et des maux de foie avec la paume de ses mains.

J'ai volé dix ans sous la terre, sous les racines des manguiers, sous les habits de cérémonie et les bottines des défunts, suspendus près d'un ciel de pierres tombales qui m'empêchaient de voir les étoiles, puis un cousin à moi, magasinier à la douane, m'a fait venir du Mozambique pour être docker à Lourenço Marques, chargeant et déchargeant des caisses de fruits, des pièces de machines, des nichées de pingouins et de prostituées naines destinées aux bars pour colons au voisinage de la plage où le gin se déversait dans l'eau, enivrant les poissons. Plus jamais je n'ai volé sous la terre, à Johannesburg, mais il m'arrive encore, si je m'endors dans la salle après le déjeuner, d'entendre les morts qui n'osaient pas remonter à la surface.

Plus jamais je n'ai volé sous la terre car j'ai fait la connaissance de ta mère un dimanche de novembre, lors d'une veillée funèbre de pauvres, buvant un martini autour du cercueil dans une bicoque de l'île, le défunt avait les mains sur le ventre, une rose entre les doigts, et nous étions autour, étouffant dans de la flanelle, nous passant la bouteille, bavardant et regardant les palétuviers qui naissaient du jusant et les fleurs que les vagues découvraient et recouvraient, leurs tiges dégoulinant de rosée. Je me suis marié une semaine plus tard avec la fille du cadavre, laquelle passait tout son temps à la fenêtre à contempler les chalutiers et les cargos de l'océan Indien et la baleine égarée, échouée sur la côte à cause d'une erreur d'azimut, qui se transformait en une construction de dents et d'os. Elle a contemplé jour après jour les chalutiers et les cargos sans m'adresser la parole, sans parler avec quiconque, sans répondre aux questions, sans s'intéresser à rien, oubliant de manger, de se laver, de se coiffer, de changer de chemise, de balayer la maison, t'oubliant toi qui criais dans ton berceau et les biberons éparpillés par terre, oubliant mes besoins d'homme jusqu'au jour où des infirmiers sont venus et l'ont internée dans un hôpital à l'extrémité nord de la ville où les fous en chemise de nuit étaient attachés à un piquet comme les chevreaux dans le Minho. Je lui ai rendu visite trois ou quatre fois, le vendredi, en revenant des docks, une religieuse me conduisait dans une cave où ta mère regardait à travers les lézardes des murs l'océan Indien, les chalutiers et les cargos qui partaient pour Timor ou le Japon, elle regardait la mer dans une grotte de malades auxquels on appliquait des ventouses derrière des paravents articulés. Elle ne m'a pas posé de questions sur toi, elle n'a pas protesté, elle n'a pas ouvert la bouche, elle n'a même pas détourné le regard quand je me suis posté devant elle et maintenant que je suis vieux et que la mort dentèle ma colonne vertébrale et durcit mes artères, je me dis, quand il m'arrive de penser à elle, que chacun vole comme il peut, ma grande, chacun vole réellement comme il peut, moi sous la terre, à Johannesburg, poussant des wagonnets de minerai dans les galeries et ta mère à l'asile de fous, vrillant les murs de ses yeux pour apercevoir les chalutiers, toi sur le nuage de giroflée de ta maladie, et l'imbécile qui habite avec nous à l'arrière du jardin décoiffant les choux du bout de sa chaussure et humant la nuit avec son sempiternel sourire niais.

Chacun vole comme il peut, me semble-t-il, à moi qui ai tant de mal à remuer les jambes que je ne sors même pas de la maison, moi pour qui voyager de ma chambre aux cabinets et des cabinets à ma chambre représente des kilomètres d'effort, moi qu'aucun ami ne visite, aucun filleul, aucun ancien collègue, aucun cousin, moi qui me dispute toute la sainte journée avec ma sœur pour m'assurer que je respire, pour m'assurer que je parle, pour m'assurer que je suis toujours vivant, chacun vole comme il peut et peut-être que ta mère continue à voler là-bas en Afrique, depuis que nous l'y avons laissée pour nous en retourner à Lisbonne dans le tohu-bohu de l'indépendance, peut-être continue-t-elle à voler au milieu des cargos de l'océan Indien, peut-être la guerre civile a-t-elle épargné l'hôpital à l'orée nord de la ville et les patients attachés à des piquets comme les chevreaux dans le Minho, peut-être les os et les dents de la baleine sont-ils toujours sur la plage,

la baleine à laquelle il m'arrive de rêver, après la soupe, devant la télévision, imaginant les vagues de Lourenço Marques et la bicoque sur l'île, imaginant ton grand-père, les mains sur le ventre, une rose entre les doigts, et les gens tout autour, étouffant dans de la flanelle, se passant la bouteille et bavardant, les gens qui regardaient par la porte ouverte les palétuviers qui naissaient du jusant, les femmes accroupies sous les palmiers et le soleil couchant infini,

car il m'arrive de rêver aux palétuviers, ma fille, comme il m'arrive de rêver aux peupliers de Monção pendant que les visages et les paroles entrent en collision sur l'écran et que je t'entends te mettre en rage contre le nigaud qui a élu domicile chez nous,

tout comme il m'arrive de me souvenir d'avoir dit adieu à ta mère la veille du départ du paquebot pour Lisbonne, de me souvenir d'avoir traversé en taxi Lourenço Marques mise à sac, avec des meubles plein les rues, j'étais assis sur la banquette arrière avec indifférence car je n'ai jamais aimé le Mozambique, je n'ai jamais aimé tous ces Noirs, toute cette chaleur, toute cette pluie, je n'ai jamais aimé les fièvres subites, les geckos, les serpents, le silence après les coups de tonnerre, ils pouvaient foutre des bombes où ils voulaient, y compris dans le port, y compris dans mon quartier, y compris dans ce qui m'appartenait, pas un nerf n'aurait tressailli de tristesse, au diable le Mozambique, au diable les manguiers, au diable les colons, au diable tout ça,

alors je suis entré dans l'infirmerie tout joyeux, me disant, D'ici peu l'Afrique sera finie, quelle joie, d'ici peu elle disparaîtra de la carte dans une explosion, la religieuse en sandales est venue me chercher à la réception, je me suis approché de ta mère qui avec le temps avait maigri et avait maintenant des mèches blanches dans les cheveux,

je me suis approché de ta mère en me répétant à moi-même, D'ici peu l'Afrique sera finie, quelle joie, la bonne sœur réprimandait en espagnol une petite vieille qui avait uriné dans ses draps, on entendait dans le centre de la ville les grenades qui transformaient Lourenço Marques en un paysage de ruines, la petite vieille respirait difficilement, reliée à une bouteille d'oxygène, et je disais à ta mère, Je m'en vais au Portugal, Noémia, et elle, l'œil rivé au mur, observait les chalutiers avec un intérêt qu'elle ne m'avait jamais témoigné,

et je lui disais, J'ai vendu la maison, j'emmène la petite avec moi, Noémia, la petite vieille a raidi ses membres, a été secouée d'un sanglot, s'est apaisée, la religieuse a débranché l'oxygène, une folle, à quatre pattes, essayait de lacérer le matelas, et j'ai dit à ta mère, C'est la dernière fois que je te vois, Noémia,

un tir de canon est passé au-dessus de l'hôpital avec un sifflement, le plafonnier s'est éteint, Ça y est maintenant, ai-je pensé avec exultation, maintenant le Mozambique s'évapore, et entre-temps on avait transporté la petite vieille à l'extérieur de la cave, et entre-temps la religieuse réprimandait une deuxième folle qui glapissait, et ni ta mère ni moi n'éprouvions de chagrin à nous séparer, elle ne pensait qu'à la mer et moi je ne pensais qu'à partir de là, j'ai tout de même tendu le bras pour lui serrer la main ou lui caresser l'épaule, j'ai même songé à lui donner un baiser, ça ne coûte rien, finalement, un baiser, nous avions quand même vécu ensemble douze ans et si ça se trouve, ma fille, elle est peut-être toujours là-bas, en Afrique, si ça se trouve, c'est elle qu'on gronde maintenant parce qu'elle a uriné dans les draps, si ça se trouve c'est à elle qu'on débranche l'oxygène, je ne lui ai pas serré la main, je ne lui ai pas caressé l'épaule, je ne l'ai pas embrassée, je me suis dirigé vers la sortie, sans regret, sans remords, je me suis retourné, Dieu sait pourquoi, sur la première marche, et ta mère regardait le mur avec l'intensité habituelle, additionnant les chalutiers du quai.

Chacun vole comme il peut, voilà ce que je dis, et je suis retourné au Portugal pour voler sous la terre, mais dans le Minho il n'y a pas de galeries où pousser des wagonnets de minerai, il n'y a pas de buvettes, ni de quartiers d'ouvriers, ni de vacarme de bidons le dimanche, juste des petits potagers d'oignons, de coriandre, de tomates, juste de l'eau chantonnant parmi la mousse. Ni dans le Minho, ni dans le Trás-os-Montes, ni à Lisbonne, ni dans l'Algarve, car ce pays n'a pas d'espace pour qu'on y vole sous les statues et les ponts, et pourtant, après avoir beaucoup cherché, j'ai trouvé dans la Beira un ascenseur pour le centre du monde, avec des poulies et des câbles rouillés, de sorte que j'ai coiffé mon casque, j'ai appuyé sur le levier et je suis descendu dans un puits sans lumière jusqu'à une plate-forme où mes semelles résonnaient comme dans un théâtre abandonné. La lanterne sur mon front débusquait des outils, des rouleaux de fil de fer, des bouts de rails, un wagonnet, roues en l'air dans la lividité d'un matin glacial. A l'entrée des tunnels, des blocs de wolfram s'obstinaient à attendre la pelle qui les enlèverait, les parois se peuplaient de la barbe de lichens des galeries sans âme et un contre-maître avait immobilisé un deuxième monte-charge où s'empilaient des ballots et des sacs. Dans l'impossibilité de voler, je suis monté à la surface au milieu des hoquets d'un mécanisme malade, alarmé par les cris des chauves-souris que ma lanterne effrayait et j'ai débarqué en rase campagne où des oliviers se penchaient vers un village sans chapelle, avec des traverses en granit dans l'intervalle entre les maisons. Les restes d'une camionnette se décomposaient sur un sentier, une perdrix a disparu dans un bosquet, des nuages voyageaient vers l'Espagne, un jeune garçon faisait paître des veaux parmi les chardons, les ailes d'aluminium d'un milan immobile étincelaient. J'ai découvert une taverne plus bas, un caboulot avec deux tonneaux et des traits à la craie sur une ardoise représentant des dettes de vin où les paysans se saoulaient sans mot dire, j'ai acheté un litre de cognac au petit homme derrière le comptoir, occupé à écraser un rat à coups de balai, j'ai gravi de nouveau la côte et je me suis adossé au garde-boue de la camionnette à l'entrée de la mine. Les veaux s'approchaient, transpirant d'asthme, un tracteur ronflait de l'autre côté de la colline, le milan s'est abattu soudain sur une bande de poulets effrayés. J'ai terminé la bouteille, je l'ai lancée vers mon sac, j'ai atteint la porte, j'ai enfoncé mon casque sur la tête, j'ai allumé la lanterne, j'ai sauté, sans pioche ni cordes à ma ceinture, sur la plate-forme du monte-charge, et je suis descendu dans le puits, décidé à voler sous la terre, tant bien que mal.

2

Mon frère s'obstine à dire qu'il vole à Alcântara comme il volait là-bas en Afrique, dans la mine de Johannesburg, mais le médecin de la Caisse, quand je l'ai consulté à cause de mes reins et que j'ai soulevé le problème,

C'est très agaçant, docteur, parfois il empoigne une bêche et veut percer la moquette du salon pour s'enfoncer dans la terre comme une taupe,

et posant le petit marteau avec lequel il donne des coups sur les genoux et le stéthoscope avec lequel il écoute les larmes du cœur, le médecin a dit,

Ne vous inquiétez pas, Dona Orquídea, c'est l'artériosclérose qui le travaille, se prendre pour un oiseau n'est pas bien grave, vous imaginez le chambard s'il s'avisait d'être un hippopotame, pataugeant à toute heure dans la baignoire et engloutissant des bottes de navets?

et je m'inquiétais pour la maison car la pension de retraite ne me permet pas d'acheter des tapis,

S'il n'avait que la manie des trous, ça irait encore, même si je le surprends la nuit dans le jardin, casqué, en train de creuser à côté du noyer, mais l'ennui c'est qu'il empêche les voisins de dormir en tapant sur le plancher avec le râteau, tous les mois le propriétaire vient nous annoncer qu'il ne veut pas d'un locataire qui creuse un puits si profond qu'il tombe soudain de l'autre côté de la planète,

et le docteur, me tendant sa prescription,

Donnez-lui ces cachets au déjeuner et au dîner, Dona Orquídea, et je vous garantis que son envie d'être un merle disparaîtra vite, il restera au salon sans bouger le petit doigt, aussi paisible qu'un chat en terre cuite,

j'étais déjà debout, déplissant ma robe et cherchant mon parapluie que je perds chaque fois que je sors,

Et en plus de voler, il s'est mis dans la tête que sa femme est vivante, qu'elle compte des frégates dans un hôpital de fous à Lourenço Marques, alors que chacun sait qu'elle est morte de sucre dans le sang le lendemain de la naissance de ma nièce,

et le médecin, qui rangeait des radiographies dans une enveloppe et inscrivait des rendez-vous sur une fiche,

Prenez rendez-vous au secrétariat pour dans trois mois, Dona Orquídea, vos reins fonctionnent à merveille, le pire qui puisse vous arriver serait d'uriner un petit calcul, et ne vous tracassez pas au sujet de votre frère, une épouse qui compte des frégates serait exactement ce qui me conviendrait car celle qui habite avec moi à Miraflores me casse tellement les oreilles que c'est moi qui deviens dingue,

si bien que je suis sortie du cabinet médical rassurée, je suis allée à la pharmacie chercher les ampoules et les cachets contre les oiseaux qui avaient un mode d'emploi si long et qui m'ont coûté si cher qu'ils devaient sûrement être efficaces, et en arrivant à la Quinta do Jacinto, mon parapluie ouvert au cas où il se mettrait à pleuvoir, j'ai trouvé mon frère, lanterne au front, en train de mettre dans des sacs le pavage devant la villa, donnant des ordres à des Noirs invisibles et m'avertissant de loin à grands cris,

Je n'aurai pas de repos, sœurette, tant que je ne serai pas descendu à trois cents mètres, tu n'entends pas les wagonnets en bas?

quand tout ce que j'entendais c'était le trottoir qui tremblait quand les trains sifflaient, le Tage qui roulait des cailloux et les mouettes qui piaillaient, quand tout ce que j'entendais en cet instant, tout ce que j'entends en ce moment même, ce sont les cristaux d'ammoniac qui s'entrechoquent dans mon ventre et ce bourdonnement dans mes oreilles qu'aucun spécialiste n'a pu traiter, même pas ce cabinet privé à Belas, et mon frère, chaussant ses lunettes de plongée et mettant le macadam dans des sacs,

Trois cents mètres, sœurette, une bagatelle de trois cents mètres au grand maximum, si quelqu'un me donnait un coup de main j'atteindrais les galeries en un clin d'œil,

et déjà il y avait des gens aux fenêtres, des gens qui se moquaient de lui, des enfants qui dessinaient des croix sur le goudron en lui disant avec sollicitude,

Ce n'est pas là, monsieur Oliveira, c'est ici, même que les voix des mineurs me font des chatouilles dans les pieds, même que je sens des fourmis dans les genoux chaque fois que l'un d'eux tousse,

et mon frère mettait toute la rue dans des sacs, à droite, à gauche, essayant à l'angle, devant un portail, sous une voiture, selon ce que les garnements lui indiquaient, un caillou de mes reins s'est planté subitement dans mon urètre, m'élançant la cuisse, et je me suis arrêtée, la main dans le bas du dos pour protéger la douleur, et les gamins indiquaient un emplacement, puis un autre, et encore un autre,

Du muscle, monsieur Oliveira, du muscle, car il y a un mineur blessé sur une civière,

le propriétaire de la poissonnerie qui avait l'odeur de l'océan tout entier dans sa blouse est sorti de sa boutique et s'est planté sur le seuil, ébahi, regardant mon frère plongé jusqu'à la taille dans le bitume, ensacher la rue dans le caniveau en suivant les instructions des galopins, et moi, horriblement inquiète,

Attends un peu, Domingos, attends un peu, Domingos, je vais te chercher un verre d'eau pour que tu avales d'abord un des comprimés du docteur, simplement du calcium et du fer, je t'en donne ma parole, simplement des glandes de singe d'Indonésie pour fortifier tes muscles,

et à ce moment-là, quand on voyait tout juste le casque et le cou de mon frère, la lame a heurté une canalisation, l'a heurtée de nouveau, a insisté, le poissonnier a reculé d'un pas en s'exclamant

Attention

dans un cri d'où s'exhalait un arôme de calmar et de crabe, les spectateurs se sont pendus aux fenêtres, la pierre dans mon urètre s'est dissoute dans mon sang et j'ai imploré

Domingos

cherchant les cachets, sans savoir si je les cherchais pour moi ou pour lui, quand la canalisation s'est cassée et un jaillissement d'excréments, de détritus et d'urine est monté des instestins de la rue, éclaboussant les toits, les cheminées, les balcons, les dahlias des maisons et se répandant dans la Quinta do Jacinto en un torrent de lave qui a poussé vers le Tage la fourgonnette du boucher, la bétonneuse d'un chantier, les chaises du café, pendant que mon frère continuait à disparaître sous Alcântara en direction des wagonnets de la mine qu'il était le seul à entendre et de l'ouvrier blessé inventé par les écoliers.

La mairie a mis quinze jours à réparer les égouts à grand renfort d'architectes et d'ingénieurs qui ont coupé l'electricité et le téléphone à la moitié de la ville et interrompu le trafic ferroviaire de Cascais, les voisins ont déposé une plainte contre mon frère au tribunal mais le médecin de la Caisse, celui que sa femme rendait fou, a signé une déclaration sur l'honneur garantissant qu'un homme qui volait sous la terre était malade, jurant que des oiseaux submergés, même avec une forme humaine, étaient une chose qui n'existait pas encore, les voisins, qui avaient cessé de m'adresser la parole, insistaient auprès du juge, contestant l'avis du médecin, se lamentant que même les flacons de parfum dégageaient un relent de caca, et qu'à cause des coupures d'électricité ils avaient dû allumer des lampes à pétrole à l'intérieur des téléviseurs pour pouvoir regarder le feuilleton, mon frère, qui avalait six comprimés par jour, bavait dans son lit toute la sainte journée, prononçant des phrases sans queue ni tête à propos de monte-charge, d'or et de pioches, à propos de quartiers de mineurs et de buvettes et d'une métisse sénégalaise dont chaque pore était une bouche qui le couvrait de baisers, alors le médecin qui observait en sifflotant entre ses dents les cristaux d'acide que je lui avais apportés dans un petit flacon et qui coinçait une radiographie sur un carré de verre mat, m'a dit

Tranquillisez-vous, Dona Orquídea, ne vous tourmentez pas, c'est le résultat du traitement, dès que les malades se mettent à parler de métisses ils n'en ont plus que pour deux ou trois jours avant d'être rétablis,

et moi qui avais lu la description sur l'emballage et qui avais même appris par cœur les effets secondaires tels que chute d'ongles et microcéphalie,

Mais ce n'est pas ce qui est écrit sur l'emballage, docteur, il est écrit que d'habitude la tête des patients rétrécit,

et lui, me tournant le dos, intéressé par le négatif de mes entrailles, suivait avec un crayon le trajet de mon urètre,

Cela, c'est en France, Dona Orquídea, ce sont les Français qui ont tendance à rétrécir de la cervelle pour un oui pour un non, au Portugal, un appétit pour les métisses est le premier symptôme d'une amélioration, tout homme qui n'est pas obsédé par les métisses meurt, et à propos de métisses votre rein gauche n'est pas joli joli, on dirait que tout le marbre d'Estremoz s'est donné rendez-vous là-dedans,

et moi nerveuse, me palpant la taille,

Qu'est-ce que je peux faire?

et le docteur, remplaçant une radio par une autre, déchiffrait un rapport et soulignait le contour de mes ovaires avec son crayon,

De deux choses l'une, Dona Orquídea, ou bien vous trouvez à vous employer comme dessus-de-table ou bien nous vous opérons et vous devenez millionnaire en vendant les blocs de pierre de votre ventre, car l'autre rein, qui ne veut pas être en reste, a pire allure qu'un gardien de nuit à midi, sincèrement je ne sais pas par lequel commencer,

et moi, l'âme en loques, je me palpais des deux côtés,

Et avec l'opération, j'irai mieux?

et lui, haussant les épaules, appelait un confrère par le téléphone interne,

Écoute un peu, Aires, viens donc voir des reins qui ne serviraient même pas à une autopsie,

il feuilletait des analyses, il mesurait ma tension, il m'administrait une petite tape sur l'épaule,

Malgré tout, c'est toujours une consolation de savoir que nous devrons tous mourir de quelque chose, n'est-ce pas?

si bien que je sortis de la Caisse la tête pleine d'agonies, de vomissements de bile, de tubes dans le nez et dans la bouche, de douleurs lancinantes supportées avec une résignation chrétienne, si pâle que les employées au guichet et les malades qui attendaient leur tour se sont éloignés de moi avec frayeur, et en revenant à la Quinta do Jacinto, pensant que personne n'irait à mon enterrement, qu'on ne songerait même pas à mettre mon nom et ma photo dans le journal, celle de ma carte d'identité où j'ai l'air plus jeune, en revenant à la Quinta do Jacinto et imaginant qu'il n'y aurait pas de fleurs et un unique taxi au pot d'échappement déglingué qui pétaraderait derrière le corbillard, je suis tombée sur un policier en civil qui m'a dit

Signez ici

car le jugement de mon frère, accusé de trouer la ville, avait lieu le lendemain, mon frère qui bavait dans son lit, vaincu par les effets des cachets, implorant la penderie

Masse-moi le dos, Solange, car aujourd'hui la mine m'a achevé, fais-moi un petit massage car j'ai poussé des wagonnets toute la journée,

et moi, malgré l'imminence de ma mort prévue par le docteur de la Caisse, j'ai amené le policier à mon frère pour qu'il signe l'assignation, et l'envoyé du tribunal s'est approché du lit, cherchant son stylo dans la poche de son uniforme,

Un gribouillis,

et Domingos, qui ne levait plus la tête de l'oreiller, sa salive dégoulinant sur le col de son pyjama, m'a demandé avec difficulté,

C'est le contremaître de Johannesburg qui est là, sœurette?

et le policier, qui avait trouvé son stylo et qui le tendait avec les pages dactylographiées du tribunal,

Parafez-moi ça et cessez vos singeries, j'ai encore vingt et une assignations à remettre cet après-midi et je finis le travail à six heures,

et mon frère qui luttait contre les comprimés a fixé ses pupilles ensommeillées sur l'homme, il m'a cherchée des yeux dans la chambre, a regardé le policier, son visage a brillé pendant une seconde, comme lorsqu'il était jeune à Monção, les samedis où il y avait bal, et il a répondu avec dédain, d'une voix qui a empli l'appartement du poids de son autorité,

Si vous voulez un conseil, enfilez-vous les parafes où je pense,

le lendemain nous étions à Boa Hora devant le juge, ma nièce, la pauvre, le bon à rien qui dort avec elle, moi, torturée par des chaussures vernies, pensant à mon opération, le flacon pour mes calculs dans mon sac à main, et mon frère, des cordes à la ceinture, le casque sur la tête et la lanterne allumée, soutenu par nous tous à cause de la faiblesse due aux cachets qui l'empêchaient de voler, le lendemain nous étions dans une salle avec une table sur une estrade et des bancs en rang comme dans le cinéma démontable d'Esposende où le film et la mer se confondaient et où la voix des acteurs prenait des inflexions aquatiques, et l'instant d'après un monsieur dans une longue soutane noire a ordonné à un autre dans une soutane noire courte,

Faites entrer le premier témoin, Tavares.

A Esposende, dans le cinéma à côté de la plage, film et mer étaient la même chose, le même bruit derrière la cloison de toile, et pas seulement le film et la mer mais aussi les pins et les saules pleureurs, les baraques des baigneurs et le vent, j'oubliais la nuit et le vent, les bateaux des pêcheurs et l'écume sur le sable, j'oubliais le froid du mois d'août, il y a trente-six ans, quand mon amoureux s'est couché sur moi, a retroussé ma jupe et je sentais ses mains me chercher, faisant craquer des élastiques, me pinçant, me meurtrissant, je sentais ses mains me trouver, m'élargir, parcourir le canal de mon ventre, je sentais sa respiration dans mon cou, j'entendais sa voix répéter mon nom, je sentais un jus couler de moi sur les cistes et répandre son odeur autour de moi, et pendant que les images se coagulaient sur la toile, pareilles à la mer à Esposende, pareilles au vent, et aux saules pleureurs, et aux pins, et à la nuit, pendant qu'elles se coagulaient sur la toile noire aussi noire que les baraques des baigneurs, aussi noire que son visage quand il s'est levé de moi, me faisant un geste d'adieu avec la main, et j'étais écartelée, nue à l'intérieur contre la paroi de toile, sans mots, avec une envie absurde de pleurer, Dieu sait pourquoi. Je l'ai vu trois semaines plus tard dans la boutique de mon père et il ne m'a même pas souri, il ne m'a pas parlé, il a déposé l'argent sur le comptoir, pris son paquet de cigarettes, a disparu, et moi j'étais là, à Esposende, pensant à ce que le propriétaire du cinéma m'avait enlevé et qui n'avait de valeur que parce que cela avait cessé d'exister, moi j'étais là, écoutant les vagues, écoutant le bruit des vagues contre les coques des bateaux, écoutant les saules, là-bas, il y a trente-six ans, plus déshabillée à mes propres yeux que jamais je n'ai été déshabillée avant ou après, et moi avant-hier, déjà vieille, en train de mourir des reins, assistant aux discours des voisins de la Quinta do Jacinto qui expliquaient au juge que mon frère avait passé tout l'après-midi à percer le goudron avec une binette dans le but de faire tort au quartier, tantôt devant telle maison, tantôt devant telle autre, jusqu'au moment où il a touché les égouts et nous a inondés de gravats que jusqu'à aujourd'hui on n'a pas encore réussi, vous imaginez ça, à extraire complètement de l'intérieur des armoires, et qui s'étaient introduits même dans les coffres-forts, souillant de boue économies et lettres d'amour, A moi il a causé des dommages de trois cent cinquante mille escudos au minimum, rien qu'en peinture et en enduit, sans compter le chauffe-bain détraqué et la cuisinière qui a cessé de fonctionner, et que peut-on faire sans cuisinière? Moi c'est le service à thé de mes grands-parents qui empeste, je ne peux pas utiliser la théière si je m'enrhume ou si mon filleul ingénieur me rend visite à Pâques avec sa famille et un petit paquet de biscuits, s'il entrait maintenant chez moi il fuirait épouvanté, et moi qui n'ai plus que cette dent, monsieur, je ne mangerai plus jamais de gâteaux, Moi, le problème c'est que je ne peux plus m'approcher de ma femme sans flairer aussitôt une odeur de latrines, si bien que je dors sur le sofa du salon et que j'ai guéri de la scoliose qui ne me laissait pas fermer l'œil de la nuit, Moi, ce sont les coupures d'eau qui m'embêtent, je passe toute la journée à faire le clown à la fontaine d'Alcântara, armé de deux seaux, moi qui suis sergent et qui ai des obligations, comment saurais-je si les Espagnols nous envahissent, Moi c'est le téléphone, l'eau et la lumière je m'en passe encore, mais sans téléphone comment est-ce que je vais pouvoir demander des disques à la « sélection des auditeurs » de la radio? et moi je me souvenais d'Esposende et le juge faisait oui avec la tête en feuilletant un code, et après des douzaines de lamentations et un après-midi entier de protestations et d'indignation, le fonctionnaire en soutane courte a allongé le cou et hurlé en nous regardant,

Que l'accusé se lève,

et j'ai donné un coup de coude à mon frère qui allumait et éteignait la lanterne de son casque,

C'est à toi que ça s'adresse, Domingos,

et lui, sans bouger de son banc, ajustant plus commodément ses lunettes de mineur,

Aujourd'hui je n'ai pas envie de travailler, sœurette, il faut de la patience avec ces Noirs qui volent seuls sous la terre,

et le juge, se penchant sur son bureau en s'éventant avec ses crêpes,

Quoi?

et mon frère, détachant les cordes de sa ceinture,

Aujourd'hui je ne ferai même pas d'heures supplémentaires, ce qu'il me faudrait c'est une bonne petite sieste dans le lit de Solange,

et le juge, griffonnant des phrases furieuses,

De Solange?

et mon frère, avec la patience de qui explique des évidences à un mongoloïde,

De Solange, la métisse du nettoyage, celle qui habite la seule maison en brique tout au bout du fil de fer, près de la cannaie, une grande fille plus maigre que grosse, qui est enceinte de moi et qui ne fréquente pas les autres Noirs parce que je le lui ai interdit,

et le juge, la main autour de son oreille,

Comment?

et mon frère, lanterne allumée sur le front,

Qu'est-ce qui ne va pas, mon vieux, vous avez sûrement remarqué le foutoir dans lequel ces mecs vivent, leur puanteur?

et l'homme à la soutane courte, préoccupé par le juge qui s'épongeait le front, au bord de la syncope,

Ce n'est pas cela, l'ami, oubliez les Noirs, oubliez l'odeur des Noirs, ce qui nous intéresse ce sont les canalisations que vous avez crevées à Alcântara, les habitants de la Quinta do Jacinto réclament sept mille escudos d'indemnisation,

eux étaient plongés dans ces considérations et moi j'étais à Esposende, il y a trente-six ans, un vendredi soir sur la plage, adossée à la toile du cinéma ambulant, avec l'eau à quatre ou cinq mètres de moi et le film qui se confondait avec la mer, et les saules pleureurs, et les pins, et le vent, le vent d'Esposende dans les dunes qui projetait du sable contre les baraques des pêcheurs, j'étais couchée à Esposende

à Esposende

le ventre ouvert, mon sang coulant à flots, me balançant au rythme des marées, tremblante de froid et de chaleur avec un homme qui soufflait dans mon oreille

Mon Dieu
moi dans la boutique de mon père
à Esposende
rangeant des étoffes, sans répondre aux questions de ma marâtre, secouant les joues affirmativement, secouant les joues négativement, regardant la toile et les bancs du cinéma ambulant être démontés et entassés dans une camionnette qui est partie pour Póvoa tôt le matin, je regardais les boîtes contenant les films et l'appareil de projection enveloppé dans des serpillières, le regardant lui, avec sa casquette, à côté du conducteur, disparaître au premier coin de rue du bourg, regardant l'étendue de sable libérée par le cinéma où l'herbe recommencerait à pousser jusqu'à couvrir la honte de ce que je ne possédais plus, et mon frère, tournant la lampe de son casque vers l'homme en soutane courte,

Quelles canalisations, quelle indemnisation, monsieur?

et le juge, saoulé de métisses et de mines, élargissait son col du doigt,

Les égouts que vous avez crevés à la Quinta do Jacinto, la pluie d'excréments que vous avez fait jaillir sur tout le monde,

et le docteur, radieux, tirait ma manche et tapotait avec le crayon une zone plus claire de la radiographie,

Ici, Dona Orquídea, un caillou de la grosseur d'une meule de moulin au bas mot, je ne sais comment vous pouvez marcher avec cela dedans,

et l'homme en soutane courte a sauté comme un moineau sur l'estrade,

Les témoins prétendent que les excréments ont endommagé un entrepôt de vins à Poço do Bispo, les pompiers prétendent que les excréments ne se sont arrêtés qu'à Ajuda,

et le docteur me poussait le front jusqu'à ce qu'il colle à mon rein,

Une meule de moulin, Dona Orquídea, toutes mes félicitations, la seule chose que je ne comprends pas c'est comment vous êtes encore vivante, madame,

et le juge, sans avoir le courage de mouiller son pouce de salive,

Un entrepôt de vins détruit, deux églises embourbées, une crèche d'enfants où la merde a atteint la taille des nourrices, les défunts nageaient dans la moitié du cimetière des Prazeres, interdit aux veuves, les feux de circulation du Quai du Sodré sont devenus fous, le conseil municipal exige cent quarante mille escudos de dédommagement,

et le médecin m'offrait des bonbons, m'offrait des cigarettes,

Je vais vous montrer un projet de contrat, Dona Orquídea, cela fait plus d'un mois que cela me trotte par la tête, j'abandonnerais les maladies et nous deviendrions des associés, madame, vous toucheriez quinze pour cent des bénéfices et nous montrerions vos reins dans une tente, prix spéciaux pour les baptêmes, les noces d'or et les Noëls des paralytiques, Orquídea la Femme de Marbre, et au bout d'un an, à supposer que vous surviviez aux meules, chacun de nous aurait sa villa avec piscine, son yacht et son Van Gogh,

et mon frère, baissant l'intensité de la lanterne de son casque,

Cent quarante mille escudos ça fait pas mal d'argent, je n'aurais jamais pensé que la merde coûte si cher,

et moi, sentant un petit galet dans ma vessie et pensant à Esposende et à la mer et au sable et aux herbes qui ont bu la liqueur de mon corps adossé à la toile du cinéma, qui ont bu le sang de ce qu'on sait qu'on possède juste au moment où on le perd, pensant à Esposende et aux pins et au vent et à l'homme qui se relevait en secouant les aiguilles de pin de ses vêtements, qui allumait une cigarette et s'en allait, j'ai décidé qu'en retournant à Alcântara, sans rien dire à personne, sans que personne s'en aperçoive, sans que personne soupçonne quoi que ce soit, j'irai chercher la pioche dans la chambre de mon frère, chercher le casque et la lanterne et les cordes, j'irai dans le jardin à l'arrière où le noyer entrechoquait ses feuilles et je commencerai à creuser dans une plate-bande jusqu'à trois cents mètres de profondeur, là où les wagonnets grinçaient sur les rails, pour voler sous la terre au milieu des Noirs, près des vagues, pour retrouver ce qu'on m'avait volé un vendredi, il y a trente-six ans.

3

Je venais de décider de m'embarquer pour retourner à Johannesburg car je n'aime pas le Portugal, je n'aime pas Lisbonne, je n'aime pas Alcântara, je n'aime pas la Quinta do Jacinto, je n'aime pas cette absence de galeries et de buvettes, cette absence de wagonnets de minerai, de m'embarquer pour retourner à Johannesburg parce que Solange me manque, ainsi que la lampe à huile qui agrandissait son visage, qui embrouillait mes rêves et prolongeait jusqu'à l'aube les gestes de tendresse, quand on a sonné à la porte et un homme avec un magnétophone en bandoulière, incapable de voler, m'a dit sur le paillasson J'ai été agent de la Police politique, monsieur Oliveira, j'ai à peine une demi-douzaine de questions à vous poser à propos de votre fille et de votre gendre et je cesse de vous embêter.

Ici, dès que je reste seul après le déjeuner, depuis que ma sœur se promène sans arrêt avec un ballon de pipi dans les bras et passe son temps chez le médecin à se faire faire des analyses des reins, je baisse les stores, je plaque des couvertures contre les vitres, je coiffe mon casque, je m'arme de ma pioche et je m'assieds sur ma chaise dans le noir, imaginant les bruits de la terre en bas. Seul dans l'immeuble, j'essaie de distinguer un contremaître flottant bras ouverts et piaillant des ordres stridents. Mais la lumière de Lisbonne, cet excès de soleil qui m'empêche de dormir la nuit entière, et le fleuve qui danse au plafond m'interdisent de m'enfoncer vers le centre de la terre pour charrier de l'or ou mâcher la conserve du déjeuner, installé sur une marche. Si bien que je finis par arracher les couvertures des carreaux, par relever les stores et, vaincu par cette lumière qui me hait, je reste au salon à écouter le Tage. Comme à Monção, comme à Esposende, comme dans la Beira, comme en n'importe quel point de ce pays où tout s'incline vers la mer, où l'on sent la présence des vagues dans la chevelure des épis, et dans ces moments-là je me demande comment il est possible d'habiter un endroit qui n'est qu'un rebut du jusant, les vagues se retirent et abandonnent un couvent dans le sable, les vagues se retirent et abandonnent un bouquet de rue, un pilori et une place, les vagues se retirent et abandonnent un hôtel, une prison, un quartier, une messe en plein air, une veillée funèbre, les vagues se retirent et nous abandonnent à table, en train de manger les légumes verts et le merlan du dîner, les vagues se retirent et m'abandonnent, moi qui suis à la recherche de Johannesburg dans l'appartement désert, à la recherche de la buvette des dimanches et de la bière qui me rappelle mon enfance, qui me rappelle les cistes, les saules et les bœufs de faïence du Minho, les vagues se retirent et abandonnent un homme avec un magnétophone en bandoulière, incapable de voler, qui demande à me questionner et qui regarde avec méfiance sur le paillasson le casque et la pioche, et moi, fatigué de n'avoir personne à qui raconter tout cela, fatigué du soleil et désirant confier qu'enfin, mon cher, je retournais à Johannesburg en bateau, caché au fond de la cale comme la première fois, et à Solange, et à la mine, je retournais aux wagonnets qui chargeaient des blocs de pierre à trois cents mètres sous la terre, je l'ai invité Entrez, entrez donc, je l'ai conduit au salon, je lui ai offert le fauteuil, je me suis installé sur le sofa, j'ai cru voir par la fenêtre le propriétaire de la buvette me tendre une bouteille, mais non, c'était un mûrier qui faisait signe avec ses feuilles, et j'ai dit en frappant le tapis avec la pointe de l'outil, Vous ne trouvez pas qu'il y a trop de mer, vous ne trouvez pas que le Portugal est un gaspillage d'eau?

La première fois, dans le bateau pour Johannesburg, le cousin d'un cousin et moi n'avons même pas vu l'Atlantique, nous n'avons même pas vu les dauphins, nous nous étions cachés au milieu des caisses de peur qu'un matelot ne nous découvre, nous retenant de tousser, nous retenant d'éternuer, retenant notre nausée et nos vomissements, nous n'avons même pas vu les vagues parce que lorsque le cinquième ou le sixième jour le second nous a tapé sur l'épaule en nous disant Allons, sortez de là, espèces d'imbéciles, nous avons été conduits par des escaliers intérieurs dans un réduit sans hublot qui oscillait plus que le navire tout entier où un mousse nous apportait le chou-fleur du déjeuner et du dîner et où nous avons dégobillé des trognons dans des seaux en émail pendant tout le reste du voyage. Un matin, la coque a heurté des poutres qui gémissaient, les moteurs ont cessé de tourner et nous avons été chassés à coups de pied vers le quai, Débarrassez le plancher, espèces de crétins, nous qui avions du mal à tenir sur nos jambes, trébuchant sur un méli-mélo de conteneurs, de cages de perroquets et de Noirs, principalement de Noirs, nous qui marchions bousculés par des agents en douane, des débardeurs et des passagers, en direction des quartiers d'Indiens dans la banlieue d'une ville que nous ne connaissions pas, une ville encore loin de Johannesburg et des galeries où je volerais durant tant d'années, car pendant que vous étiez dans la Police politique moi j'étais à trois cents mètres sous terre, et l'homme au magnétophone en bandoulière a répondu en regardant la pioche qui frappait le tapis J'ignore tout de ce qui se passe dans les entrailles de la terre mais je fais monter n'importe lequel de mes élèves plus haut que les toits, je suis professeur d'hypnotisme par correspondance.

Bien sûr qu'il ignore tout, ai-je pensé, voler au-dessus des arbres et des maisons n'est pas bien sorcier, les moineaux aussi volent, il suffit de courir sur trois pas, de faire un petit saut, d'attraper un brin de vent et hop, on grimpe sur les nuages en direction du ciel, là-bas dans le nord tout le monde volait, les jours de procession la fanfare volait derrière les brancards des saints et le curé, les frères du Très Saint Sacrement volaient, propulsés par le vin, entre les balcons décorés de courtepointes et de fleurs, les angelots aux ailes postiches et les pénitents pieds nus s'élevaient en l'air, les mains jointes, jusqu'à disparaître comme des ballons gonflés de gaz un après-midi de juin à trois heures, voler au-dessus des arbres et des maisons n'est pas bien sorcier, dans le Minho les brebis et les chevreaux volaient, et aussi les vaches qui paissaient, suspendues, la fumée des herbes brûlées sur l'aire, dans le Minho, quand j'étais petit, ma grand-mère donnait du maïs aux poules, ses jupes à hauteur des pruniers, voler au-dessus des arbres et des maisons n'est pas bien sorcier, je me souviens que ma sœur volait à Esposende, même quand il n 'y avait pas de film, autour de la toile du cinéma démontable à côté de la plage, l'homme qui faisait fonctionner la machine sortait faire un brin de causette avec elle, cigarette aux lèvres, ils s'asseyaient en face du brouillard car il n'y avait jamais de soleil à Esposende, il y avait une espèce de clair de lune couleur d'uniforme pendant des mois d'affilée, et ma sœur et le propriétaire du cinéma étaient couchés dans une touffe de cistes, mes tantes chuchotaient, ma marâtre chuchotait, mon père, crayon derrière l'oreille, dépliait des étoffes dans la boutique, et ma sœur, sans leur prêter attention, volait autour de la toile sur laquelle l'acteur embrassait l'actrice, les artistes remuaient les lèvres et le son arrivait dix minutes plus tard, quand le cinéma a levé le camp et que les haut-parleurs sont devenus muets la mer a continué à chevaucher les rochers, les bergeronnettes ont continué à se percher sur les pierres, les chalutiers partaient et revenaient, dévorés par la brume, et ma sœur se couchait sur les cistes qui surplombaient l'eau, car c'était des cistes, oui, c'était bien des cistes, des cistes cistes cistes, et elle avait les cuisses à l'air comme si l'homme à la cigarette allait sortir du cagibi de la machine qui n'était plus là pour lui peloter la poitrine, pour lui peloter le ventre,

des cistes,

comme si l'homme à la cigarette s'étendait à côté d'elle pour lui souffler son urgence dans l'oreille, comme si l'homme à la cigarette, à genoux dans les racines et les feuilles, déboutonnait son pantalon pour qu'elle mesure de ses propres doigts, mon amour, mon désir de toi me fait grandir dans ta main, me fait grandir contre ta poitrine, ton cou, ton menton, tes yeux, ne me laisse pas dans cet état, chérie, aide-moi, fais-moi me sentir un homme, pendant que mon père dépliait des étoffes dans sa boutique et que je les épiais, me déboutonnant moi aussi, mâchoires serrées, derrière un pan de mur ou un tronc de pin,

des cistes,

ma sœur l'étreignait et en les regardant je m'étreignais moi-même, ma sœur s'excitait et en les regardant je m'excitais, ma sœur soupirait des sanglots et en les regardant je me taisais, voilà pourquoi quand le cinéma, la toile, les boîtes avec les films et l'homme à la cigarette sont partis pour Póvoa je me suis retrouvé aussi orphelin et aussi seul qu'elle, nous flairions tous les deux les cistes cistes cistes, nous flairions tous les deux la mer, nous flairions les chalutiers à la recherche d'une bribe de tabac, d'un reste de casquette, d'une ombre s'élevant de la nuit, émergeant de la nuit, secouant des brindilles et des aiguilles de pin de son pantalon, pour aller changer la bobine du film, pour faire apparaître sur la toile des silhouettes qui n'étaient pas en accord avec le bruit de leurs pas et de leurs voix, nous nous sommes retrouvés orphelins tous les deux du froid d'Esposende, écoutant le ronflement du bateau de sauvetage, écoutant le ronflement du phare, côte à côte tous les deux sur le sable regardant le désespoir des vagues, si je m'étais caché derrière un pan de mur ou derrière un tronc de pin je n'aurais aperçu que les saules pleureurs déserts, les lanternes des chalutiers et la plage, voler au-dessus des arbres et des maisons n'est pas bien sorcier, ai-je rétorqué, les merles aussi volent, et les chouettes et les corbeaux, les frères du Très Saint Sacrement eux aussi volent, à présent sous la terre, mon cher, sans se briser aucun os contre l'arête d'un mur, seuls les Noirs de Johannesburg et moi avons réussi à le faire, Solange vous le dira, elle ne me laisse jamais mentir, le cousin de mon beau-frère n'a même pas tenu,

des cistes

une heure, il a fallu le remonter à toute vitesse, lui donner de l'oxygène, l'emmener à l'infirmerie de la mine, une demi-douzaine de lits où les oiseaux ratés agonisent, casque sur la tête, pioche sur la poitrine comme les crucifix des morts, et où il a déliré interminablement en répétant, Je ne veux pas être un moineau, je ne veux pas être un moineau, je ne veux pas être un moineau, je veux être préparateur en pharmacie à Valença, et le policier politique, magnétophone en bandoulière, qui enseignait l'hypnotisme par prospectus et qui avait peur des tunnels, a protesté Mais c'est une manie, monsieur Oliveira, c'est ne rien comprendre à la parapsychologie, étudiez mes cours, si vous voulez je vous les enverrai par la poste, payables à la livraison, deux cents escudos par leçon et un petit cadeau gratuit pour douze leçons, essayez donc de vous mettre un rubis sur le front et vous m'en direz des nouvelles.

Mais il n'y avait aucune nouvelle à donner, ai-je pensé, comment diable donner des nouvelles

les cistes, oublie les cistes

à quelqu'un qui n'a jamais mis pied dans le lit de Solange et n'a jamais enduré sa tendresse, jamais enduré la soumission de son autorité, de sorte que je me suis levé du sofa et j'ai apporté des bières bien frappées qui rappelaient Johannesburg et que le couillon qui paie le loyer de l'appartement m'offre de temps en temps pour que je lui permette de coucher avec ma fille, j'en ai ouvert une pour moi et l'écume a coulé comme un pleur le long du goulot, j'en ai ouvert une deuxième pour l'instructeur de passes magnétiques qui a levé la main pour refuser Je ne bois ni ne fume, et j'ai répondu Dans cette maison tout le monde boit sauf ma fille, rapport au sucre dans son sang, j'observais le verre à contre-jour pour voir les petites bulles se détacher de la paroi, le policier a hésité, j'ai tranché avec la lame ce qui restait de la frange du tapis pour lui donner du courage, comme faisait le contremaître de Johannesburg quand les Noirs avaient peur du monte-charge, j'ai bu une gorgée et comme d'habitude je suis retourné immédiatement aux dimanches d'il y a vingt-cinq ans dans la buvette en Afrique du Sud, regardant le sol herbu, regardant les cabanes en torchis des ouvriers, avant de connaître ma femme qui comptait des frégates, penchée par la fenêtre durant la veillée funèbre pour son père dans la maisonnette sur l'île, et à travers les couches de temps superposées, réfringentes, épaisses, de ces vingt-cinq ans, j'ai vu le spirite que la pioche effrayait saisir son verre, essayer craintivement une gorgée, réprimer un rot, essayer une autre gorgée, devenir écarlate, ouvrir de grands yeux, blanchir, augmenter de taille, vider la bouteille, s'emparer de ce qui restait dans la mienne, demander s'il y en avait d'autres à la cuisine, car la bière aide, inutile de vous déranger, reposez vos rotules, j'irai moi-même, le réfrigérateur est là-bas, n'est-ce pas? et il a poursuivi son argument d'une voix qui acquérait autorité et épaisseur, Si vous étiez capable de migrer vers le Maroc au-dessus de l'Alentejo, monsieur Oliveira, vous régalant du paysage comme les canards en automne, je vous garantis que vous vous convertiriez à l'hypnotisme par correspondance, vous vous achèteriez un turban et vous me donneriez raison, car sous la terre, pas vrai, tout est noir, tout est resserré, tout est humide, on a l'impression d'être dans une huche fermée depuis des siècles, quels horizons a-t-on?

J'étais en même temps à Johannesburg, dans la buvette, encore jeune et sans ma jambe en ruine, lanterne allumée sur le front en attendant que la nuit tombe pour aller visiter Solange, et à la Quinta do Jacinto, énervé par la présence du fleuve et par l'excès de soleil, regardant les collines, les immeubles et les usines de la berge opposée, regardant Montijo, ou Alcochete, ou Almada se reproduire dans l'eau, tourné vers la fenêtre et, au-delà de la fenêtre, vers les égouts et les trains de Cascais qui font trembler le plancher, qui précipitent les soupières par terre et tordent les cadres sur leur clou, tourné vers l'imbécillité affamée des mouettes, si avides qu'elles dévorent leur propre ombre en piaillant dans le sillage des navires, tourné vers la fenêtre, entouré de mineurs noirs, eux aussi lanterne allumée sur le front, leurs gobelets de gnôle jaunissant comme des lunes sulfureuses la brume de la pluie, tourné vers la fenêtre pour écouter le tam-tam des enfants sur des bidons, les galopades des chiens et le hennissement des chevaux de la Garde dans le quartier des ouvriers, Tout est noir, mon œil, tout est resserré, mon œil, tout est irrespirable, mon œil, tout est humide, mon œil, les gens dans une huche, quelle ânerie, se régaler du paysage, quelle crétinerie, on voit tout de suite que vous parlez comme ça parce que vous n'êtes jamais descendu à cinq mètres de profondeur, pour ne pas parler de trois cents mètres, trois cents, mon cher, trois cents, imaginez le poids sur la poitrine, imaginez la dimension des galeries dont on ignore si elles se terminent, où elles se terminent, pourquoi elles se terminent, vu qu'elles ne finissent peut-être pas, qu'elles s'articulent avec d'autres, qu'elles se prolongent en ramifications infinies de tunnels où résonnent les échos de wagonnets que personne ne pousse, de pioches que personne ne brandit, d'ordres de contremaîtres auxquels personne n'obéit, et le policier, de plus en plus insistant, Après la Révolution, les communistes, les apatrides, les vendus qui ont pris le pouvoir m'ont emprisonné à Caxias pour le seul crime d'aimer mon pays, et pendant tous ces mois au pain sec et à l'eau, monsieur Oliveira, littéralement au pain sec et à l'eau, j'ai appris à savoir ce que c'est qu'habiter sous la terre et je vous jure que c'est sombre, que c'est resserré, que c'est irrespirable, que c'est humide, des mois et des mois passés à manger de la soupe froide et des patates germées et à entendre des bruits de portes dans des corridors et des puits, qui si ça se trouve étaient reliés aux vôtres, qui si ça se trouve unissaient le Portugal à Johannesburg et la prison à votre mine de Noirs, et si ça se trouve, pendant que je dormais, des Noirs casqués émergeaient dans ma cellule, souriants, sales, sortant des dalles du sol, et je vous assure que je n'avais pas envie de voler sous la terre, surtout pas de voler sous la terre, ma seule envie était qu'on m'ouvre la porte pour échapper à tout cela; même si je n'avais pas de travail, pas de retraite, pas de sécurité sociale, car vous savez comment ils sont les démocrates.

Et je débouchais des bouteilles, je remplissais des verres, essuyant avec la manche de ma chemise la bière répandue sur la table, Un labyrinthe, mon cher, un labyrinthe, il y avait même des racines d'arbre, les arbres sont pires que les dents dans les gencives qui s'étendent jusqu'aux tempes et jusqu'à la nuque, quand on regarde un tronc on ne soupçonne pas à quelle distance il va quérir les défunts et le silence du monde qui éclate ensuite en fruits,

et le policier, oubliant le magnétophone en bandoulière, oubliant ses questions sur ma fille et sur celui qui nous paie le loyer, J'ai dû me lancer dans l'hypnotisme par correspondance parce qu'on m'a renvoyé de la fonction publique, ami Oliveira, moi qui étais la terreur des Bulgares, et j'ai découvert alors que faire voler les gens en ville était un joli métier, qui est-ce qui n'aime pas flotter au-dessus des toits simplement avec un turban et quelques phrases magiques,

et moi, ma jambe devenue moins douloureuse, voyant les lumières s'allumer dans le quartier des mineurs, je pensais que c'était l'heure de quitter la buvette et d'aller faire une visite à Solange dans la cabane de briques au bout du fil de fer, j'étais prêt, Joli et facile, mon cher, joli et très facile, si je le voulais, même avec ma hanche en compote, je me mettrais à voler au-dessus de Lisbonne,

et le policier, me regardant de l'autre côté de la table couverte d'une forêt de bouteilles vides, Vous prétendez que c'est facile, que c'est très facile pour quelqu'un qui n'a pas fait d'études de médium? eh bien allons donc un peu dans la rue mettre vos dons à l'épreuve,

et je me levais, je zigzaguais vers la porte, je me cramponnais aux murs, soudain glissants, ondulants et fuyants, je disais avec irritation, On parie, mon cher? que me donnerez-vous si vous perdez?

et le policier, se retenant des deux mains à une commode à cause de la tempête provoquée par le houblon, Une nuit avec Lucilia, ami Oliveira, une nuit rien que pour vous, pour elle et pour les tourterelles, pour oublier cette saloperie de vie dans la pension de la place de l'Alegria,

et moi qui ne connais pas Lucilia, moi que Solange attendait, pauvre petite, pleine d'inquiétude, moi dont le dîner refroidissait dans ma baraque à Johannesburg, moi qui écoutais les chiens et le tam-tam des gosses sur les bidons, moi qui déteste gagner des paris sans me fouler, Oubliez Lucilia, oubliez les tourterelles, mon cher, des femmes j'en ai à ne plus savoir qu'en faire, une qui compte des frégates dans l'asile de Lourenço Marques et une autre qui me prépare mon repas à cinq minutes d'ici, appuyez-vous sur mon épaule car ce qui manque ici c'est un escalier et nous serons sur le trottoir en un instant,

et le policier s'est mis à nager dans ma direction, comme un homme-grenouille, dans l'océan de récifs coralliens faits de commodes et de chaises en quoi le salon s'était transformé, Le portemanteau, ami Oliveira, si on atteint le portemanteau on est sauvés,

et malgré le vertige de la bière j'empoignais déjà le bouton de porte, je faisais déjà tourner la clé, je poussais déjà le loquet, j'ajustais mon casque sur ma tête, je sentais la fraîcheur du crépuscule sur ma nuque, j'entrevoyais en cette heure entre chien et loup la guirlande de phares des voitures sur le pont, Vite, avant que ma fille ne revienne de ses cours, avant que ma sœur ne revienne de chez le docteur et qu'elles ne m'interdisent toutes les deux de voler,

et le policier, piétinant les dahlias morts des massifs, Et si je vomissais d'abord, ami Oliveira, et si je pissais, et si je rejetais un peu de bière pour réduire le lest?

et moi, toujours cramponné à ma pioche, poussant la grille, cherchant les silhouettes de ma sœur et de ma fille sur les pentes de la Quinta, moi qui avais la nostalgie de Monção comme chaque fois que je sortais de la buvette, Allons, allons, montrez-moi de quoi vous êtes capable, mon cher, nous allons voir qui monte le plus haut,

Alors nous avons écarté les bras dans Alcântara à six heures, dans Johannesburg à six heures, nous avons fait un petit saut et peu à peu nous nous sommes élevés dans le soir à la hauteur des fenêtres, des balcons, des antennes de télévision, des cheminées, stupéfiant les mouettes, cherchant la direction du vent, nous avons plané au-dessus du rond-point, lui agrippé à mon cou, répétant en me soufflant de l'alcool dans le nez, C'est mieux que sous la terre, pas vrai, ami Oliveira, laissez un peu tomber vos salades et dites la vérité, c'est mieux ou pas?

Nous sommes montés vers le fleuve, Lisbonne rapetissait sous nos ventres de cigogne, et comme nous nous apprêtions à mettre le cap vers le sud, j'ai aperçu en bas, en gabardine et serviette à la main dans le tourbillon des voitures à Alcântara, le nigaud qui nous paie le loyer et les factures de gaz qui rentrait à la maison après le travail comme un chien plein de puces. J'ai battu plus lentement des bras, je l'ai montré au policier, j'ai crié Voilà mon gendre, mon cher, vous ne vouliez pas me questionner à son sujet? et le professeur d'hypnotisme par correspondance, penchant le tronc pour éviter un nuage, a répondu par un croassement aussitôt dispersé par le vent, Nous avons le temps, ami Oliveira, nous avons le temps, nous irons d'abord à Odemira manger du maïs avec les autres pigeons et demain matin, en revenant à Lisbonne, on verra, après que j'aurai parlé à Lucilia.

4

Le médecin m'a rendu les analyses sans enthousiasme, en secouant la tête,

Malheureusement vos reins vont mieux, Dona Orquídea, le gauche fonctionne et la meule de moulin a commencé à se dissoudre,

et moi, voulant lui faire plaisir, j'ai eu honte de sa voix déçue et du désappointement de l'infirmière devant ma santé, j'ai eu honte de la tristesse de leur visage face à l'ajournement de l'autopsie, et j'ai objecté, essayant de les dérider,

Mais j'ai de plus en plus mal, docteur, je ne réussis à dormir qu'à force de cachets, figurez-vous que le soir je prends même les comprimés de mon frère contre les oiseaux,

pendant que le médecin rédigeait une ordonnance, toujours en secouant la tête, l'infirmière vitupérait en silence contre mes progrès, on entendait des voix et des pas dans le corridor, le susurrement marin des malades dans la salle d'attente allait et venait en bouffées de lamentations, le soleil illuminait les objets dans le cabinet de consultation (le stéthoscope, la balance, un tableau avec des lettres décroissantes qui formaient des mots dépourvus de sens pour évaluer la myopie), les dépouillant de leur mystère et faisant scintiller les chromes de l'outillage du malheur.

– Détruire par inadvertance les galets qui se trouvent en vous, Dona Orquídea, l'a rabrouée le médecin d'une petite voix offensée, c'est comme naître avec un immense talent pour le piano et refuser de jouer par méchanceté.

Si bien que je suis sortie de la Caisse en me reprochant d'avoir rendu le docteur malheureux et me jurant de faire pousser des falaises dans mon ventre, des falaises comme celles de Viana, couvertes d'une petite herbe opiniâtre, des falaises comme celles du Douro où la vigne pousse en terrasses et où la rivière brille en contrebas, je suis rentrée à la maison en me promettant de me transformer en cordillère de schiste, en stratifications d'ardoise, en architectures de basalte, garantissant que dans moins d'un mois, presque dans le coma, entourée de chirurgiens, je serais reliée à la machine à filtrer le sang de l'hôpital où j'avais séjourné il y a sept ans dans un lit près de la fenêtre, à cause d'un ictère de la vésicule, et où un platane de la clôture faisait pleuvoir ses feuilles sur ma peau transie. Avant la grimpée de la Quinta do Jacinto, pour l'instant sans le moindre indice de nuit, j'ai senti une piqûre à ma taille et ma cuisse a durci comme si un cristal de calcium commençait

quelle chance

à me boucher l'urètre. J'ai pressé le pas dans l'espoir de déposer dans le vase de nuit une écaille de mica ou un pavé de granit consolateur, et sur ces entrefaites j'ai trouvé la porte d'entrée ouverte, le portemanteau renversé, les meubles du salon jetés les uns contre les autres sous la tenture en charpie, la table couverte de bouteilles de bière et mon frère, avec son casque et sa pioche, en compagnie d'un inconnu plus ou moins du même âge que lui, assis tous les deux sur la moquette, souillés de vomi, se demandant d'un ton de défi, Voulez-vous que je vole plus haut, mon cher? Voulez-vous que je vole plus haut, ami Oliveira? Regardez la vue à vol d'oiseau qu'on a ici d'Odemira et venez manger quelques grains de maïs sur le kiosque à musique, Je vous garantis que sous la terre c'est plus difficile.

Au début, en les voyant agiter ainsi ensemble les bras vers l'arrière et vers l'avant en renversant mes petits vases en faïence, j'ai pensé C'est l'effet de l'alcool, c'est cette saloperie de vin qui transformait mon père à Esposende et le poussait à crier, pris de folie, au milieu des rouleaux d'étoffe en brandissant son fusil de chasse, Ou bien vous m'enlevez les lézards et les araignées de la boutique ou bien je tue tout le monde avec mon fusil, ma marâtre en pleurs appelait les pompiers qui suppliaient du seuil, sans oser entrer, Donnez-nous votre arme, monsieur Oliveira, remettez-la-nous et nous vous chasserons les geckos au loin, et mon père Hors d'ici, coquins, hors d'ici, fripons, tirait les deux cartouches en même temps, inondant l'établissement de poudre, il rechargeait son fusil et avançait sur la plage en visant les fenêtres, Otez-vous des fenêtres, Castillans, je veux toute l'engeance espagnole à Madrid, et moi j'étais à quatre pattes derrière le comptoir, imaginant, paniqué, S'il tire sur le gars du cinéma, finis les films à Esposende, finies les histoires romantiques, plus jamais Zorro ne se penchera à cheval pour embrasser la vicomtesse, s'il tire sur le gars du cinéma il n'y aura plus rien ici qui se confondra avec la mer. Quand il n'avait plus de cartouches, mon père, soudain pacifié, demandait en sanglotant, remontant la jambe de son pantalon, Aide-moi, Orquídea, avant que les rats ne me dévorent, regarde, il y en a un qui grimpe le long de mon tibia, je levais la tête de quelques centimètres au-dessus du comptoir, les pompiers lui tombaient dessus dans un tourbillon d'insultes et de haches étincelantes et le commandant proclamait d'un ton victorieux, Je t'en donnerai, moi, des rats, camarade, je t'en donnerai, moi, des rats, tu vas passer la nuit au poste avec les punaises à cuver ta cuite, et demain si le juge, qui condamne tout le monde depuis que sa femme a fichu le camp, ne te bannit pas en Afrique, ce sera simplement parce que ça n'est pas prévu dans le code.

Par conséquent, en voyant les bouteilles vides et mon frère et l'autre parler du kiosque à musique et picorer le maïs des pigeons d'Odemira, le menton sur la moquette, j'ai pensé au début que c'était le résultat de l'alcool comme dans le cas de mon père jadis, sauf qu'au lieu de geckos, d'araignées et de rats, ils s'étaient mis à inventer du grain et des petits bouts de croûtons, mais ensuite, en les entendant parler de vent et de nuages et dire qu'ils avaient plané une heure durant au-dessus des champs de Grândola, j'ai commencé à douter de moi et à toucher le mur pour m'assurer que je ne planais pas moi aussi, que je ne me perchais pas moi aussi sur les petits arbres de la place, jusqu'au moment où mon frère m'a découverte immobile à côté de la commode et a donné un coup de coude à l'autre en agitant les bras, Allons-nous-en vite, mon cher, envolons-nous, car ma sœur est arrivée.

Ça ne peut pas venir de l'alcool, ai-je pensé, les ivrognes ne s'intéressent pas aux kiosques à musique, aucun ivrogne ne s'intéresse à des kiosques à musique, ce qui angoisse les ivrognes ce sont les fourmis et les tarentules qui se promènent sur leurs vêtements et les fantômes avec lesquels ils se battent toute la nuit, le dimanche, après le spectacle en matinée, le propriétaire du cinéma engloutissait un litre de liqueur de mandarine et l'unique chose dont il avait envie c'était de me rouer de coups sans que je sache pourquoi, si j'avais la bêtise, par exemple, de parler de cigognes, c'était le pavé dans la mare, Des cigognes, qu'est-ce que c'est que cette histoire de cigognes, espèce de gourde? je parle d'un sujet sérieux et toi tu détournes mon attention avec des fariboles d'oiseaux, de sorte que j'ai pensé, si ça se trouve ce qu'ils disent n'est pas une invention, ils volent vraiment dans les airs, et l'homme qui était avec mon frère, lèvres au ras du tapis, Comment est-ce possible, ami Oliveira, on est dans l'Alentejo et votre sœur est à Alcântara, comment pourrait-elle nous retrouver, expliquez-moi ça?

et mon frère, m'indiquant de sa pioche, Je ne sais pas par quel moyen de tranport elle est venue, mais qui vous assure qu'elle ne vole pas comme nous, qui vous assure qu'elle n'étudie pas l'hypnotisme par correspondance, mon cher, tout ce que je peux dire c'est que c'est bien Orquídea, oui parfaitement, comme si je ne reconnaissais pas ma propre sœur,

et l'autre, clignant ses yeux de bécasse à ma recherche et fixant le portrait de ma mère sur le buffet qui contenait les verres à porto, Laquelle est votre sœur, ami Oliveira, cette vieille aux cheveux blancs, là-bas, qui nous tend de la mie de pain de maïs?

et j'ai regardé mon frère, furieuse contre lui, indignée qu'il amène à la maison des amis aussi stupides, vu que ma mère avait vingt-neuf ans tout au plus quand elle est morte dans le Minho, nous jouions sur l'aire à battre le grain, c'était un matin d'août, mon oncle Aurélio s'est approché des marches de la cuisine, chapeau à la main, et il nous a appelés, il y avait des dizaines et des dizaines de moineaux dans la treille, le soleil dorait la poussière de froment sur le carrelage, la petite chienne blessée à l'échine était indifférente aux lapins derrière le grillage, et dans la maison on avait attaché la mâchoire de ma mère avec un mouchoir, on l'avait obligée à se coucher tout habillée sur le couvre-lit et j'ai été étonnée qu'elle n'ait pas mis ses savates mais les souliers de procession, marron et bleu, de mon père, alors, intriguée, j'ai poussé ma marraine, je me suis approchée et j'ai dit Mère, pas de réaction, j'ai dit Mère, j'ai faim, et pas de réaction, j'ai crié Mère, donnez-moi un morceau de pain, et pas de réaction, Mère, ai-je hurlé, si vous ne vous réveillez pas je casse la sainte près de la chandelle, et ma mère dormait paisiblement, la nuque sur une taie ornée de dentelles, mon oncle s'est approché par-derrière et m'a pincé le cou, Calme-toi, petite, calme-toi, petite, monsieur le curé va bientôt venir, et je me cramponnais à la jupe des dimanches de ma mère, Espèce de pute, espèce de grande pute qui ne s'occupe pas de sa fille, et le lendemain,

des cistes, tant de cistes, mon amour, passion de ma vie, je te veux

près de moi, et je l'insultais en pleurant et je répétais, Pute, espèce de pute, que je devienne aveugle si je te reparle jamais, sale pute, on l'a enfermée dans le cercueil et elle n'a pas protesté, nous l'avons suivie à pied jusqu'au cimetière de Monção, et aujourd'hui encore j'entends les cloches quand je me souviens de cela, aujourd'hui encore je vois ma cousine Afonsina, qui ne s'est pas mariée parce qu'elle était née bossue, m'envelopper la tête d'un voile pour me protéger du soleil, et je collais l'oreille contre la bière pour que ma mère me dise Ma fille, mets la casquette de ton père car il fait chaud, aujourd'hui encore je me souviens des croque-morts et du curé bénissant des croix sous les peupliers, on a jeté ma mère dans un trou et je criais, Couillons, arrêtez donc, couillons, ils ont versé sur le couvercle un petit sachet de chaux dont le nuage a dansé longtemps au milieu des pierres tombales et des couronnes de fleurs,

ce n'était pas des cistes, ce n'était pas des genêts, c'était des fleurs, des fleurs, des fleurs rouges, lilas, blanches, des magnolias, je crois, des soucis des champs, je crois, des marguerites, je crois, des fleurs, des fleurs, des nœuds et des rubans avec des lettres argentées et dorées, des fleurs, des fleurs, je n'en ai jamais vu d'aussi grandes, des fleurs, les cistes, c'était plus tard, à Esposende, les cistes c'était au bord de la mer, pendant le cinéma démontable en février, quand le film se confondait avec les vagues et que ton corps se levait de mon corps, une cigarette à la bouche, A un de ces jours,

l'abbé a fermé le livre, a donné l'eau bénite à son aide, s'est débarrassé de son étole, la sueur coulait de ses tempes, mon père nous a ramenés à la maison qui m'avait toujours paru minuscule, irrespirable, sans espace, et qui avait augmenté de taille pendant notre absence, avec le mobilier rangé le long de murs sans fin, et une fois le déjeuner fini, sans ma mère pour se préoccuper de ma maigreur, pour m'obliger à avaler ma soupe, à mâcher, j'ai de nouveau gravi la pente du cimetière pour la chercher entre les tombes et lui annoncer d'un ton vengeur, Mère, je n'ai rien mangé depuis ce matin, me révoltant contre son absence, contre son silence, contre son dédain, et mon frère, qui s'était oublié un petit instant au point de courir sur l'aire avec la chienne blessée, poursuivant des papillons, a fixé pendant une seconde la photo avant de replonger la bouche dans la moquette, Je ne connais pas cette vieille, mon cher, c'est sans doute une paysanne d'ici, ma sœur est une fille brune, accroupie dans le sable, regardant la mer d'Esposende.

Ce n'est donc pas dû à l'alcool, ai-je pensé, ils ne se disputent pas, ils ne voient pas des bêtes, ils ne se fâchent pas, ils ne veulent pas me rosser, il n'est pas nécessaire de téléphoner aux pompiers car ils ne tirent pas de coups de fusil dans la boutique, tous les deux sont bien tranquilles, ils mangent du maïs sur le plancher, sans faire de boucan, ça ne peut pas être dû à l'alcool car l'alcool rend furieux, et j'ai pensé cela jusqu'au moment où le partenaire de mon frère a extrait une bande de satin de sa poche et a commencé à l'enrouler autour de son front comme un bandage, annonçant Dès que j'aurai mis mon turban, ami Oliveira, et que j'aurai sifflé une petite bière car j'ai une soif du tonnerre, on quittera Odemira et on fera un petit saut en Afrique du Nord car cela fait au moins un mois que je n'ai pas vu d'autruches ni de chameaux.

Pendant que l'acolyte de mon frère se collait son turban sur la nuque avec du sparadrap et qu'il s'appliquait un rubis de la taille d'une soucoupe entre les yeux, j'ai essayé de compter les bouteilles sur la table, je suis arrivée à vingt-huit et j'ai renoncé car je me perdais dans les goulots et j'ai commencé à soupçonner que c'était peut-être dû au vin, parfaitement, monsieur, il y a des gens qui ont le vin tranquille et inhabituel, des gens qui ont l'eau-de-vie paisible, quand j'ai commencé à travailler à Lisbonne, comme bonne à tout faire chez un Suédois, mon patron passait ses week-ends sans rien demander à personne, sans embêter personne, assis devant un miroir avec une batterie de whiskies, tout content, chantant les airs de danse et les fandangos de son pays, le lundi je lui apportais un comprimé effervescent dans une tasse, il avalait la mixture, se rasait, disait d'une voix tout à fait normale, Aujourd'hui pour le dîner je voudrais un soufflé, Orquídea, et il partait au bureau en voiture, disparaissant si vite que si je m'approchais du miroir je le voyais encore entonner des bourrées de l'Algarve car personne n'ignore que les images des gens ivres mettent des heures à s'évanouir, ils sont partis depuis longtemps et ils continuent à nous regarder depuis les surfaces polies, gras sur les bouilloires, maigres sur les couverts, il y a des gens qui ont le vin tranquille et inhabituel, des gens heureux qui fermentent en sourdine comme les mouches dans le vinaigre, c'était peut-être le cas de mon frère et du gars aux chameaux, ils appartenaient peut-être tous les deux à la même race que le Suédois qui est sûrement toujours dans les miroirs des maisons qu'il a habitées, chantant des ballades, si bien que j'ai été inquiète à l'idée qu'ils voyagent de nuit, sans personne pour les aider, alors malgré les pierres dans mon urètre et dans mes reins et malgré le sable de cristaux sablonneux dans ma vessie, je me suis écriée Mon frère, ne sors pas sans moi de la Quinta do Jacinto, avec ta jambe mal en point et une fille encore à élever, si vous voulez partir tous les deux, prenez-moi une place dans l'autocar,

et cela parce qu'il est plus facile de faire la volonté d'un alcoolique que de le contrarier, si mon père, par exemple, se plaignait des rats, sans un mot je frappais le carrelage avec le balai, si mon père m'ordonnait Enlève les lézards et les sauterelles de mes habits, je frottais sa veste avec la brosse, si le propriétaire du cinéma, c'est une supposition, m'avait demandé Mais qu'est-ce que c'est que cette histoire de cigognes, petite sotte? j'aurais répondu, sans me laisser démonter, Des cigognes, j'ai parlé de cigognes? je devais être distraite, oublie ça, des cigognes, quelle idiotie, et la preuve que j'ai raison c'est que l'homme au turban qui m'observait sous son rubis s'est tourné vers mon frère Eh bien voilà une femme comme je les aime, je parie, madame, que vous êtes la meilleure élève de mon cours d'hypnotisme par correspondance, avez-vous lu le dernier prospectus illustré, celui qui apprend aux débutants à voler à reculons comme les colibris?

et moi, la meule de moulin pesant dans mon ventre, Ça ne fait aucun doute, ils sont devenus maboules, ils se sont bourrés de bière et ils sont devenus maboules comme mon père après un dîner de calmars lors de l'anniversaire de ma marâtre, il terminait son riz et s'est immobilisé, il a levé les bras au-dessus de sa tête et a annoncé Ça y est, je suis un acacia, Quoi ? s'est étonné mon oncle qui gagnait sa vie en châtrant les bêtes, Je suis un acacia, a insisté mon père en grimpant sur la nappe, au mois de mai je ferai tomber des petites boules de mes branches, Mon mari s'est fourré dans l'idée qu'il est un arbre, a dit ma marâtre au pharmacien, vous ne vendez pas des piqûres contre les arbres ? Il a abandonné le magasin, il ne s'intéresse plus aux tissus, il passe ses journées juché sur une table, suppliant, Ne m'élaguez pas, ne m'élaguez pas, cette branche est saine, et le pharmacien Contre les arbres je n'en connais pas, vous avez essayé à Porto ? et mon père, qui prenait racine sur la nappe, qui lançait des branches vers le plafonnier, qui semait du pollen de ses cheveux, mon père qui nous demandait d'ouvrir la fenêtre car il avait besoin de la brise du soir, mais au bout d'une semaine nous avons dû bloquer les volets, Excuse-moi, père, car pendant la nuit des chauves-souris s'échappaient des crevasses dans son tronc, et quand sa respiration n'a plus été qu'un petit souffle de vent du nord on l'a scié en deux pour qu'il tienne dans l'ambulance et ma marâtre a dit à la famille en se tamponnant les yeux, Être un acacia est une maladie horrible, le médecin nous a pris à part Peut-être que si nous le plantons dans le jardin et que si nous le fumons avec ménagement, et mon frère a dit à l'homme au turban en frappant sa pioche sur le tapis, Oubliez les colibris, mon cher, oubliez ces trucs, voler avec l'aide de la bière est un jeu d'enfant, du temps de Johannesburg je m'envolais pour le Minho dès la deuxième gorgée, ce qui est difficile en revanche c'est de marcher enfouis sous la terre, comme les mineurs et les morts,

et j'ai acquiescé, Bien sûr, pensant à ma mère qui nageait sous les peupliers à Monção, toute seule dans les ténèbres comme quelqu'un qui se réveille à l'aube en ayant perdu le nord des choses, ne sachant pas l'heure, ignorant de quel côté du lit se trouve le réveil, ma mère qui comme tous les défunts est morte aussi sur les photos, car quand on regarde une photographie dans un cadre on sait immédiatement si la personne photographiée est morte ou vivante, la physionomie est différente, le regard est différent, plus distant, plus vague, plus triste, je n'ai jamais eu le courage de retourner à Esposende, et encore moins dans le Minho, pour ne pas à avoir à entendre ma mère me demander si j'ai maigri, si je fais attention aux courants d'air, si j'ai mangé ma soupe, et si je retournais à Esposende ce serait pour me souvenir devant les vagues de février de l'homme à la casquette et à la cigarette qui est mort, je le sais, car sur sa photo ses paupières se sont flétries, n'insistez pas, ne vous étonnez pas, ne me demandez pas comment je le sais, je le sais, je le sais parce que s'est fané son sourire dans lequel trempait ma tendresse comme on trempe un morceau de pain dans le café du matin, je le sais, je le sais car ses pupilles sont devenues anxieuses,

des cistes des cistes des cistes des cistes des cistes des cistes des cistes, le suc des cistes, le sang des cuisses sur les cistes

car la photo m'implorait Aide-moi, car pour la première fois elle me disait Ne t'en va pas, Orquídea, et moi qui n'ai jamais su son nom, qui n'ai jamais eu le courage de le lui demander, je répondais,

et les dunes, comment parler des dunes où une meute de chiens hurlait le soir?

Je ne m'en vais pas, je le jure, je m'assieds sur une pierre pour bavarder avec toi pendant que le vrombissement du bateau de sauvetage descend vers l'eau, et le professeur d'hypnotisme disait à mon frère en rajustant son turban, Celui qui vole au-dessus des nuages vole enfoui dans la terre comme les Noirs, s'il y avait une mine à Odemira je serais déjà,

et mon frère m'a dit, Va me chercher une bière, sœurette, j'en ai marre d'être un pigeon, regarde dans l'armoire, j'ai caché des bouteilles derrière le cirage,

et l'autre Enfoui dans la terre, ami Oliveira, à deux cents ou à cinq cents mètres de profondeur, peu importe, et je n'ai même pas besoin d'un ascenseur, je descends en battant des ailes et j'arrive aux galeries en deux temps trois mouvements, je remonte à la surface, je redescends jusqu'aux galeries et je vous pousse encore une douzaine de wagonnets sur les rails,

et mon frère s'est levé en s'appuyant aux meubles, J'aimerais bien voir ce courage, mon cher, c'est de la vantardise,

et le médium, picorant un dernier grain et se mettant debout lui aussi, Il n'est ni trop tôt ni trop tard, ami Oliveira, prêtez-moi votre pioche et je vais creuser,

et les cistes, pêle-mêle avec les pins, et le vent, et la mer, ont grimpé à l'assaut du rond-point d'Alcântara et de la côte de la Quinta do Jacinto, on entendait le moteur des chalutiers, on entendait les ordres des patrons de pêche, la mer, les pins, le vent et les cistes ont dépassé les marches, le paillasson et le portemanteau du vestibule, un pêcheur en bottes de caoutchouc est entré en courant par la fenêtre, les vagues déferlaient contre le sofa et une brume se pelotonnait dans le salon, si épaisse que j'ai à peine vu mon frère et l'autre me dire adieu tandis qu'ils disparaissaient sous le plancher.

Livre Trois

LE VOYAGE EN CHINE

1

Je suis ici près de la plage depuis des siècles et je n'ai jamais entendu la mer, tout comme je n'ai pas entendu les pas de ceux qui sont venus me chercher, un dimanche après le déjeuner, sur le gravier du jardin. On a sonné à la porte, ma sœur Maria Teresa a levé les yeux de son crochet et a demandé Qui est-ce que ça peut être à cette heure? Mon frère, qui disposait les cartes pour une patience, a lâché son jeu et sa cigarette et s'est dirigé vers la porte en disant Un pauvre, je n'ai pas de monnaie, la sonnette a de nouveau retenti, en même temps que le téléphone, j'ai décroché et la voix du colonel Gomes a glapi Pars de chez toi en vitesse, on vient t'arrêter, et l'instant d'après il y avait trois militaires et un civil armé d'un pistolet à l'entrée du salon, Veuillez nous accompagner, major, une voiture vous attend.

J'avais toujours pensé que les choses pourraient aller mal, mais pas si vite et pas de cette façon. Nous n'avions pas encore dépassé les réunions préparatoires, nous n'avions pas encore décidé des unités à contacter, nous étions onze officiers qui nous réunissions chez l'un ou l'autre d'entre nous, le commodore Capelo nous avait assurés que le chef de l'État-major était au courant et qu'il approuvait, les contacts dans les régiments étaient pris avec la plus grande prudence, pas de politique, il ne s'agissait pas de s'attirer les foudres du président du Conseil, il s'agissait simplement de présenter une ou deux revendications militaires, simplement d'émettre le désir de jouer un rôle plus important dans la machine de l'État, après tout nous sommes en 1950, mon vieux, nous avons quand même notre mot à dire dans ce pays, pas vrai, mon brigadier? et nous attendions une manifestation d'intérêt, une réponse, l'idée était de mobiliser peu à peu l'armée, de prendre le pouls des unités, mais un ambitieux quelconque nous a dénoncés au Ministère ou à la police dans l'espoir d'être promu, d'obtenir une distinction et de s'attirer les bonnes grâces du régime, peut-être le commodore Capelo, peut-être le colonel Gomes lui-même qui hurlait au téléphone Disparaissez, Valadas, fichez le camp, nous avons un homme de toute confiance à Penafiel qui vous transportera en Espagne, Barrela a déjà été attrapé, Monteiro a déjà été attrapé, et le civil a dit, Allons, major, lâchez ce téléphone, ce n'est pas le moment de conter fleurette, on dirait que mon invitation vous étonne.

Ma sœur Anita s'est mise à pleurer, ma sœur Maria Teresa, marquant sa maille de l'ongle, s'est indignée Mais qu'est-ce qui se passe donc? et le lieutenant qui commandait les deux soldats lui a répondu avec beaucoup d'urbanité Rien de spécial, madame, nous voulons juste avoir une conversation d'amis avec le major, il sera de retour dès ce soir, frais comme un gardon, il semble que des petits malins veulent renverser le régime, et mon frère, qui est né bête et qui ne pense qu'à des culs de manucures, a avancé sa bedaine et proclamé Je suis légionnaire, si vous ne laissez pas Jorge en paix je vais à Amadora et j'ameute les gars en un clin d'œil.

J'étais tellement occupé à me demander qui nous avait trahis et qui ne l'avait pas fait que je ne me suis même pas aperçu que le civil s'approchait de moi, m'arrachait le téléphone, écoutait un instant, et répondait, presque avec pitié, Coucou, mon colonel, nous sommes déjà arrivés, nous avons l'oiseau dans la main, ne vous faites pas de bile car le gars de Penafiel travaille pour nous, et si j'étais vous je regarderais par le balcon, vous avez de la visite qui vous attend sur le trottoir : la communication s'est aussitôt interrompue et le civil a dit en agitant son pistolet, Mettez une veste, il fait froid, ami major, je n'ai jamais rien vu de plus trompeur que ce printemps, ma femme, la pauvre, n'arrête pas de se faire des gargarismes et d'éternuer, vous n'imaginez pas ce que je donnerais pour avoir une nuit tranquille.

Le lieutenant et les soldats ouvraient et fermaient des tiroirs, dérangeant des nappes, dérangeant la vaisselle, dérangeant des liasses de lettres attachées par des ficelles, j'observais les larmes de ma sœur Anita et je me souvenais de la dernière rencontre, dans le garage d'un pilote de chasse de la réserve, Si ce n'est pas Gomes, est-ce Alexandre ? je n'ai jamais cru à la sincérité d'Alexandre, son oncle est un grand ami de Salazar, c'est le commodore qui a insisté sur la nécessité de l'avoir avec nous, serait-ce le commodore ? mon frère disait Lâchez ces lettres, elles concernent mes parents, ne froissez pas les fleurs qui sont là-dedans, et le lieutenant, qui piquait la terre d'un pot de fleurs avec une fourchette, Du calme, du calme, c'est une inspection de routine, tranquillisez-vous, personne ne va détruire vos biens.

Le téléphone a de nouveau sonné, le civil nous a fait signe d'attendre en levant sa main ouverte, ma sœur Maria Teresa, qui avait toujours l'ongle sur sa maille et qui s'approchait des militaires, insistant, sans s'effrayer des fusils, Qu'est-ce que ça veut dire ? s'est immobilisée, une chaussure en l'air, le civil a attendu la cinquième sonnerie avant de décrocher et il a aboyé dans le micro Oui, parfaitement, il n'a pas opposé la moindre résistance, mais cet olibrius de colonel a téléphoné ici, dès que nous aurons fini de perquisitionner nous lèverons le camp, veuillez dire au capitaine Alexandre, s'il vous plaît, que la police lui est on ne peut plus reconnaissante, il peut compter sur nous pour tout ce qu'il voudra, mes salutations, mon commodore, au revoir.

Le commodore et Alexandre c'est un peu beaucoup, ai-je pensé, j'ai été vraiment stupide, j'aurais dû me méfier de cette histoire d'approbation du chef de l'État-major, me méfier des rencontres dans la maison de plage de Capelo à Caparica, où chacun prenait ses aises sans la moindre précaution, où sa fille servait des vermouths et des apéritifs, pendant que le père, jovial, sûr de lui, en sandales et chemise ouverte, disait, Alors, nous allons en finir avec les fascistes, hein, nous allons mettre fin à la dictature au Portugal, cela fait maintenant cinq ans qu'Hitler s'est tué, il faut commémorer le miracle, à mon avis, malgré tout, le pays est mûr pour la démocratie, vous ne trouvez pas? Alexandre approuvait en hochant la tête, Monteiro approuvait, l'œil rivé sur les jambes de la jeune fille qui servait les vermouths, le colonel Gomes essayait de retenir le commodore, Freine ta langue, João, arrête de boire, sinon tu ne te contrôleras plus, je me penchais au-dessus d'un petit balcon garni de jardinières, je regardais la mer, et le commodore, Je te garantis que nous allons renverser Salazar, Carlinhos, je te garantis que j'envoie trois navires devant le Terreiro do Paço, vite fait bien fait, et sa femme, une dame sympathique, poussait une porte de verre et nous adressait un sourire, Bonsoir, ne vous levez pas, vous ne voudriez pas de la salade de langouste?

J'aurais dû me méfier aussitôt, j'aurais dû en parler aux camarades, j'aurais dû entrer immédiatement dans la caserne d'Alfeite et dire Vous savez, mon commodore, c'est un stratagème pour savoir qui appuie le Gouvernement, aujourd'hui même nous ferons rapport à votre sujet au secrétaire d'État, je l'aurais vu pâlir, se passer la main sur le front, hésiter, bafouiller enfin Mais voyons, je n'ai rien fait sans le consentement du ministre, et je me serais dirigé vers la porte, Eh bien, mon commodore, dites-vous bien que je me réjouis de savoir que vous êtes aussi patriote que nous. J'aurais dû parler au colonel Gomes en privé, Je regrette de devoir vous enlever vos illusions mais votre ami d'enfance est un sous-marin, mon colonel, voilà ce qui s'est passé à Alfeite, il y a peu, et le colonel Gomes n'aurait eu qu'à prévenir les autres et à préparer une lettre dans laquelle ils jureraient leur loyauté au régime et suggéreraient, sans citer de noms, que présentent leur démission de l'armée les ennemis du corporativisme, pendant que nous lancerions insidieusement dans les casernes l'idée qu'il y avait des officiers qui défendaient la démocratie au cours de déjeuners clandestins sur la côte de Caparica, mais l'enthousiasme du commodore était contagieux, mais les jambes de la petite étaient bien tournées et en été tout paraît toujours plus facile, Ne faites pas de façons, ici nous sommes entre cadets, proclamait le vieux, un verre de vin blanc à la main, en inaugurant la langouste, et j'ai été assez bête pour croire à tout cela, au sourire de l'épouse, à la fille, et maintenant le soldat frappait le secrétaire de mon grand-père à coups de crosse et furetait parmi des factures, des cahiers, des souvenirs morts, de pâles regrets, la poussière du passé, et mon frère disait au civil Qu'est-ce que les défunts vous ont donc fait, monsieur, pour que vous abîmiez tout ? et l'autre, lui poussant le ventre avec son pistolet, Mettez-vous contre le mur et ne nous cassez pas les pieds, si j'avais une panse comme la vôtre je ne la ballotterais pas devant une arme.

Même le renard s'inquiétait dans sa cage, il se

cognait contre les barreaux, moi j'ai seulement pris peur quand le lieutenant s'est immobilisé, dressant l'oreille, abandonnant les débris des grands-parents, J'ai l'impression d'avoir entendu des pas là-haut, alors, du coin de l'œil, j'ai vu ma sœur Maria Teresa renverser bien vite le Bambi de ma marraine qui s'est cassé sur le tablier du trictrac, le bruit de pas s'est évanoui, et le civil m'a conduit à la pointe de son pistolet dans le jardin en disant, N'exagère pas Lázaro, il n'est guère probable que Lénine se soit retranché dans le grenier, allez, en route, rue António Maria Cardoso on doit brûler d'entendre les confidences du major.

Je me souviens que les soldats ont empêché ma famille de me dire au revoir, je me souviens que le téléphone s'est mis à sonner sans arrêt, de plus en plus faiblement à mesure que nous descendions la rampe vers le portail, je me souviens du cigarillo du civil installé sur la banquette avant de la Ford et qui décrivait en détail au lieutenant le rhume de sa femme, les mouchoirs, les thés au citron, les cataplasmes de farine de lin, les aspirines, je me souviens que nous nous sommes arrêtés devant l'édifice de la rue António Maria Cardoso, qu'on m'a ordonné Sortez, et pendant ce temps-là ma sœur Maria Teresa tranquillisait les pas dans le grenier Ce n'était rien, il ne s'est rien passé, étends-toi un moment, essaie de te reposer, mon frère prenait l'autobus pour Amadora et criait à ses collègues On a arrêté Jorge, nous vivons dans un pays de fous, et moi, après des couloirs et des escaliers et des bureaux, je me suis assis devant une table où un chauve, accompagné d'un Indien avec un goitre, tambourinait avec son stylo et s'exclamait Pas trop tôt, major, soyez le bienvenu, ça fait longtemps que j'avais envie de vous connaître.

Le commandant de la caserne de la Légion, qui chuchotait au téléphone Bien sûr que je t'aime, ma petite chatte, bien sûr que je t'aime, se montrait plein de prévenance pour mon frère, Calme-toi, Valadas, écarte les dossiers, assieds-toi sur le sofa et détends-toi, mes sœurs prenaient un taxi pour aller voir un cousin P-DG susceptible de me sauver, mon frère, la moustache frétillante de panique, disait Ils ont foutu Jorge en cabane, Frederico, tu es un personnage puissant, tu connais un député, que vas-tu faire pour t'opposer à cela? le cousin P-DG ouvrait les bras, Je ne promets rien, Teresinha, il y a eu un remaniement ministériel, je ne sais pas qui a été nommé à l'Intérieur mais je vais essayer de savoir ce qui se passe, et le chauve disait en examinant son stylo, Trahison de la Patrie, subornation de militaires, tentative de renversement du président du Conseil, tout cela est très grave, il y a des pays où l'on fusille pour moins que cela, étant donné les faits même si j'intercédais en votre faveur je ne pourrais pas vous aider,

et cela pendant des heures, je ne sais pas au juste combien parce qu'on m'avait confisqué ma montre et la lampe au plafond éternisait le temps, il me questionnait, je répondais par des marmonnements, essayant de deviner son raisonnement, j'avais envie de pisser, j'avais envie de manger, j'avais envie des jambes de la fille du commodore Capelo et de la salade de langouste sur la terrasse à Caparica, j'avais envie d'aller au mess de Tomar avec Margarida, Demain je pourrai vous dire quelque chose, demain j'aurai peut-être de bonnes nouvelles, a promis le cousin en chassant mes sœurs vers le vestibule, et sur ces entrefaites le chauve a abandonné son stylo et aboyé à l'intention de l'Indien goitreux, Cogne-le, Nicolau, ce saligaud refuse de collaborer,

Le goitreux a administré un premier coup de pied à la chaise et un deuxième qui m'a fendu l'aine, la position de la lampe s'est modifiée, la table a volé à ma rencontre et reculé, et au lieu d'une douleur j'ai ressenti une paix étrange tandis que ma sœur Anita disait sur le palier, Luis Filipe, est-ce que nous pouvons venir te déranger à trois heures? et le P-DG répondait A trois heures, oui, si je suis absent laissez-moi une commission, excusez-moi d'être pressé mais la famille de mon gendre m'attend au salon, Nicolau s'employait à me mettre les épaules en charpie, les genoux, la poitrine, Couillon de merde, ça t'apprendra à empoisonner l'armée,

et moi, j'étais absent, j'étais assis dans une chaise longue sur la terrasse du commodore, je suçais la chair d'une pince de langouste et je bavardais avec la jeune fille de si près que je touchais presque son visage de mes doigts, indifférent au commandant de la Légion qui prétendait Ça ne sera rien, ces choses-là s'arrangent, c'est une erreur, indifférent aux questions du chauve, indifférent à la fureur de Nicolau, plongé dans un abîme de félicité, de douceur, d'innocence, où ma mère me souriait comme autrefois, m'assurant sans avoir recours à des paroles qu'aucun de nous ne mourrait jamais.

De sorte que je suis ici depuis des siècles, près de la plage, et que je n'ai jamais entendu la mer. Près de la plage à cause du piaillement des mouettes, à cause de l'air couleur d'iode que je respire, à cause des moteurs des bateaux de pêche que je crois entendre la nuit dans cette caserne où j'habite, caserne de l'Algarve, caserne de Tavira, ville dont j'ai tant aimé le pont et la place, Fatinha, quand j'étais sous-lieutenant. Des siècles sans visites, sans courrier, sans journaux, ignorant tout du monde, des siècles pendant lesquels un lieutenant-colonel ouvre de temps en temps la porte, Alors, major, le service de l'hôtel vous semble-t-il passable? et je pensais La fille du commodore me manque, la salade de langouste me manque, la côte de Caparica me manque, que sont devenus le colonel Gomes, Barrela et Monteiro, le médecin de la rue António

Maria Cardoso m'a hospitalisé dans le Fort de Caxias avec six côtes fracturées, les sourcils fendus et deux vertèbres déplacées, j'ai entendu à un mètre de moi le chauve expliquer au docteur Nicolau a fait du zèle, dommage que je n'aie pas plus d'agents de cette trempe, mon frère insistait auprès du légionnaire J'ai toujours été pour le régime, Frederico, j'ai toujours détesté les démocrates, Jorge, qui est de mon sang et qui a passé quinze mois à Timor, serait incapable de conspirer, le cousin P-DG n'était jamais chez lui malgré l'automobile garée devant la porte, la bonne disait à mes sœurs Monsieur l'ingénieur est à une réunion au Terreiro do Paço, monsieur l'ingénieur est à un dîner à l'ambassade de l'Uruguay, monsieur l'ingénieur est parti en Italie pour son travail, essayez dans une semaine, essayez dans quinze jours, essayez dans un mois, on m'a emporté sur une civière dans une cour intérieure où un groupe de policiers jouait au ballon et on m'a enfourné dans une ambulance de l'armée, mon dos me brûlait, mes dents me brûlaient, il y avait des cavernes spongieuses dans mes gencives, nous avons à peine démarré que j'ai demandé On va où maintenant? et un fourrier, qui prenait ma tension, On fait un voyage en Chine, l'ami, on ne t'a pas informé qu'on t'expédiait en Chine? il faut pas mal de temps pour arriver là-bas.

Caxias aussi était situé près de la plage, comme Tavira, mais sans l'haleine de l'Afrique la nuit, il y avait seulement l'odeur des égouts et le fleuve qui se transformait en mer, dans le lit à droite du mien un vieux refusait sa soupe, refusait ses capsules, on lui faisait des injections de force, à coups de gifles, par-dessus son pyjama, et moi, la nuque prise dans un col en métal, j'apprenais par cœur les îles au plafond qui étaient comme la carte d'un explorateur dément, et dès que j'ai réussi à m'asseoir on m'a ordonné Habille-toi et on m'a ramené rue António

Maria Cardoso, dans le bureau du chauve qui continuait à tambouriner avec son stylo sur la table, accompagné de l'Indien goitreux, Bon, heureusement que vous êtes guéri de votre grippe, major, maintenant vous allez avouer les noms des officiers que vous avez contactés,

sauf que cette fois, à côté de lui, sans chemise ouverte ni sandales, le commodore Capelo en personne s'installait, sévère, en uniforme, avec trois rangées de décorations, Quelle déchéance, Valadas, quel relâchement, quel laisser-aller, quelle honte pour l'institution militaire,

et le chauve Vous avez tout à fait raison, commodore, ce n'est pas un officier présentable, regardez-moi cette tenue, regardez-moi ces cicatrices sur son visage, et le commodore Capelo Les dévoyés et les fous sont comme ça, quand je pense que dans ma bonne foi je l'ai présenté à ma femme et à ma fille,

la fille que j'ai rencontrée un samedi au cinéma, avec ses copines, et qui s'est attardée suffisamment à la sortie pour que je lui saisisse le bras et lui demande si par hasard elle ne voudrait pas prendre le thé avec moi, si bien que le dimanche suivant nous sommes allés voir une comédie américaine, j'ai acheté des billets pour la dernière rangée, et après l'entracte, à peine la salle est-elle devenue sombre, j'ai pris sa main, elle s'appelait Alice, sa peau était chaude à travers l'étoffe de sa jupe, je sens encore son parfum si je flaire mes paumes, son épaule s'abandonne contre la mienne si je ferme les yeux, elle était étudiante en pharmacie, elle sortait avec un aspirant, elle voulait se marier avec moi,

et le chauve, accélérant la cadence du stylo sur la table, C'est un problème, commodore, ce balourd a souillé votre foyer,

Alice a inventé un week-end dans la propriété d'une camarade et nous avons passé la nuit à Buarcos, elle était allée chez le coiffeur, elle s'était fait les ongles, elle était jolie, tu te souviens de la pension, tu te souviens de la mer qui a broyé des pierres tout l'après-midi?

nous avons vu une mouette malade qui coassait dans les rochers, tu as couru vers elle, elle a disparu,

et le commodore Capelo Un problème énorme, on veut ce qu'il y a de mieux au monde pour les siens et on introduit chez soi de la racaille de cet acabit,

Nicolau m'écrabouillait les testicules avec sa semelle, Les noms, sale bête, les noms, et que ça saute, et le légionnaire disait à mon frère Toutes les familles ont leur brebis galeuse, pourquoi diable la tienne serait-elle une exception?

et toi, à Buarcos, tu dormais le pouce dans ta bouche, une cheville entre les miennes,

la mouette est tombée dans une crevasse entre des rochers, nous l'avons découverte en train d'agoniser dans une mare, entourée de crabes,

mes sœurs ont rencontré le P-DG, qui finalement n'était pas parti traiter d'affaires d'État en Italie, dans l'ascenseur, puant la lotion, après l'avoir attendu, sans manger, accroupies sur les marches de l'escalier, et il a déclaré Je suis submergé de travail, je n'ai pas eu le temps de m'occuper de Jorge, disparaissez de ma vue, si je vous reprends à me guetter ici je téléphone au commissariat,

un lèche-bottes à qui mon père avait déniché un emploi à la fin de ses études, un voyou qui devait ce qu'il était à mon vieux,

Tu n'as pas honte, l'a grondé le chauve, d'ennuyer l'épouse et la fille du commodore?

et Nicolau Crache les noms que le commodore ne connaît pas, crache-moi ces noms avant que je ne t'écrabouille complètement,

Je n'ai jamais été amoureuse de lui, je vais rompre avec lui, jurait Alice, son mouchoir roulé en boule à la main, si ça se trouve je suis enceinte, tu ne peux pas m'abandonner, ce qui est certain c'est que ce jour-là, en retournant dans les rochers, la mer avait emporté la mouette et recouvrait les crabes d'une écume crémeuse,

et je lui caressais le cou, Quelle sottise, n'aie pas peur, je ne t'abandonnerai pas, pourquoi est-ce que je t'abandonnerais?

Buarcos la nuit, Alice, et le halo de la mer, et ta salive qui brillait quand tu me souriais,

Je taime,

Les dames, poursuivait le chauve, même elles on ne les respecte pas?

Je n'ai pas eu mes règles, s'est lamentée Alice, qui n'était pas allée chez le coiffeur et qui ne s'était pas même fait les ongles, quand nous nous sommes retrouvés au coin de la rue où ses parents habitaient, qu'est-ce qu'on va faire maintenant, Jorge?

et moi, qui ce matin-là avais reçu la nouvelle de mon transfert à Chaves et qui me désespérais à l'idée de vieillir dans le Nord, Avorter,

Nous voudrions simplement avoir de ses nouvelles, a rétorqué ma sœur Anita d'une petite voix humble, nous voudrions simplement que tu nous aides à le trouver, aucune de nous ne veut te déranger,

Le commodore Capelo, ai-je bégayé avec difficulté dans un nuage de souffrance qui dissolvait ma voix, tandis que la semelle de Nicolau me triturait

et me triturait

et me triturait les parties, le commodore Capelo était de la conjuration, j'ai conspiré tant et plus sur la côte de Caparica,

et le chauve Le commodore Capelo, agissant avec notre accord et nous envoyant des rapports mensuels, a fait semblant d'être démocrate et a enduré vos âneries pour l'amour du régime, monsieur le ministre a suggéré qu'il soit promu au rang d'amiral au président du Conseil qui a accueilli avec sympathie cette proposition,

Avorter? s'est exclamée Alice, tu veux que j'avorte, Jorge?

tu portais un chapeau de paille orné de fleurs et de cerises, il faisait chaud, c'était l'été,

et le cousin P-DG Vous ne vouliez pas me déranger, mais vous me dérangez, j'en ai assez que vous téléphoniez, que vous envoyiez des billets, que vous parliez à la bonne, que vous rôdiez autour de mon immeuble,

il faisait chaud et c'était l'été et j'allais à Chaves et je ne voulais pas me marier, en dépit de tes jambes, de ton corps, de ta langue dans mon oreille, de tes dix-neuf ans sans méchanceté, Entre-temps j'ai fait la connaissance de Margarida dans une tombola et il se trouve que j'ai cessé d'avoir envie de toi, de t'aimer,

Margarida, a demandé Alice, qui est Margarida?

Je lui ai engrossé sa putain de fille, au commodore, ai-je murmuré sous la chaussure de Nicolau, et si je n'ai pas tringlé sa femme c'est uniquement parce qu'elle est une montagne de graisse,

Nous avons tous nos brebis galeuses, dissertait le légionnaire, mon neveu m'a avoué l'autre jour qu'il était franc-maçon, mon beau-frère a promis de faire le pèlerinage de Fatima à pied si cette folie passe au garçon,

Buarcos, les ruelles de Buarcos, la mer de Buarcos, Buarcos existe-t-il encore, comment est Buarcos maintenant?

Buarcos Buarcos

D'ici à Fatima à pied, réfléchissait le légionnaire en mesurant la distance, ça fait une sacrée trotte, y a pas à dire, on peut imaginer l'angoisse de cet homme,

Et Jorge, demandait mon frère, personne ne pense à l'angoisse de Jorge?

Quoi? s'est exclamé le commodore Capelo en s'adressant au chauve, vous permettez que cet animal m'insulte?

Je ne suis pas en mesure d'entretenir des bébés, ai-je dit en faisant signe à un taxi, ne t'en fais pas, je dénicherai une sage-femme qui s'occupera de cette affaire vite fait bien fait,

Nous sommes venues ici parce que nous ne connaissons personne d'autre, a dit ma sœur Anita d'une voix résignée, mais on va te débarrasser le plancher, Luis Filipe.

Alice n'est pas allée voir la sage-femme, elle a épousé l'aspirant, à Chaves j'ai vu les photos dans le journal, les jeunes mariés sous les épées à la sortie de l'église, les pétales de rose, les grains de riz, y a-t-il encore des crabes à Buarcos, quelles mouettes mortes la mer entraîne-t-elle maintenant, quels Anglais occupent la chambre où nous avons séjourné?

le chauve s'est levé, il a contourné la table, il a ordonné Lâche-le, Nicolau, et la chaussure du goitreux a réduit la pression,

Margarida, ai-je pensé, dès que tout cela sera fini tu prendras le train pour Chaves, mais je suis seul à Tavira, seul à Tavira depuis des siècles, près de la plage, et je n'entends même pas la mer, j'entends les chalutiers et les clairons de la caserne, j'entends la bouche du chauve hurler Demande pardon, cocu, demande pardon ou je te tue comme un chien, j'entends le rire d'Alice à Buarcos à Buarcos à Buarcos qui se confondait avec les albatros, le siphon du vent dans les rochers et mes cartilages qui se déchiraient, j'entends le téléphone de la Calçada do Tojal et le colonel Gomes Dépêche-toi de sortir de chez toi, Valadas, on vient t'arrêter,

Demande pardon, cocu, si cela se trouve je suis enceinte, dans toutes les familles il y a une brebis galeuse, je vais te tuer ici même,

ou alors, allons à Buarcos, Margarida, je connais un restaurant sur la plage, as-tu déjà vu les bergeronnettes sur les falaises, as-tu vu les algues, les figuiers au-dessus de la mer, l'odeur de leurs feuilles, le lait épais de leurs fruits?

un lait blanc, un lait comme mon sang, comme la joie, comme la peur que je ressens, blanc, blanc, vous permettez, je ne permets pas, commodore, que cet animal, nous avons un homme de toute confiance à Penafiel qui vous transportera en Espagne, m'insulte,

ils ont déjà attrapé Barrela, ils ont déjà attrapé Monteiro, allons, allons, major, lâchez l'appareil, ce n'est pas le moment de conter fleurette, et cette absence de douleur, et cette vocation de nuage ou d'oiseau, votre putain de fille, pas de bébés, je flotte, j'entends des pas dans ma tête comme dans le grenier de la Calçada do Tojal mais on ne peut pas parler de cela, dit ma sœur Maria Teresa, personne ne doit savoir, si on me frappe plus fort je raconterai, Où allons-nous maintenant? ai-je demandé dans l'ambulance au fourrier qui prenait ma tension, et il a levé les yeux de la petite ligne de mercure On va en Chine, l'ami, on ne t'a pas informé que tu allais en Chine? bien sûr que tu vas en Chine, l'ennui c'est qu'il faut pas mal de mois pour arriver là-bas.

2

Quand ils ont arrêté Jorge, le plus difficile a été de calmer l'agitation de ses pas dans le grenier, si vive dans ses allées et venues qu'un morceau de stuc s'est détaché du plafond dans la chambre de ma sœur Anita, révélant un nid de souris sur une poutre de bois. Teresinha montait l'escalier toutes les cinq minutes pour la rassurer, nous l'entendions protester, les pas cessaient, remplacés par le va-et-vient de la chaise à bascule ou par un tango sur le phonographe, Teresinha descendait les marches et un instant plus tard la chaise et le tango se taisaient et les pas recommençaient, détraquant les pendules. Les photographies des morts s'inquiétaient elles aussi, et je me suis souvenu de l'époque où nous étions petits et où je jouais avec elle et avec le fils de la couturière dans la cour de la cuisine, de sorte que j'ai suggéré Pourquoi n'appelons-nous pas le médecin pour qu'il lui donne un remède contre les nerfs? et à peine ai-je eu dit cela qu'un silence s'est fait là-haut, et après le silence elle s'est mise à crier.

C'était un dimanche, il y avait plus de cigognes que d'habitude dans le palmier de la Poste ou perchées sur les cloches de l'église et les cheminées des toits, Teresinha a interrompu son crochet pour m'observer, et j'étais de nouveau enfant et je m'étonnais des dioptries qui transformaient ses yeux en insectes entourés des pattes de ses cils.

Anita et Teresinha me regardaient, le renard sanglotait de faim dans sa cage en flairant la marmite vide, maintenant nous avions vingt ans et notre père malade, au lit, entouré de vaporisateurs qui l'imprégnaient d'une odeur d'eucalyptus, exigeait Personne ne doit être au courant, je ne veux pas que quiconque sache quoi que ce soit, montrant une fillette rousse assise par terre qui s'amusait à déchirer des revues. Personne ne doit être au courant, répétait notre mère en écho sur une chaise à côté de l'ombre dans le lit, Personne ne doit savoir au sujet de Julieta, continuait le vieux, et Jorge faisait oui de la tête, et Teresinha faisait oui de la tête, et je promenais mes yeux sur la commode couverte de flacons de comprimés et d'emballages de sirops, au milieu desquels se dressait un Christ souffrant sur son crucifix, et derrière le Christ les rideaux empêchaient l'après-midi de filtrer, enfermant la chambre dans une atmosphère mortuaire.

L'indignation de mes sœurs, pendant que les cris dans le grenier brisaient les cristaux et fendaient les vases, prolongeait l'ordre de notre père, comme si le vieillard se trouvait de nouveau sur le canapé du salon, en pyjama, enveloppé dans une couverture, si bien que j'ai ajouté Un médecin de notre connaissance bien entendu, un docteur de toute confiance, car si la criaillerie continue il ne nous restera plus une seule soupière intacte, et notre père est immédiatement sorti de son cadre pour demander aux lampes et à la cheminée Qu'est-ce que j'ai fait à Dieu pour avoir un fils aussi stupide, messieurs? C'était un dimanche, à cinq ou six heures d'un jour de chaleur qui suppliciait les géraniums, mes amis envoyaient des billets à des dames aux cheveux teints qui prenaient le thé à la pâtisserie, le petit doigt en l'air, une vitre s'est brisée à un de ses hurlements, c'était un dimanche comme celui où nous avons enterré notre père, à l'automne, sur la pente du cimetière tournée vers la colline de Monsanto,

(dans un orage si violent que le curé n'est même pas sorti de voiture, il a lancé une bruine d'eau bénite par la fenêtre)

Anita a gravi l'escalier pour remonter le phonographe, pour lui donner des tisanes, pour la supplier de se taire, Tais-toi, Julieta, et malgré tout les cris se succédaient, détraquant les horloges, les coucous ouvraient leur volet pour annoncer des heures impossibles, les pendules secouaient des flancs de navire en répétant Quel mal ai-je fait à Dieu pour avoir un fils aussi stupide, messieurs? les petites figures des boîtes à musique virevoltaient en faisant tinter des menuets frénétiques, c'était dimanche, les cigognes s'approchaient et s'éloignaient du palmier de la Poste, les grenouilles coassaient dans les marais pleins de roseaux de la propriété du vicomte, notre père, en uniforme comme dans son cercueil, enfermé dans des cadres plaqué argent, m'interdisait du haut de ses photos d'appeler le médecin, Personne ne doit être au courant, vous avez entendu, je ne veux pas que quiconque sache quoi que ce soit, Je vais chercher une pharmacie de garde et j'achèterai du bromure, ai-je dit à ma sœur Teresinha, les bromures que notre mère l'obligeait à avaler quand elle, qui ne sortait jamais de la maison, s'est retrouvée enceinte de mon neveu,

(et nous avons renvoyé les bonnes pour les empêcher de partager notre honte, notre chagrin, notre haine)

quand son ventre est devenu si gros qu'elle hurlait de frayeur la nuit entière, déambulant dans les pièces pour vérifier les changements de son corps dans les miroirs, quand elle s'est retrouvée enceinte sans que nous comprenions comment, puisque nous l'enfermions à l'office quand il y avait de la visite, et sans que nous voulions le comprendre pour qu'on ne se rende pas compte qu'elle existait,

(et elle a accouché en secret à Guarda, dans le village de ma grand-mère, et elle est revenue tranquille, obéissante et affable, sans se réveiller pendant la nuit, sans trotter dans les chambres)

j'ai dit à ma sœur Teresinha Je vais à la pharmacie de garde acheter du bromure et elle se calmera, notre mère a lancé un regard méfiant du haut d'un daguerréotype où elle surgissait à côté du parrain en frac devant une toile de fond qui représentait le Sphynx et les pyramides d'Égypte, mais comme notre père ne s'était même pas levé de sa rangée d'élèves du Collège militaire en 1899 elle s'est rassérénée, le vieux avait dix ou onze ans et il ne ressemblait à aucun d'entre nous, plus blond, plus maigre, plus beau, avec déjà les pupilles de quartz que je lui ai connues à Queluz, avant qu'ils n'achètent la grande maison de Benfica, à l'époque où il arrivait de la caserne et s'enfermait avec notre mère pour chuchoter à l'autre bout du couloir,

je demandais à ma sœur Anita Ils sont fâchés l'un contre l'autre? et elle Tais-toi, je demandais à ma sœur Teresinha Notre Père va battre maman? et elle Tais-toi, je demandais à mon frère Jorge Qu'est-ce que c'est que ce bruit? et lui Quel bruit? ma sœur Julieta déchiquetait des revues et de là où nous habitions on voyait la mer, ou plutôt on voyait des balcons et des toits, et au-delà des balcons et des toits on apercevait la mer,

on voyait la mer, mais nous avons déménagé ici et la mer a disparu, remplacée par des cigognes et des troupeaux et des ormes et les clarines des veaux l'après-midi, aiguillonnés par des hommes en culotte de peau, notre père a cessé de chuchoter avec notre mère, il restait assis dans la salle avec le journal ou bien il démontait la radio et la remontait de nouveau, se livrant avec une concentration désespérée à des inutilités compliquées, et alors j'ai compris que ce qu'il faisait en réalité c'était attendre la mort, attendre la mort, minute après minute, dans une oisiveté irritée, abrégeant le temps qui le séparait d'elle dans des tâches sans motif que notre mère observait sans oser l'interrompre, effrayée par l'ombre qui lui dévorait les joues comme s'il se mettait à ressembler à un ancêtre de lui-même, à un futur antérieur du présent dans lequel il vivait,

j'ai dit

(c'était un dimanche et une cigogne terminait son nid sur la grange des Antunes)

Je vais acheter du bromure, sœurette, et les cris finiront, si cela continue ainsi les horloges deviendront définitivement folles et nous n'aurons plus une vitre, plus un verre, si cela continue ainsi les ressorts des coucous se briseront et ils voletteront dans la salle pour picorer les miettes du déjeuner avec leur bec de bois, notre mère, en chapeau, à côté du parrain que je n'ai pas connu, a cessé de faire attention à moi au milieu du Sphynx et des pyramides, notre père n'a pas bougé un tendon pour sauter de la rangée d'élèves du Collège, ma sœur Teresinha s'est assurée de l'approbation des défunts, des oncles qui nous suivaient du regard de leurs pique-niques, de leurs cavalcades à dos d'âne, des promenades à bicyclette dans le Sintra d'autrefois, on entendait ma sœur Anita parler avec elle et on devinait leur expression de panique,

c'était un dimanche et nous habitions depuis peu à Benfica, ma sœur Julieta, qui ne criait pas encore dans le grenier, courait derrière les poussins et les écrabouillait avec une brique, Jorge riait, battait des mains, l'encourageait Tues-en d'autres, regarde, en voilà un qui s'enfuit, tue-le, et pourtant c'était moi que la cuisinière grondait, c'était de moi qu'elle se plaignait aux vieux, Monsieur Fernando ne laisse pas la volaille tranquille, si bien que c'était moi qui étais mis au piquet dans ma chambre, sans dîner, Qu'est-ce que j'ai fait à Dieu pour avoir un fils aussi stupide, messieurs? un fils qui n'a pas passé un seul examen, pas fait d'études, qui travaille dans une société dont on ne sait rien sauf qu'il gagne des clopinettes, un homme de quarante ans qui passe ses samedis à la pâtisserie, avec le propriétaire du garage et l'employé de la mercerie car il n'a jamais volé très haut, faisant de l'œil à des prostituées qui au lieu d'aller à la messe s'enferment là pour boire du thé, des dévergondées qui s'habillent comme des actrices et qui se curent les dents avec l'ongle, Un de ces jours tu attraperas une maladie vénérienne et tu deviendras impuissant, me prédisait Jorge, une de ces maladies où les testicules se liquéfient et où on ne retient plus les urines, et moi Pas du tout, ce sont des dames sérieuses, pas des filles légères, où est-ce que je trouverais l'argent pour les payer? et notre père, avec des galons de lieutenant-colonel sur une photo en pied, décrétait Fernando est privé de dessert pour toute la semaine, c'était dimanche, une douzaine de cigognes rôdaient autour de notre cheminée, ma sœur Anita a placé une valse sur le phonographe, un jaillissement de mesures est descendu de l'étage du dessus et l'aiguille émoussée répétait les mêmes notes avec une obsession douloureuse, le renard s'est accroupi sur ses pattes arrière et a commencé à glapir, les couverts s'entrechoquaient dans les tiroirs, un des coucous s'est libéré de sa pendule et s'est perché sur la tringle de la tenture pour chanter les heures, le ressort suspendu à la queue, les autres coucous s'agitaient à l'intérieur des petites boîtes de bois, un vase de roses a glissé vers le bord de la table, c'était dimanche, le civil et les trois soldats ont arrêté Jorge après nous avoir tout mis sens dessus dessous, ma sœur Teresinha, une liasse de lettres de nos parents à la main, a examiné les photographies

(une cigogne s'est équilibrée sur le petit chapeau de fer qui couronnait la cheminée)

et elle a acquiescé, traquée par la valse et les cris, Va dans une pharmacie loin, où on ne te connaisse pas, il ne faut pas qu'on soupçonne pour qui c'est,

refusant d'admettre qu'elle savait ce que tout le monde savait, à savoir que nous cachions Julieta dans le grenier, que nous l'avions envoyée accoucher à Guarda, que notre neveu habitait à Ericeira avec une ancienne domestique de la famille, et que nous agissions comme si le gamin n'existait pas, comme s'il n'était pas né, refusant d'accepter ce que tout le monde savait déjà du temps de notre mère, du temps de notre père, quand Julieta courait d'un côté à l'autre dans la cour de la cuisine, obéissant à Jorge, Tue-le, tue-le vite, tue celui-là, écrasant des poussins et des poulets avec une brique,

j'ai changé de chemise, j'ai ciré mes chaussures, je me suis mis du parfum, j'ai passé un peigne avec de la brillantine dans ma moustache et je suis sorti dans la rue au moment où la valse se taisait, épuisée d'avoir répété ses cadences, l'aiguille griffait l'étiquette du disque comme un couteau gratte une assiette ou un morceau de craie une ardoise, nous hérissant le poil, bouleversant le sang dans nos veines. Je me suis changé et parfumé parce que j'aime que les dames dans la pâtisserie apprécient mes lotions et me distinguent du propriétaire du garage et de l'employé de la mercerie, toujours en bottes sales, même en été, de la boue des quartiers où ils habitent. J'ai descendu la Calçada do Tojal jusqu'à la route de Benfica, le bout de mes chaussures luisait, j'ai tourné à gauche au palmier de la Poste, et je me suis dirigé vers l'établissement devant l'église, dont les vitrines déjà allumées étaient pleines de boîtes de chocolats et de bouteilles d'anis. Dans la taverne à côté du prêteur sur gages, avec ses trois boules au-dessus de la porte, des porteurs discutaient en galicien, leurs brouettes alignées sur le trottoir. Et je suis entré dans la pâtisserie, oubliant les cris de ma sœur, oubliant l'air de réprobation des photographies, oubliant le bromure, cherchant une atmosphère différente à la table des dames blondes qui mangeaient des gâteaux à la crème, un après-midi après l'autre, s'essuyant la bouche avec le soin avec lequel on essuie une larme. Le propriétaire du garage et l'employé de la mercerie leur souriaient au-dessus de tasses de café débordantes de mégots. Un petit chien avec un nœud d'organdi sur la tête aboyait sur les genoux de l'une d'elles, mendiant des biscuits, et les serveurs apprivoisaient ces dames avec des gâteaux aux œufs et des coupes de fraises à la crème chantilly. Contrecarrant le miracle que j'attendais en vain depuis des années, aucune des déesses ne s'est tournée vers moi pour me faire signe avec son éventail, transportée d'amour, si bien que j'ai fini par m'asseoir sur la chaise que m'offrait le garagiste, poursuivi par la voix de mon père

Qu'est-ce que j'ai fait à Dieu pour avoir un fils aussi stupide, messieurs?

la même voix qui me poursuivait au travail, dans le tram, dans les salles de cinéma qui coloraient mes rêves, la voix de mon père qui se moquait de moi, il y a quarante ans, rythmée par les soupirs de ma mère et les petits rires goguenards de Jorge qui arrivait de l'École de l'armée les fins de semaine,

Qu'est-ce que j'ai fait à Dieu pour avoir un fils aussi stupide, messieurs?

les voix qui me poursuivaient de tous côtés comme les yeux des photographies et les cris de ma sœur dans le grenier,

Qu'est-ce que j'ai fait à Dieu pour avoir un fils aussi stupide, messieurs?

ma propre voix, étouffée par la mousse, pendant que je me rasais le matin,

Qu'est-ce que j'ai fait à Dieu pour avoir un fils aussi stupide, messieurs?

sans compter la voix efféminée, les paupières clignotantes des petits bergers en porcelaine sur le marbre de la cheminée, la voix de l'appareil radio débranché, les millions de voix qui se superposaient, se combattaient, se croisaient et se déchiraient au téléphone, la voix de la cuisinière, la voix de cousines âgées ensevelies dans les boîtes de galettes Marie de l'enfance, c'était dimanche, les cigognes s'abattaient sur les fourrés, et je me suis ressouvenu du bromure quand le propriétaire du garage a bougonné Zieute-moi un peu les jambes de celle-là, zieute-moi un peu les jambes de celle-là, je me suis souvenu du civil au pistolet et du bromure quand les réverbères de la rue se sont illuminés contre le profil des maisons, et peu de temps après, accompagné de l'employé de la mercerie qui me jurait qu'il appelait par leur prénom les patrons de tous les établissements de la Ville Basse, je prenais le tram des Restauradores à la recherche d'une pharmacie de garde.

Aujourd'hui encore, à quatre-vingt-un ans, car j'habite seul depuis que ma femme est morte dans une partie de maison à un quatrième étage sans ascenseur rue Ivens, quand je vais place Camoens et tout en haut de la rue Alecrim pour regarder le Tage, aujourd'hui encore, quand je me promène dans Loreto jusqu'à l'ascenseur de la Bica et que je vois la ville descendre au soleil vers les entrepôts de la Ribeira, aujourd'hui encore, disais-je, je ne connais pas Lisbonne. Le dentiste me jardine les mâchoires dans une polyclinique du Principe Real, élaguant mes dents de plus en plus superflues, le médecin des rhumatismes me redresse l'échine à Santos comme on le fait d'un œillet à l'aide de pommades, le docteur du cœur qui m'a installé une pile sur les côtes pour empêcher mon sang de galoper m'interdit les graisses dans un rez-de-chaussée à Sapadores où les malheureux dans la salle d'attente semblent tous avoir le cœur sur la main, surmonté d'une couronne d'épines comme sur les images représentant Jésus qui ornent les loges des concierges. La ville est pour moi une Grande Ourse de cabinets de consultation avec l'étoile polaire de l'ophtalmologue au Rossio, dans l'immeuble d'une agence de voyages qui promet les Bermudes aux cataractes qui embrument mes pupilles incapables de déchiffrer les lettres sur l'écriteau au mur qui diminuent petit à petit comme la nostalgie que j'ai de toi, pour se diluer dans les minuscules voyelles de l'oubli définitif. La ville est une constellation de sigmoïdoscopes, de ponctions lombaires, d'examens du cerveau, de petits marteaux qui font sursauter le genou, de ventouses d'électrocardiogramme où les artères inscrivent leur signature illisible sur une bande de papier, une Voie lactée d'hôpitaux et de centres de diagnostic séparés par des statues de ducs et de rois se montrant les uns les autres du doigt, d'une place à l'autre, en des accusations que je ne comprends pas plus aujourd'hui qu'en ce dimanche de 1950, il y a quarante-deux ans, quand j'ai débarqué du tram aux Restauradores, flanqué de l'employé de la mercerie, à la recherche d'une pharmacie de garde dans une forêt d'ateliers de tailleurs, de tavernes, de ruelles pleines de petites pensions louches et de femmes en manteau de fourrure acrylique qui nous frôlaient au coin des rues et communiquaient avec nous par le truchement du morse de leur cigarette. Me manquaient alors comme aujourd'hui les avertissements, les conseils et les interdictions des morts, me manquaient le palmier de la Poste et la pâtisserie des dames blondes, me manquaient le crépuscule des arbres de la forêt, les bougainvillées, Conceição, les grappes des bougainvillées suspendues au mur, me manquait ma sœur

Julieta courant derrière les poussins, une brique dans les bras, me manquaient les valses et l'irruption des tangos du phonographe à pavillon que je crois parfois entendre ici, dans la rue Ivens, quand je me réveille au milieu de la nuit, transpercé par les coups de lance de la goutte, la cheville en feu. Même le dédain de Jorge me manque,

Tant que tes testicules ne seront pas tombés, tu n'auras pas de repos.

Jorge qui s'il était vivant me dirait, refusant de te saluer, incommodé par tes varices, par tes savates, par tes fautes de grammaire, Il fallait évidemment s'attendre à ce que tu épouses une bonniche, heureusement que notre mère n'est plus là pour assister à pareille honte, même mon gringalet de neveu me manque, je ne l'ai plus revu depuis qu'il a quitté la Calçada do Tojal pour aller habiter chez toi, qu'est-il devenu ce petit, que sont-ils tous devenus, le dentiste a promis de m'installer dans la bouche trente-deux dents en plastique imperméables à la mauvaise haleine, à la pyorrhée, aux caries, c'était dimanche, Conceição, dimanche, dimanche comme lorsque nous allions à l'Éden en matinée voir des films mexicains avec Cantiflas, trente-deux dents qui mastiquent, qui ne font pas mal, qu'on peut tenir dans la main, qu'on peut regarder sans glace, qu'on peut enlever pour se soulager les mandibules, l'employé de la mercerie et moi avons traversé les Restauradores,

(un carrosse en néon roulait sur un toit)

nous nous sommes engagés dans la rue Condes, nous avons dépassé la brasserie tapissée de lupins où nous avions l'habitude de dîner après l'Éden ou le jour où nous recevions notre pension de retraite, et nous nous sommes dirigés vers les Portes de Santo Antão, le long d'édifices en pierres de taille tombant en ruines où l'on distinguait des escaliers menant à des chambres de moribonds solitaires, avec une marmite de haricots ou de pommes de terre à côté du lit, et aux alentours du Coliseu il y avait des clowns en chômage avec des tignasses orange et des trapézistes que la sciatique empêchait de voler et dont les poignets répandaient des petits nuages de talc, elles rêvaient tout haut qu'elles se précipitaient en courant sur la piste afin de remercier pour des ovations inexistantes, tout comme il m'arrive de te chercher le matin sur la moitié de l'oreiller où tu n'es pas, alors Julieta surgit en tablier, un ruban défait dans les cheveux, et éperonnée par la voix de mon frère, en dépit de mes protestations, elle laisse tomber sur ma poitrine une brique gigantesque, c'était un dimanche,

un dimanche

un dimanche en 1950, il y a quarante-deux ans, Qu'est-ce que j'ai fait à Dieu pour avoir un fils aussi stupide, messieurs? les dames blondes quittaient la pâtisserie pour rentrer chez elles,

Il fallait s'attendre à ce que tu épouses une bonniche, une partie de maison avec utilisation de la cuisine et une famille du Cap-Vert qui habitait avec nous, Trente-deux dents, monsieur Valadas, trente-deux dents et on rajeunit de vingt ans, c'est comme ça qu'on se dégotte une mignonne, une môme crâne, vite fait bien fait, et ma sœur courait derrière moi, brandissait la brique au-dessus de ma tête, Tue-le, l'âge mélange les voix du passé, mais je sais que c'était un dimanche et que c'était la nuit

Oui, un dimanche,

un dimanche aux Portes de Santo Antão, des contrebandiers, des prostituées, des clowns, des trapézistes, et l'employé de la mercerie et moi nous descendions, à la recherche de bromure, vers le palais de la Mocidade Portuguesa gardé par des légionnaires armés de pistolets, Tu as serré la main d'un député, Frederico, on a arrêté mon frère, aide-moi,

J'ai épousé une bonniche, c'est vrai, elle achetait des cigarettes pour son patron là où je déjeunais, non loin de mon travail, une femme pas jeune, pas jolie, qui ne se teignait pas les cheveux, la seule qui a répondu par un sourire à mon sourire, qui m'a attendu derrière la devanture en faisant semblant d'observer les bouteilles, Une bonniche, père, j'ai épousé une bonniche, je suis stupide,

et nous sommes arrivés sur la place de la Figueira si carrée, les immeubles de bureaux étaient déserts avec leurs balcons de veuves, et après la place de la Figueira sur l'esplanade sans forme de Martim Moniz, et il n'y avait pas de pharmacie, pas la moindre pharmacie de garde, Tue-le, et après Martim Moniz la rue du Benformoso, la place du Benformoso, l'Intendente, des lampes rouges, des pianos d'aveugles, des silhouettes, et c'est dans le bar A la Nymphe du Tage que tout a commencé.

3

Après cinq ou six semaines

(ou dix ou douze ou vingt, qui répondra à cette question, Margarida ?)

passées à pisser du sang à l'infirmerie du Fort de Caxias, la vessie bourrée de minuscules éclats de verre,

(des minuscules éclats de verre, maman)

j'ai été transféré dans une cellule à l'étage inférieur de la prison où j'essayais de deviner l'heure d'après la teinte du ciel, écarlate, bleu, pâle, blanc, complètement noir,

(qui m'expliquait les couleurs, qui viendra m'expliquer les couleurs à Tavira ?)

pendant que les gouttes d'un robinet de l'autre côté du mur acquéraient la nuit des résonances de plomb. Je n'entendais pas les vagues ni le vent du Tage, la clameur des mouettes s'était tue, et le lundi

(ils disaient toujours que c'était lundi, pas mardi, pas mercredi, pas samedi, mais lundi, ils disaient Saute de ton lit, c'est l'heure de la récréation)

ils m'obligeaient à claudiquer avec une canne dans la cour intérieure de la prison et un jour j'ai vu le robinet, je me suis approché pour le fermer et une voix m'a immédiatement ordonné Ne t'arrête pas, ne touche à rien, continue à marcher, plus vite, plus vite, si bien que je longeais les murs

(le soleil n'arrivait pas jusqu'en bas, le soleil n'arrivait pas jusqu'en bas et l'été j'avais froid)

traînant ma cheville sur des cailloux et des herbes de puits. Si je tombais, un pied dans mon dos m'enjoignait en riant Lève-toi, dépêche-toi de te relever, il n'y a pas de oh oh qui tienne, et ce n'était que lorsque je ne parvenais plus à mettre un pied devant l'autre qu'ils me ramenaient à ma cellule en se moquant de moi, Tu as les guibolles en coton, major, tu es à ramasser à la petite cuiller, et au milieu de la nuit je me réveillais, un gros type était assis sur un banc à côté de moi et se lamentait C'est vraiment la corvée, monsieur l'officier, vous n'imaginez pas combien il m'en coûte de vous interroger, si vous me donnez la liste des unités que vous avez infiltrées je vous garantis que vous serez remis immédiatement en liberté. Parfois il y avait un autre type avec le gros, il était furieux contre moi, il levait la main pour me frapper, le gros l'en empêchait et me protégeait de son corps, Allons, allons, cher collègue, calmez-vous, nous sommes tous des gens sérieux, nous sommes tous des adultes, monsieur collabore, et il me disait Je ne sais pas pendant combien de temps je réussirai à le retenir, monsieur l'officier, c'est un type très dangereux, ce sont des individus comme lui qui galvaudent la réputation de la police, vous avez intérêt à lui répondre sans tarder, vous avez intérêt à lui filer les noms des soldats avant qu'un malheur n'arrive, et l'autre, écumant, Écarte-toi, Duarte, ce gars, je vais te le démolir, et le gros Vous voyez? vous voyez, aidez-moi, l'ami, je ne veux pas qu'il vous tue,

le ciel vide de mouettes passait du bleu à l'écarlate et de l'écarlate au pâle avant de commencer à s'assombrir, et le gros, retenant l'autre, Ne bousculez donc pas monsieur l'officier, vous n'avez jamais de pannes de mémoire, vous, par hasard? le robinet dans la cour continuait à goutter, les gouttes s'écrasaient à l'intérieur de mon crâne, et l'autre Des ruses, Duarte, ce sont des ruses, lâche-moi, les traîtres, moi, ça me rend malade, et le gros me disait Ah mon Dieu, monsieur l'officier, répondez donc,

le ciel était noir, complètement noir derrière la lucarne, l'autre m'a administré une gifle, ma bouche s'est mise à saigner, une pâte dans laquelle nageaient des petits fragments durs m'enveloppait la langue, J'ai sommeil, et le gros Quoi? j'ai répété J'ai sommeil, je vais dormir un peu, ne me réveillez pas,

et j'ai remonté les années, la domestique ouvrait les persiennes et m'appelait Si vous ne vous habillez pas immédiatement vous arriverez en retard à l'école et monsieur votre père sera fâché contre moi, et moi, les yeux enfouis dans l'oreiller, Je me fiche de mon père, je m'en fous s'il est fâché, ferme la fenêtre, grande imbécile,

les persiennes restaient ouvertes et elle se penchait sur moi avec son odeur de céréales et de poudre à récurer l'argenterie, elle me secouait l'épaule, Petit monsieur, petit monsieur,

et moi, enterré dans les draps, Lâche-moi, va te faire foutre, lâche-moi, Amália,

et le gros disait à l'autre Il a sommeil, Fonseca, ce couillon dit qu'il a sommeil, corrige-le,

et je disais au gros, sans sentir les coups, Je raconterai à ma mère que tu m'as dit des gros mots, Amália, je raconterai à ma mère que tu m'as tapé,

et la servante Je vous ai juste donné une petite secousse de rien du tout, petit monsieur,

et l'autre Ça suffit, Duarte, lâche-le, arrête, l'homme est évanoui,

et le gros Les évanouissements je m'en moque, tourner de l'œil n'a jamais fait de mal à personne,

et moi Si, tu m'as tapé, j'ai une tache noire au cou, je n'irai pas à l'école parce que tu m'as crevé les veines, on m'emmènera à l'hôpital et ma mère te mettra à la porte, Amália,

par la fenêtre le ciel était bleu, il n'était pas écarlate, il n'était pas pâle, il n'était pas noir, la colline de Monsanto était verte, les murs crème, les pas de mon père gravissaient les marches trois par trois Tu es prêt, Jorge? et moi en caleçon, Je suis prêt je suis prêt je suis prêt je suis prêt je suis prêt, je suis prêt,

le dentiste du Fort de Caxias a arraché mes molaires cassées et m'a recousu la lèvre, les infirmiers ont remplacé le plâtre de ma jambe par une attelle à glissière et m'ont frictionné le front avec un onguent qui brûlait, Tu as trébuché quelque part, mon gars?

et je disais à la bonne Laisse-moi te rejoindre dans ta chambre, Amália, laisse-moi me coucher avec toi une demi-heure,

et l'autre disait au gros Il est devenu timbré, Duarte, complètement timbré, je te jure que ce n'est pas de la comédie, et ça n'a rien d'étonnant après cinq jours de statue,

le ciel passait d'une couleur à l'autre, orangé, lilas, jaune citron, marron, rouge vif, et le gros On fait venir le toubib des méninges pour qu'il l'examine et on continue après, je veux bien être pendu si je sors d'ici avant qu'il se soit mis à table,

et la bonne qui faisait mon lit, Dans ma chambre, petit monsieur, dans ma chambre?

Jorge, a crié mon père de l'étage du dessous, tu veux que je monte là-haut et que je me fâche?

Monsanto tout vert, les arbres sur la pente ensoleillée, et en haut le toit de la prison entouré de poteaux électriques, les bonnes occupaient le grenier et se baignaient dans un baquet,

et l'autre au gros Je ne veux pas d'histoires, Duarte, ce soldat va immédiatement à l'infirmerie et dès qu'on aura l'autorisation, on va voir ce qu'on va voir,

Monsanto tout vert et les perruches de ma mère dans la cage à l'arrière de la maison, des dizaines de perruches qui couvaient des œufs dans des petites caisses en bois, après leur maladie la cage est restée vide je ne sais combien de temps, jusqu'à ce qu'on nous donne le renard, je collais ma poitrine contre celle de la bonne, Touche-moi, Amália, je n'oublierai pas tes paumes, je n'oublierai pas tes genoux, on m'a raconté que tu as émigré en France, je me demande dans quelle ville tu vieillis en travaillant comme concierge, comment tu vis et avec qui, combien de petits-enfants tu as, si ton corps a toujours cette odeur de céréales et de poudre à récurer l'argenterie de jadis,

et le médecin a dit au gros Il a perdu la boule, ça ne fait pas un pli, il va falloir desserrer la vis pendant quelque temps,

au début le renard buvait du lait dans un biberon, il mangeait des biscuits et dormait dans la cuisine, ma sœur Maria Teresa l'a enfermé dans la cage toute seule, malgré le chagrin de ma sœur Anita, quand il a commencé à déchirer les tapis et les canapés, à renverser des vases et à pisser dans les coins comme moi à Caxias, Margarida, exactement comme moi à Caxias, dans l'infirmerie de la prison,

on me faisait des piqûres, on m'a enlevé mon plâtre, j'ai cessé d'avoir du verre pilé dans la vessie, je réussissais à marcher sans canne et à mastiquer, j'avais moins de mal à deviner l'heure, il était toujours midi et il faisait chaud, mon amour, toujours le même bleu, toujours les mouettes, toujours le fleuve, ah, la sirène des bateaux, Margarida,

Où étais-tu, hier soir, Jorge? a demandé mon père qui s'était enfermé avec moi dans son bureau et qui se frappait la cuisse avec sa cravache,

j'ai pris trois kilos, ecchymoses et cicatrices avaient disparu, on m'a coupé les cheveux, j'ai changé de vêtements, je me suis rasé, et le médecin Comment vous sentez-vous, Valadas?

N'enferme pas le renard dans la cage des perruches, je lui couperai les griffes, Teresinha, a imploré ma sœur Anita, je lui apprendrai à faire pipi dans de la sciure,

Dans mon lit, père, où voulez-vous que je dorme?

Afin qu'il n'y ait pas de malentendu, personne ne vous a malmené, personne ne vous a tabassé, a expliqué le médecin, vous avez fait une chute accidentelle, vous m'avez bien compris?

et moi Bien sûr que je vous ai compris, docteur, je suis sujet à des vertiges, je suis tombé, voilà tout,

Ce renard pue, a décidé ma sœur Maria Teresa en plaçant une écuelle d'eau et une écuelle de nourriture dans la cage, je ne supporte pas cette bête à l'intérieur,

D'ailleurs moi non plus je ne reconnaîtrais pas qu'il y a eu brutalité, a précisé le médecin, notre police est ultra-correcte,

et moi, Il ne me reste plus qu'à remercier les agents, docteur, ils ont été d'une courtoisie exquise à mon égard,

Dans ton lit, vaurien? a tonné mon père, cravache en l'air, dans ton lit, dis-tu?

ton odeur, Amália, j'ai toujours senti ton odeur en étreignant une femme, j'ai toujours retrouvé tes gestes dans chacun de leurs gestes, ce sont toujours tes paumes qui m'ont caressé,

Dehors, il attrapera froid, Teresinha, a dit ma sœur Anita, dehors il attrapera une maladie, ce pauvre animal,

Dans mon lit, père, ne me donnez pas de coups de cravache, s'il vous plaît,

Je suis content que vous compreniez, s'est réjoui le médecin, trouvez-vous que nous vous avons traité de façon inhumaine à l'infirmerie?

Baisse le bras, vaurien, baisse le bras,

Pauvre de moi, a répondu ma sœur Maria Teresa, qui dois supporter cette puanteur, et Amália, qui sans son uniforme avait l'air plus jeune, descendait la rampe menant au potager, Ils ne m'ont rien dit, mais je sais bien que j'ai été renvoyée à cause de vous, petit monsieur, le mari de ma marraine sera furieux contre moi,

Monsanto tout vert, mon frère Fernando dans la cour de la cuisine, ma sœur Julieta courant derrière les poussins, le fils de la couturière était borgne et ne parlait presque pas, et tu n'étais même pas fâchée, Amália, tu n'avais même pas de ressentiment, tu étais juste triste, tu t'essuyais les joues avec ton mouchoir en descendant vers le portail,

Pas du tout, docteur, ai-je l'air de quelqu'un qui a été maltraité ?

et le lendemain Amália est revenue avec sa marraine que ma mère a fait entrer au salon, et le médecin m'a dit Quand vous me parlez je vous serais reconnaissant de ne pas croiser les jambes, mon ami,

quand j'ai pu quitter l'infirmerie je n'ai pas été ramené dans ma cellule mais conduit à une voiture à l'entrée de l'hôpital d'où on ne voyait pas seulement le fleuve mais Lisbonne et Estoril et Cascais, et aussi des champs du côté du stade, et mon père, Amália, m'a frappé avec sa cravache, Petit saligaud,

et j'ai été emmené le long de la route côtière à un rythme de promenade,

(pêcheurs sur la muraille, voiliers de plaisance, gens en maillot de bain, marchands de gaufres, C'est dimanche, ai-je pensé, je parie que c'est dimanche, mais de quel mois au juste ?)

nous sommes entrés dans la ville par le Terreiro do Paço et rue António Maria Cardoso j'ai été conduit, Par ici, major, dans un bureau où ne se trouvaient ni le chauve ni le goitreux mais un inspecteur gominé avec la raie au milieu, plusieurs téléphones sur une table et des étagères de livres, la marraine d'Amália a donné une gifle à sa filleule à peine la porte franchie Tu vas voir ce qui se passera quand nous arriverons à la maison, misérable, tu vas voir le sort qui t'attend à Brandoa, et moi J'ai dormi dans mon lit, père, je vous jure que j'ai dormi dans mon lit, ne me frappez plus, et sur ces entrefaites un fonctionnaire avec un classeur en carton est apparu, l'inspecteur à la raie au milieu m'a dit Vous permettez? il a sorti ses lunettes de leur étui et il s'est mis à parafer sans les lire les papiers qu'on lui tendait, murmurant Des formalités bureaucratiques, des formalités bureaucratiques, le temps que ça fait perdre, et ma sœur Anita Quelle puanteur? cette petite bête n'a aucune odeur, je la mettrai dans ma chambre et tu ne sentiras plus rien, oublie la cage des perruches, sœurette,

Monsanto tout vert, Amália, les arbres si verts de Monsanto, tu te souviens du vert de Monsanto, là-bas en France?

et le monsieur a tendu le dernier papier au fonctionnaire, il a remercié Merci Proença, il a plié ses lunettes avec soin, il les a remises dans leur étui et il a déclaré avec un soupir Si par hasard mon personnel a fait du zèle, major, n'hésitez pas à me le dire, s'il y a une chose que je déteste c'est bien la violence gratuite,

Tu étais avec la bonne, dévergondé, ne mens pas, a crié mon père, je t'ai vu sortir du grenier en pyjama,

et l'inspecteur Non seulement je déteste la violence gratuite, major, mais l'idée même de violence me répugne, je ne me lasse jamais d'insister sur ce point à l'École de la police, je ne supporte pas qu'il y ait des tortionnaires parmi nous,

et mon père Je ne veux pas de dévergondage dans cette maison, je ne tolérerai pas les dévergondages dans cette maison,

et j'ai dit au monsieur J'ai été traité avec la plus grande correction, monsieur,

Tu n'as plus d'odorat si tu trouves que le renard ne pue pas, a conclu ma sœur Maria Teresa, et il n'y a pas que la mauvaise odeur, il y a les tapis, les canapés, les rideaux qu'il abîme, nous devrions nous débarrasser de cette bête, si bien qu'elle a demandé à mon frère Fernando de l'enfermer dans la cage des oiseaux, les premiers jours le renard a refusé de se nourrir et il n'arrêtait pas de glapir et de secouer les barreaux, à l'époque j'étais dans la Cavalerie et ses gémissements me réveillaient,

la marraine frappait Amália dans le dos avec son sac à main,

et l'inspecteur Malheureusement la violence est inhérente à l'homme, vous avez remarqué, major, la cruauté qui règne dans le monde malgré les appels du Pape, malgré les objurgations de l'Église, ce que les Allemands ont fait aux juifs, par exemple, ces photos terribles de squelettes, et l'Inquisition, bon sang, c'est insensé ce que l'Inquisition a fait, vous ne trouvez pas?

ma sœur Julieta ne parlait qu'à moi, elle refusait d'obéir aux autres, elle m'appelait dans un coin et me chuchotait Je veux maman,

et moi je veux ma mère en ce moment même, Margarida, je veux ma mère ici à Tavira et qu'elle me prenne sur ses genoux, qu'elle m'explique les couleurs du ciel, qu'elle exige Ouvrez la porte, je retourne à la maison avec mon fils,

et mon père, abandonnant sa cravache sur une chaise, Dans une semaine tu iras dans un collège à Santo Tirso, je ne veux plus te voir avant les grandes vacances,

L'Histoire, major, est un cortège de sauvageries épouvantables, a dit l'inspecteur avec tristesse, le génocide de la Révolution russe m'atterre, le tsar fusillé avec sa famille, des milliers de morts, des millions de déportés, sans compter la faim et la misère, où a-t-on déjà vu pareilles atrocités?

Santo Tirso était loin, des heures et des heures de train sous la pluie, une pluie monotone sur les pins, des prêtres en soutane dans une grande bâtisse glaciale, des élèves en culottes courtes, Si ça se trouve ils ont tous couché avec leur bonne, ai-je pensé,

et mon père a dit au proviseur en secouant la pluie de ses vêtements, Il ne recevra pas de visite, il n'a pas la permission de sortir du collège, il n'a pas le droit de recevoir de lettres ni d'écrire à sa famille,

et le proviseur Soyez tranquille, mon lieutenant-colonel, cela fait plus de soixante ans que nous nous occupons d'enfants difficiles,

Cher jorge tu me manque maman a ranvoyer la kuisinière

Et donc, a poursuivi l'inspecteur, je suis surpris et peiné que des inconscients prétendent instaurer au Portugal un bolchevisme édifié sur des cadavres et du sang, ce n'est pas de cela que j'ai rêvé pour mes enfants, major,

Cher jorge les zoizos sont tous mort

Celui-ci n'est pas difficile, a affirmé mon père, il est impossible, il m'a menti, il m'a manqué de respect, il a manqué de respect à une employée,

Cher jorge teresinha est méchante elle ne me lèsse pas joué avec ses poupés

des corridors, des salles, des dortoirs, les pas des pions dans le gymnase, les cyprès de la cour de récréation, des montagnes au loin, des flaques d'eau, des cigarettes clandestines, le professeur de géographie qui énumère les affluents sur une carte avec sa baguette,

Avec de la Foi et une Pédagogie appropriée, même l'esprit le plus rebelle se soumet, mon lieutenant-colonel,

Rien, pas même la caserne de Tavira, n'est aussi triste que Santo Tirso, Margarida,

et mon père Attention, monsieur le proviseur, il trompe son monde, il vous embobine avec des paroles doucereuses, c'est un fourbe,

Cher jorge jé demandé à la couturiaire de t'envoyé cét carte

Et alors, major, a poursuivi l'inspecteur, une fois mes études de droit terminées, la police m'a semblé la carrière idéale, encore qu'ingrate, pour combattre la violence,

Et toi, ai-je demandé au garçon qui occupait le pupitre devant moi, tu es aussi à Santo Tirso à cause de ta bonne?

rue António Maria Cardoso, il n'y a pas de pigeons, il y a le grincement des tramways et un théâtre, Margarida,

le renard trottinait le long des barreaux, je ne l'ai jamais vu immobile, je ne l'ai jamais vu couché dans la cage,

et le proviseur Avec nos méthodes, dans cinq mois vous ne le reconnaîtrez pas,

Valadas, a ordonné le Père Correia, vous allez m'écrire cinq cents fois au tableau Je promets de ne plus fumer dans l'urinoir,

Cher jorge anita dis que en oute tu viens à la mézon

Et c'est au nom de cette lutte, a conclu l'inspecteur, la lutte de ceux qui veulent ce qu'il y a de mieux pour le Pays, major, que d'homme à homme je vous enjoins de me décrire vos activités subversives,

et j'ai rétorqué au Père Correia Je n'écrirai pas ça, et le Père Correia Comment? et moi Je n'écrirai pas ça, et le Père Correia, brandissant sa règle, Tendez la main, Valadas,

je ne suis pas revenu en août cette année-là, ni en août l'année suivante, j'ai passé tout l'été à errer dans la grande bâtisse vide,

Je ne suis pas un subversif, je ne suis pas un bolchevik, la seule chose qui m'intéresse c'est la légalité démocratique,

Je le dirai à ma mère et elle appellera ta marraine et elle te renverra, a dit le démocrate à Amália,

Cher jorge je n'aime pas fernando je n'aime pas anita je n'aime pas tereza la couturiaire je l'aime comcicomsa

et l'inspecteur Vous osez soutenir, major, que dans le corporativisme il n'y a pas de démocratie, que le corporativisme n'est pas la forme de gouvernement la plus parfaite?

et moi, pensant à Amália et au Père Correia, Oui, j'ose,

et lui, un doigt en l'air, répondant au téléphone, Un moment, non, ce n'est pas à vous que je m'adressais, je vous écoute, Portas,

et mon père, m'offrant des cigarillos, J'espère que Santo Tirso t'aura fait du bien, si tu as envie de te présenter à l'École de l'armée je ne m'y opposerai pas, cela fait cinq générations qu'il y a des militaires dans la famille et tout semble indiquer que Fernando ne fera jamais rien de bon dans la vie,

et l'inspecteur au téléphone Si le bonhomme refuse de signer la confession de bon gré il la signera contre son gré, je ne comprends pas votre doute,

et mon père, en me servant du cognac, La Cavalerie est notre arme, mon fils, je ne connais rien de plus bête qu'un officier sans cheval,

et l'inspecteur au téléphone Un avocat, les avocats ne m'intéressent pas, Portas, appliquez-lui quelques bons petits chocs électriques et le bonhomme, s'il le faut, jurera même qu'il a trucidé sa tante,

et mon père Ne te fais pas de souci pour les épreuves physiques, j'ai des amis là-bas et si tu es le premier de ta promotion, je t'offre une auto,

Cher jorge manman pleure toute la journé dans sa chambre je ne sé pas ce quel a

et l'inspecteur Ne vous laissez pas importuner par les avocats, Portas, dans quel monde vivez-vous, appliquez-lui les chocs, les juges sont dans notre camp, c'est ça qui compte,

Cette cravache appartenait déjà à ton grand-père et elle m'a accompagné à Monsanto, a insisté mon père, il est normal que tu en hérites,

(les monarchistes retranchés et les républicains escaladant la colline en tirant des coups de feu, de la fumée, des canons, des caisses de culasses, le capitaine Ramalho blessé au ventre, les renforts qui tardaient, mon père trébuchant sur les genêts, un corbeau croassant de terreur au-dessus de lui)

et l'inspecteur, raccrochant et appuyant sur un bouton de sonnette, Alors comme ça on prône la légalité démocratique, le socialisme, et moi Je n'ai jamais été socialiste, monsieur,

Je n'ai jamais été socialiste, Amália, excuse-moi, d'ailleurs je n'aime pas les pauvres, ils vieillissent trop vite, ils s'habillent trop mal, ils sont trop laids,

Et à cause de Monsanto, a susurré mon père, j'ai mangé de la vache enragée,

et s'ils s'élèvent dans la vie, ils achètent des meubles hideux, des autos sinistres, des bibelots atroces, ils fagotent leurs marmots comme des chiens savants, et ils continuent à se curer les dents, et ils continuent à roter à table,

Ne vous avais-je pas dit, s'est exclamé le proviseur avec fierté, que votre garçon changerait, la Pédagogie, la Foi et quelques bons petits coups de férule vous transforment les gens,

Si j'avais la bêtise de me marier avec toi, Amália, tu couvrirais mes murs de sous-verre avec des chats, tu remplirais mes étagères de clowns en faïence, Je n'ai jamais été socialiste, ai-je répété,

Cher jorge le docteur dit que manman es malade é a bezoin de picure

Merci pour la cravache, père, le cuir est très beau, ai-je dit en fustigeant ma jambe,

deux hommes sont entrés dans le bureau de la rue António Maria Cardoso en poussant un appareil sur des roues avec plusieurs cadrans et une paire d'électrodes, l'inspecteur leur a dit Il y a une prise derrière le canapé et j'ai pensé Qu'est-ce que c'est que ça?

Cher jorge manman va plu mal anita ma di quel va entré dans une clinic

un des hommes a branché l'appareil, une ampoule s'est allumée, une aiguille oscillait, le deuxième homme s'est approché de moi avec les électrodes et l'inspecteur Le nom des révolutionnaires, vite,

Je n'ai jamais été socialiste,

Une cravache merveilleuse, a renchéri mon père, bien maniée elle vous tranche une oreille d'un coup, dommage qu'aujourd'hui on n'en fabrique plus comme ça,

le premier homme a appuyé sur un bouton et mon corps s'est étiré, mes dents ont pétaradé, ma tête a volé loin de mon cou, mon cœur, rempli d'hélium, s'est arrêté avant de recommencer à fonctionner,

Socialiste, monsieur, socialiste, Monsanto tout vert, la chambre d'Amália, je n'ai jamais été socialiste,

Bien sûr que tu ne l'as jamais été, a acquiescé l'inspecteur, bien sûr que non, encore une fois,

et de nouveau le corps qui fait un bond, de nouveau la pétarade des dents, de nouveau la tête détachée du cou, de nouveau le cœur qui flotte et le sang qui s'arrête, en suspens,

Encore, a exigé l'ennemi de la violence,

Monsanto tout vert, la cage des perruches, mon frère Fernando jouant dans la cour de la cuisine, le chauve, Alice, l'Indien goitreux, le médecin, le gros, l'autre, le robinet de Caxias, pas de mouettes, les cravaches ne valent rien aujourd'hui, Amália, ne tranchez pas d'oreilles, la bâtisse de Santo Tirso sous la pluie, cinq cents fois au tableau noir, tendez la main, Valadas, les républicains escaladant la côte, le corbeau au-dessus des chênes verts, les cigarettes clandestines, les petits clowns de faïence, si je me mariais avec toi, Amália, serais-je heureux?

Heureux, Amália, je serais heureux en France et tu serais entourée d'enfants, je n'ai jamais été socialiste, tu te curerais, je n'ai jamais été socialiste, les gencives, je n'ai jamais été socialiste, jamais été socialiste, jamais été socialiste,

Encore une fois, a demandé l'inspecteur, et mon cœur,

(sillonné de veines, le reste de ma personne n'a pas d'intérêt)

voguant durant des éternités

Donnez plus de jus,

Cher jorge manman est morte

Plus de jus,

Cher jorge manman est morte

De jus,

alors, dans le bureau des téléphones et des étagères de livres, rue António Maria Cardoso, je leur ai hurlé au visage ce qu'ils voulaient savoir, que mon père cachait ma sœur Julieta, furieux et honteux parce qu'elle n'était pas de lui, il ne voulait pas qu'on sache que la mère de ses quatre rejetons avait enfanté d'un autre mâle, il ne voulait pas qu'on s'imagine qu'après la naissance de mon frère Fernando il était devenu impuissant, il voulait qu'on pense qu'il était toujours un homme, qu'il avait été un homme, messieurs, jusqu'à la fin de sa vie, et moi, petit à petit, je deviens comme le vieux, je ne réussis pas, je ne peux pas, je ne tiens pas, j'ai beau le déguiser, devant une femme, je suis un chien châtré.

4

A la fin de l'après-midi, Conceição, quand les pigeons de la place Camoens partent pour les corniches de Loreto, je me sens seul seul seul à ce quatrième étage de la rue Ivens, oppressé par le poids de l'enfance et par l'angine de poitrine,

quand les voix du passé, la voix de mes sœurs, la voix des servantes, m'entourent de leur crépitation attendrie, de leur vapeur de paroles imaginaires,

quand seuls existent les toits dans la nuit tombante, le château qui navigue à l'arrière-plan et les pastilles pour la goutte, pour les rhumatismes, pour le cœur, pour la vessie, pour le foie, pour le dos, pour la toux, pour les aigreurs d'estomac, dont je me nourris,

à la fin de l'après-midi, Conceição, quand j'ai envie de crier comme les coqs du matin, il m'arrive de me demander pourquoi mon neveu, celui qui est né à Guarda et qui a habité à Ericeira, le fils de ma sœur Julieta, la seule personne de la famille qui me reste, ne monte pas le Chiado et l'escalier de son immeuble pour me rendre visite, pour que nous parlions de la Calçada do Tojal, de Benfica, du temps où j'étais jeune,

comme en 1950, j'avais alors trente-neuf ans, le dimanche où un civil et trois soldats ont arrêté mon frère Jorge et où les tangos du phonographe et la chaise à bascule et les hurlements ne cessaient pas dans le grenier,

je suis sorti acheter du bromure, j'ai pris le tram des Restauradores en compagnie de l'employé de la mercerie, et après les Portes de Santo Antão, après les acrobates et les trapézistes à la retraite et la place de la Figueira si carrée et triste, après celle du roi Dom João enseveli sous les ombres et les mansardes des veuves, nous avons débouché sur l'Intendente par Martim Moniz,

rue du Benformoso, place du Benformoso, des camionnettes de livraison dans les ténèbres, pas la moindre pharmacie,

et nous sommes entrés dans le bar A la Nymphe du Tage pour nous mettre un peu de cœur au ventre avant d'entreprendre la traversée des magasins de chaussures de l'Almirante Reis,

il y avait un aveugle, mon neveu,

(dommage que tu ne m'aies pas accompagné, moi l'idiot de la famille, ce jour-là)

qui jouait du piano sur une estrade, sous une sirène avec des cheveux roux comme ceux de ta mère dans un médaillon encadré de coquillages, un long comptoir, des palissades de bouteilles, des tables en formica,

et une clientèle d'anciens artistes de cirque qui débordaient de l'établissement, dompteurs de tigres avec brandebourgs, fouet et bottes à hautes tiges, contorsionnistes tenant des cigarettes entre leurs doigts de pied, la troupe de nains de la pyramide humaine, désormais sans force, dégringolant des épaules les uns des autres, le couple des bicyclettes haut perchées qui pédalait près du plafond, et surtout

(écoute)

des clowns,

des clowns,

des clowns soufflant dans des clarinettes et des saxophones sans émettre une seule note juste, des bateleurs préparant le saut périlleux qu'ils ne feraient jamais, le groupe des gugusses qui faisaient des cabrioles près du paravent des WC marqué Hommes sous une petite silhouette surmontée d'un chapeau, des visages blancs, légers comme des anges, avec des escarpins de toréador et des accordéons en travers de la poitrine,

je me souvenais du temps où je t'attendais, mon neveu, dans le petit salon de la rue Ivens où aucune photo ne fait les gros yeux pour me gronder et où les coucous des pendules ne piaillent pas des heures inhumaines,

je t'attendais ici après le sirop pour les intestins, entre le cachet pour la vésicule de sept heures et le comprimé pour la tension de huit heures, sachant que tu viendras car il n'est pas juste d'être seul, même à quatre-vingt-un ans, car il faut que quelqu'un vienne avant qu'on me transporte en bas dans une caisse de chemin de fer mal clouée, marquée Fragile sur le couvercle,

quelqu'un devra venir écouter avec moi le silence de cette maison, tout comme l'employé de la mercerie et moi écoutions les paso doble du piano joués par l'aveugle dans le bar de Benformoso, les funambules qui enduisaient leurs semelles de résine parlaient du jour où nous étions allés, tu te souviens, donner un spectacle à Abrantes, je n'ai jamais eu aussi froid de ma vie, j'ai failli m'écrabouiller à terre, chaque fois que j'y repense j'en ai la chair de poule,

l'employé de la mercerie a commandé un gin pour lui, un gin pour moi et un gin pour la femme à barbe qui finalement n'était pas russe mais de Porto, elle était capable de plier des barres de fer et de déchirer des dictionnaires et des annuaires téléphoniques, elle essayait de nous expliquer Je souffre d'arthrite, les gars, je n'arrête pas de consulter des toubibs, et peau de balle, l'arthrite m'empêche d'accepter des offres à Barcelone, New York et Paris, de sorte que je suis dans la mouise, vous imaginez un peu l'injustice du destin, je n'arrive même pas à payer le cagibi à Poço do Borratém dans lequel j'habite avec mon mari qui a raté le filet du trapèze et qui est invalide, il ne peut même pas bouger le petit doigt pour remercier le public de ses applaudissements, et l'employé de la mercerie commandait une autre tournée de gin, Le pauve, et moi, distrait par la voyante gitane qui ne prédisait plus que le passé, j'acceptais un autre gin, Le pauvre, la troupe de la pyramide humaine a accepté un petit verre, un des nains de la base a toussé, le dompteur de tigres lui a tapoté le dos et une quinzaine de gnomes en pagne ont dégringolé sur nous en criant Mon Dieu pendant que le dompteur secouait avec des chiquenaudes, comme il l'aurait fait de taons, les nains qui se suspendaient à ses revers, les gugusses serraient la main de tout un chacun avec leurs gants interminables, le couple qui pédalait près du plafond en se lançant des balles et des anneaux se désespérait de ne pouvoir descendre boire un verre, des petits chiens habillés en Sévillanes chancelaient sur leurs pattes arrière en jappant d'angoisse, Où y a-t-il une pharmacie de garde? ai-je demandé au maestro qui dirigeait l'orchestre du Coliseu et qui agitait maintenant sa baguette en vain sans qu'aucun musicien lui obéisse, chacun s'amusant à jouer de son côté une marche différente, j'ai besoin de bromure pour ma sœur Julieta, le Chinois préposé aux phoques a extrait un maquereau de sa poche et l'a englouti avec son sourire d'aurore boréale, mon père a surgi dans le bar et s'est lamenté auprès des fakirs en me désignant avec une grimace, Qu'est-ce que j'ai fait à Dieu pour avoir un fils aussi stupide, messieurs? Du bromure, vous avez dit du bromure? a demandé un magicien occupé à scier son épouse et extrayant de sa poche une infinité de mouchoirs bariolés, vous ne voudriez pas plutôt un bouquet de fleurs, tenez, vous ne voudriez pas plutôt le drapeau national, prenez, Tu es rond, quelle horreur, tu es complètement rond, a dit mon frère Jorge avec dégoût, ne t'approche pas de moi, tu pues le vin, Je commence à perdre ma barbe, regardez, a dit la dame des annuaires téléphoniques en me tirant par le bras, un de ces jours je n'aurai plus un seul poil au menton, Rond, mon œil, ai-je répondu, je cherche une pharmacie dans le coin,

et tout cela pour deux petits verres au grand maximum, Conceição, je te donne ma parole que je n'en ai pas bu plus de deux, j'ai été marié avec toi dix-neuf ans et en dehors des repas, tu es témoin, je ne me suis même pas envoyé un martini derrière la cravate, dix-neuf ans passés à aller chaque après-midi au jardin du Principe Real pour regarder les retraités taper le carton, dix-neuf ans jusqu'à ce que le médecin sorte de la chambre et m'annonce Elle est morte, et j'ai trouvé ta cousine en train de retirer le dentier de ta bouche et de le ranger dans un tiroir,

dentier qui est toujours dans le tiroir, Conceição, avec ses couronnes serrées dans une obstination fâchée,

dix-neuf ans passés à regarder la nuit assombrir les as et les manilles, dix-neuf ans passés à dîner de biscuits et de thé sans sucre à la table placée contre la fenêtre, pensant, excuse-moi, Je m'ennuie, je ne me suis jamais autant ennuyé de ma vie,

pas même à l'École commerciale où l'on a fini par m'inscrire, dans l'espoir que j'apprendrais au moins les rudiments nécessaires à un emploi de bureau ou à un travail de deuxième commis dans une division des Finances, un institut à Saint-Domingue, Conceição, où je confondais les racines carrées avec les logarithmes et où débit et crédit se mélangeaient dans ma tête consternée, pardonnez-moi, père,

Qu'est-ce que j'ai fait à Dieu pour avoir un fils aussi stupide, messieurs?

tu n'as rien fait, c'est moi qui n'y arrive pas, c'est moi qui ne suis pas capable, c'est moi qui n'ai pas eu assez de cervelle pour être officier de Cavalerie ou ingénieur, et j'ai fini, sans un liard et sans manières, en concubinage avec une bonne à tout faire comme tous le prévoyaient, car je n'ai jamais volé très haut,

Il n'a jamais volé très haut, c'est triste mais vrai et malheureusement je suis lucide sur mes enfants, dans le meilleur des cas il habitera un quartier de HLM et passera ses dimanches en pyjama, il ne se soucie de rien, il ne s'intéresse à rien, il n'a pas de volonté, il ne lutte pas,

je ne lutte pas, père, vous avez raison, apprenez-moi donc comment vous avez lutté quand maman est tombée enceinte de Julieta,

Il m'en coûte de le reconnaître parce qu'il est de mon sang, mais on aura beau me dorer la pilule Fernando est un bon à rien, je l'avoue,

je me souviens des chuchotements dans toute la maison, des portes qui claquaient, d'un climat sulfureux de conspiration, de mon père, enfermé dans le bureau avec mon grand-père, criant Je ne supporte pas de la voir, je vais divorcer, demander qu'on m'envoie à Luanda, je me souviens des déjeuners pesants, des conversations téléphoniques à demi-mot, de mes tantes qui suppliaient Allons, Alvaro, tu ne vas pas abandonner les enfants, ces petits ne sont pas coupables de ce qui s'est passé, de mon grand-père annonçant Ta femme accepte ce que tu voudras, personne ne verra la petite, si quelqu'un vient on enfermera la gamine dans une chambre et ni vu ni connu,

Pour ma part, j'ai renoncé à faire de lui un homme, je me suis habitué à l'idée qu'il sera un rond-de-cuir, tant pis, ce qu'il y a de certain c'est que jusqu'à sa mort mon père n'a plus jamais adressé la parole à ma mère, et non seulement il ne lui a plus adressé la parole mais encore il ne la regardait même pas, se comportant comme si ni elle ni ma sœur Julieta n'existaient, et il dormait ou faisait semblant de dormir sur le divan dans son bureau, je dis faisait semblant, Conceição, car en revenant de la pâtisserie ou du cinéma je le trouvais réveillé, regardant le papier peint du mur, un livre sur les genoux,

Qu'est-ce que j'ai fait à Dieu pour avoir un fils aussi stupide, messieurs, comme si sa dévergondée de mère ne suffisait pas à m'empoisonner l'existence, à me gâcher la vie,

et il n'est retourné dans son lit que quelques jours avant de s'éteindre, entouré de médicaments et de casseroles où bouillaient des baies d'eucalyptus, la vapeur embuait les carreaux et, enfoui dans l'oreiller, il nous regardait avec l'envie des malades,

Qu'est-ce que j'ai fait à Dieu pour avoir un fils aussi stupide, messieurs?

mais je vous aimais, père, je voulais que vous soyez fier de moi, j'essayais de vous faire plaisir, je me suis engagé dans la Légion pour avoir un uniforme comme le vôtre, j'achetais les mêmes cigarillos vénézuéliens que vous, j'utilisais votre monogramme sur mes chemises, j'imitais vos expressions et vos tics, j'ai essayé de haïr maman, j'ai essayé de ne pas lui répondre quand elle me demandait Tu as changé d'emploi, Fernando? et ma sœur Anita me disait Maman t'a posé une question, frérot, et moi, sans la regarder, Ah oui? et ma sœur Teresinha Tu as perdu ta langue ou quoi? et moi Ne m'embête pas, ma mère s'approchait sans comprendre, Tu as eu des ennuis à ton travail, mon fils? et moi Laisse-moi, ma sœur Julieta, qui n'avait pas encore un polichinelle dans le tiroir à cette époque, s'étonnait à l'autre bout de la table, par-dessus les couverts et les verres, tout comme la femme à barbe s'étonnait et me disait Regardez la quantité de poils grisâtres qui apparaissent dans ma moustache, regardez comme mes favoris blanchissent, et moi, en acceptant un autre verre, Je ne vois rien de tout cela, moi pour ma part, je ne vous donnerais même pas trente ans,

et elle, tirant son mouchoir de sa manche, Si j'allais à Porto, mes cousins ne me reconnaîtraient pas, j'ai perdu huit kilos en deux mois,

et j'ai pensé à vous, père, à vos tempes creusées et à votre cou réduit à des plis et des tendons, et j'ai pensé que je vous avais imploré Ne mourez pas, comme je t'ai imploré Ne meurs pas,

Ne mourez pas, père, ne mourez pas,

Qu'est-ce que j'ai fait à Dieu pour avoir un fils aussi stupide, messieurs, qui se met à pleurer devant moi comme si j'allais trépasser, en voilà une idée, moi qui suis allé le 22 janvier 1919 à Monsanto me battre pour le roi avec les camarades du deuxième groupe d'escadron de la Cavalerie Quatre, moi qui ai été à la Lunette des Casernes, essuyant le feu de l'artillerie sans balles, sans nourriture, sans espoir de renforts, essuyant le feu de la marine, le feu des civils, moi qui ne suis pas mort sous les balles des Carbonari, je ne vais pas mourir maintenant, même si cette femme là-bas souhaite me voir dans un cercueil pour pouvoir téléphoner à son amant Il vient de mourir à l'instant même, et mon imbécile de fils Fernando, qui copiait même sa voix, la regarderait d'un air hébété,

des centaines de soldats au milieu de la fumée et des détonations, du train régimentaire, des culasses des pièces que nous n'avions pas pu emmener, et lui, l'imbécile, cherchait du bromure pour sa sœur dans les poches des blessés,

Je n'étais pas saoul, Conceição, je ne suis pas saoul, père, ce n'est pas l'alcool, c'est le piano de l'aveugle, ce sont ces paso doble, ces gens, l'artiste du Puits de l'enfer qui fait vrombir sa motocyclette, voilà ce qui m'angoisse véritablement,

J'arriverai à Porto et ma famille me dira Mais qu'est-ce qui t'est arrivé, Lucinda, ton mari te bat, ton mari est tombé du trapèze, ton mari t'a de nouveau trompée avec l'Indienne qui lance des haches aux volontaires parmi les spectateurs distingués?

et j'ai senti des fourmillements, un élan, une force, une vague déferler sur moi, je me suis agrippé au comptoir, j'ai commencé à vomir et les figures du cirque ont disparu, remplacées par une clientèle de camionneurs, de cordonniers, d'apprentis plombiers, de fonctionnaires de la municipalité, d'employés des minables boutiques voisines,

l'aveugle, qui finissait un paso doble, regardait avec une expression de naufragé la fumée se coaguler près du plafond,

et quand je me suis tourné pour répondre à la femme à barbe qui finalement était un vendeur de billets de loterie bavardant avec un demi-litre de vin, quelqu'un m'a donné une tape sur l'omoplate, Salut, c'était le fils de la couturière qui me saluait à côté d'une chope de bière,

je suis peut-être stupide, père, mais je n'ai jamais dit à quiconque que je l'ai vu sortir de la chambre de Julieta, quand ma mère et mes sœurs étaient à la messe et mon frère sur la côte de Caparica, en train de conspirer contre l'État,

je n'ai jamais dit à quiconque qu'il faisait le tour de la maison pour entrer par la cuisine, qu'il montait l'escalier, disparaissait dans le grenier, pensant que comme c'était dimanche, je ronflais, plongé dans mon premier sommeil, imperméable au bruit comme chaque fois que je dors après une soirée passée à la pâtisserie avec le propriétaire du garage et l'employé de la mercerie, faisant de l'œil aux dames qui lâchaient des petits rires au-dessus des gâteaux à la crème et des cuillers à thé, pensant que je ne me réveillerais qu'avec l'odeur de poisson du déjeuner, longtemps après que ma mère et mes sœurs seraient revenues de la messe, descendant l'escalier sans avoir pris de bain, m'asseyant la bouche ouverte, tendant le bras vers l'huile et le vinaigre,

si bien qu'il ne se cachait même pas, il ne baissait même pas la voix, il ne s'efforçait même pas de ne pas faire de bruit, il remontait le phonographe à pavillon et inondait la Calçada do Tojal d'un air d'opéra, indifférent à l'indignation des portraits,

j'entendais ses pas, j'écoutais l'écho de leurs conversations et le bruit de quelque chose qui tombait et se brisait,

comme des années auparavant j'avais écouté les conversations de ma mère et de l'homme qui lui rendait visite les après-midi où mon père restait à la caserne, se parlant à l'oreille, tout près l'un de l'autre, au salon, j'épiais par le rideau et je les voyais s'embrasser, je voyais ma mère se pencher vers le roux et l'embrasser,

roux comme ma sœur Julieta était rousse, le visage parsemé de taches de rousseur, même sur les lèvres et les paupières, même sur le cou et la nuque, et sur les oreilles,

et quand la cloche de l'église sonnait la communion, le fils de la couturière passait devant ma chambre en sifflotant l'aria du phonographe malgré les gémissements du renard, sa mère l'emmenait avec elle quand elle passait la journée penchée sur la machine, recousant des boutons et refaisant des ourlets, il s'amusait avec moi dans le jardin à l'arrière et nous nous salissions tous les deux, Ah là, là, dans quel état vous vous êtes mis, de vrais cochons,

nous nous salissions de terre et au salon ma mère laissait courir ses doigts dans les cheveux du roux qui lui entourait la taille du bras, je ne l'ai jamais raconté à personne, je ne l'aurais jamais raconté à personne, pas même quand mon père m'a appelé dans son bureau et qu'il m'a demandé, devant son père à lui, Qu'as-tu vu, Fernando?

et fin octobre, quand il a commencé à pleuvoir, et il avait plu énormément cet automne-là, les perruches étaient mortes depuis des siècles, le fils de la couturière avait cessé de venir à la maison le dimanche et la chaise à bascule dansait au grenier, faisant craquer et craquer et craquer les lattes du plancher,

l'eau frappait contre les vitres et la chaise gémissait et pendant la messe, après les cloches, un air d'opéra s'égosillait en haut,

Je n'ai rien vu, père, ai-je dit, je n'ai vu personne,

ma sœur Anita laissait son ombrelle goutter et elle montait au grenier faire taire le phonographe, il pleuvait tout le jour, on allumait les lampes à deux heures de l'après-midi et ma sœur Julieta se promenait au-dessus de nos têtes, Qu'a-t-elle aujourd'hui? et cela tous les dimanches de cet hiver-là, tous les dimanches pluvieux de cet hiver-là,

Qu'a-t-elle, Fernando? Qu'est-ce que j'en sais, mère, elle est comme d'habitude,

la couturière venait le mardi et le jeudi, elle mangeait sur un plateau près du panier à linge, ma sœur Julieta, les chevilles gonflées, se tenant le ventre à deux mains, rôdait autour d'elle en reniflant, l'hiver brunissait l'herbe, déplumait les arbustes et agrandissait les taches de moisissure sur les murs, ma mère a téléphoné au médecin et elle l'a entendu expliquer Elle est enceinte de trois mois, madame, un avortement est impensable, et ma mère Mais comment cela est-il arrivé, mon Dieu? et le médecin, en enfilant sa gabardine, Cela arrive dans les meilleures familles, c'est la vie, donnez-lui ces cachets de fer et ces vitamines quinze minutes avant les repas, et ma mère m'a demandé Tu as vu qui c'était, Fernando?

Laisse-le, Alvaro, calme-toi, ne le tourmente pas, a conseillé mon grand-père, si le gamin avait vu quoi que ce soit il le dirait, les enfants recrachent tout par la bouche, il suffit de le regarder pour voir que ce garçon est dans la lune, Il a toujours été dans la lune, a répondu mon père, il mourra dans la lune et marié à une bonniche, même avec mes héritiers je n'ai pas eu de chance, disparais de ma vue, Fernando,

et ma mère, la pluie tambourinant contre les carreaux, Je n'ai pas la moindre idée de qui ça a pu être, pour éviter les problèmes et les tentations pas même les amis de mes fils n'entrent ici, pour éviter les problèmes et les tentations nous ne recevons pas de visites,

et le médecin Quand un malheur doit arriver il arrive, ce qui est un miracle pour moi c'est comment je n'ai pas encore attrapé un rhume par un temps pareil,

Débarrasse le plancher, Fernando, a ordonné mon père, ce que je devrais faire c'est prendre mon pistolet, oublier la famille et tuer cette morue,

et en 1950, sept ans plus tard, voilà le père de mon neveu, le fils de la couturière, qui me disait Salut, près d'une bière mousseuse, sans savoir que je savais, sans savoir que je le soupçonnais, car il était la seule personne dans la Calçada do Tojal à être là le dimanche matin, j'aurais pu me réveiller et entendre des voix, j'aurais pu le surprendre en train d'entrer ou de sortir par le portail, et moi, encore étourdi par les vomissements, m'essuyant la bouche sur ma manche et pensant à la pluie de cet hiver-là, Salut,

Je vais l'envoyer à la Guarda, a décidé ma mère, et quand le bébé sera né nous attendrons un mois ou deux et nous la ramènerons,

et ma sœur Julieta, qui ne parlait jamais, qui refusait de parler sauf à Jorge, a crié Non, on ne remarquait pas encore son ventre, mais elle avait maigri, elle était pâle, elle avait les yeux cernés, elle s'enfermait au grenier, bien coiffée et portant sa jupe neuve, comme si elle attendait quelqu'un,

elle s'enfermait au grenier, elle plaçait un air d'opéra sur le phonographe à manivelle et la chaise craquait, en arrière, en avant, sur le plancher, pendant que la moisissure de novembre s'étendait sur les murs et que ma sœur Teresinha soupirait Un de ces jours on fera venir un maçon pour arranger tout ça, le plafond est fissuré là-bas,

si bien que malgré ses protestations et ses refus ils l'ont mise dans le train pour Guarda, et quand elle est revenue au bout de plusieurs semaines, Conceição, elle ne parlait même plus à Jorge, elle errait comme un spectre dans la salle,

jamais plus elle ne s'est brossé les cheveux, jamais plus elle n'a mis sa jupe neuve, elle remontait le phonographe et elle écoutait le même air jusqu'à ce que le disque émette une succession de glapissements et de fragments de violon et que ma mère supplie Faites taire cette musique avant que je ne devienne complètement folle,

ma sœur Teresinha gravissait l'escalier pour bavarder avec elle, l'air s'interrompait, ma mère buvait des infusions de tilleul, Vous voulez me tuer, amenez-la ici avec nous, et elle Non, c'était le seul mot qu'elle consentait désormais à prononcer, Non, on lui demandait quelque chose, n'importe quoi, Non,

et en 1950, le jour où mon frère Jorge a été arrêté, le fils de la couturière avait peu changé par rapport à l'époque où nous nous étions connus, mêmes doigts de moineau tenant la bière, même voix trébuchant sur les syllabes, Salut, et moi, le stupide,

(Qu'est-ce que j'ai fait à Dieu pour avoir un fils aussi stupide, messieurs?)

je me suis approché de lui, bousculant le vendeur de billets de loterie, Salut,

la sirène se balançait en avant et en arrière, Salut, l'employé de la mercerie offrait une tournée de gin à un vieux emmitouflé dans un cache-col qui n'était pas aussi vieux que je le suis aujourd'hui, entouré du crépitement du passé, de ton absence de bonniche, d'une vapeur de paroles qui se sont tues,

Salut, ai-je dit, moi le stupide, moi qui n'ai pas de tête, moi qui ne lutte pas, Salut,

l'air d'opéra recommençait dans le grenier, ma sœur Teresinha Arrête ça, Julieta, et elle Non, ma sœur Anita Tu ne veux pas écouter une valse ? et elle Non, mon frère Jorge Je ne te parlerai plus jamais, et elle Non non non non non,

Qu'est-ce que tu fais là, Fernando ? a demandé le fils de la couturière qui sortait du grenier de la Calçada do Tojal, qui rajustait sa ceinture, qui tapotait le nœud de sa cravate, qui posait sa bière sur le zinc, pendant que l'aveugle se penchait sur le piano et que ma sœur Julieta criait dans le grenier Non, et ma mère Qu'est-ce qu'elle peut bien avoir, Fernando ? et mon père Qu'as-tu vu, Fernando ? et moi, le stupide, j'ai avancé d'un pas, j'ai poussé le vendeur de billets de loterie, j'ai attrapé une bouteille, Voilà ce que j'aurais dû faire il y a huit ans, mon vieux, te casser la gueule : rien de spécial, comme tu vois.

5

J'avais dû dire ce qu'ils escomptaient que je dirais, car dès que j'ai retrouvé mes sens et la notion du temps j'ai été transféré de la rue António Maria Cardoso à la prison de Peniche, presque aussi sombre que le collège des prêtres à Santo Tirso où le jour provenait des ornements de la chapelle qui enveloppaient les statues des saints d'une lumière de naufrage. A Peniche c'était toujours l'hiver aussi mais sous un ciel de pierre sans nuages, les vagues se brisaient contre les murs de la prison, couvrant les sentinelles d'écume, le scribouillard qui m'a reçu m'a averti Faudra pas faire le mariolle, Valadas, ici on n'aime pas les pensionnaires qui se conduisent mal, et en le regardant j'ai compris qu'il était aussi désemparé que moi dans ce cube de murailles désossées par le vent, où des herbes folles poussaient entre les dalles. Désemparés, Margarida, désemparé cet homme, désemparés les gardes qui surveillaient nos déjeuners et la promenade, désemparés les détenus qui s'asseyaient à table avec moi et qui dormaient près de moi, désemparé celui qui commandait et qui nous faisait un discours le dimanche dans le réfectoire, à côté du prêtre qui bénissait la soupe et de l'infirmier qui forait les dents saines sans anesthésie afin de faciliter les aveux. D'ailleurs, à propos d'aveux, les miens ne devaient pas présenter de problèmes vu que pendant trois mois je n'ai jamais été appelé pour un interrogatoire, et cela jusqu'au matin où j'ai été conduit au parloir, une salle avec une séparation au milieu, le portrait du président du Conseil et un homme qui m'a déclaré en extrayant des documents d'une chemise, Je suis votre avocat, major, j'ai besoin de quelques petits renseignements supplémentaires pour mettre au point la défense, La défense contre quoi? ai-je demandé, et lui, Contre le crime de conspiration dans le but de livrer la patrie aux communistes, major, vous n'avez pas enlevé d'enfants, que je sache, ce qui aggraverait votre peine, n'est-ce pas? et moi Je n'ai absolument pas conspiré, maître, et lui, mettant un dossier de côté, Voici malheureusement une copie de la confession que vous avez parafée, vous n'allez pas tenter de me convaincre que la signature est contrefaite.

La mer fouaillait les murs, la sirène du bateau de sauvetage déployait son cri à l'autre bout de la plage, on entendait la voix des pêcheurs sur le ponton, on entendait la cloche de l'usine de conserves convoquer les ouvriers, et l'avocat, feuilletant le dossier, Vous avez remis à la police un rapport très complet, nom et grade des officiers impliqués, mots d'ordre, contre-mots d'ordre, clés des codes, dates et lieux de rencontre, liste des unités dévoyées, plan provisoire de soulèvement militaire qui inclut la neutralisation de dizaines de figures du régime, la sirène du bateau de sauvetage est passée près de nous en hurlant, et moi Qu'est-ce que c'est que cette plaisanterie? et lui Comment cela, une plaisanterie, major? et moi Cela ne peut être qu'une plaisanterie, je n'ai rien raconté à quiconque et encore moins à la police, et lui Eh bien, si vous avez décidé de plaisanter je vous garantis que c'est une blague de mauvais goût, car une douzaine d'individus ont été coffrés à la suite de votre déposition, et moi Quoi? et lui J'ai la liste ici avec moi, vous voulez voir ? les photos ont été publiées dans les journaux, et moi Attendez un peu, attendez un peu, essayant de me souvenir de ce qui s'était passé avec l'inspecteur des chocs électriques dans le bureau des téléphones et des étagères de livres, de me rappeler, comme on se rappelle un rêve, que j'avais raconté je ne sais quoi au sujet de mon père, et l'avocat Qu'y a-t-il, major ? et moi Laissez, mon ami, cela n'a aucun intérêt.

La cloche de l'usine a continué à convoquer les ouvriers après mon retour de la promenade, et aux voix des pêcheurs sur le ponton j'ai déduit qu'un chalutier essayait d'atteindre vainement la plage, j'ai imaginé le patron en train de gesticuler vers la terre, un ou deux membres de l'équipage jetant du lest pardessus bord et le canot de sauvetage se balançant sur la crête d'une vague, trois jours plus tard je suis retourné au parloir et l'avocat a dit Comme vous avez collaboré, major, le juge est disposé à alléger votre peine, et moi Comment ça, j'ai collaboré, maître ? je n'ai collaboré avec personne, et l'avocat Réservez ces salades à vos camarades de prison qui doivent être diablement furieux contre vous, moi je vais sauter sur l'offre du juge, et je l'ai interrompu Qu'avez-vous dit au sujet de mes camarades de prison, maître ? et lui Les gens n'aiment pas les mouchards, il faut les comprendre, c'est normal, si j'étais vous je ferais attention, on ne sait jamais, et moi Attention ? et lui Attention, parfaitement, ce ne serait pas la première fois qu'il arriverait un accident désagréable à un prisonnier, et moi Mais qu'est-ce que c'est que ces conneries, je n'ai pas ouvert le bec, maître, et lui, Bien sûr que vous ne l'avez pas ouvert, si vous l'affirmez cela doit être vrai, mais expliquez-le-leur donc à eux, et pendant que vous l'expliquerez ou que vous ne l'expliquerez pas, moi je me concentrerai sur le jugement, simplement je ne veux pas que vous me foutiez tout en l'air au Tribunal, et moi Tout foutre en l'air au Tribunal? et lui Je vous prétends rééduqué, repentant, disposé à fournir d'autres détails au juge, et moi Mais vous êtes complètement fou, maître, et lui Vous avez baissé culotte et mouchardé, major, rassurez-vous, vous n'êtes pas le premier à faiblir, et moi Je vous interdis d'être mon avocat, maître, et lui Si vous croyez que ça m'amuse de vous défendre, vous vous trompez, grâce à vous ces salauds de la police ont pincé des hommes que je respecte, et moi C'est une erreur, c'est un malentendu, ça ne peut être qu'un malentendu, et lui Ne soyez pas lâche, major, malentendu mon œil, de la dignité que diable, il est un peu tard pour faire dans votre culotte de trouille, et quant au fait que je sois votre avocat, j'aimerais bien être déchargé de cette affaire, que n'ai-je refusé de m'en occuper, aider un salaud me dégoûte, et moi Quel jour sommes-nous, maître? et lui Mardi, et moi Eh bien sachez que c'est le pire mardi de ma vie.

Quand je suis arrivé dans la cour c'était la fin de la récréation et la récréation, Margarida, est l'autorisation de se promener une heure, surveillé par des gardes armés, les mêmes que ceux qui nous avaient à l'œil dans le réfectoire, qui fouillaient nos cellules, Sors de là, et qui nous conduisaient après le café aux ateliers de la prison, nous obligeant à régler notre pas sur celui du camarade devant nous. La récré prenait fin, le ciel s'éloignait pour recevoir la nuit, la mer bougeait sous nous, dressant les rochers de la falaise, et les prisonniers me fixaient du regard avec une réprobation indignée, ils me rendaient responsable des interrogatoires de la police, ils me rendaient responsable de leur présence là, toussant de froid, déféquant dans des seaux, déjeunant de restes, malades des poumons et des tripes, les prisonniers me fixaient du regard, Margarida, et je criais C'est faux, je vous jure que c'est faux, j'ai enduré presque une année entière de tabassage et de séances debout, à faire la statue, et je n'ai balancé personne.

Mais ils ne m'ont pas cru, et à partir de ce jour-là j'ai commencé à les sentir autour de moi comme ces oiseaux dont j'ai oublié le nom qui attendent de nous lacérer le ventre à coups de griffes, de nous dévorer le foie convulsivement, j'ai commencé à les sentir autour de moi, quand nous nous mettions en rang, à l'atelier, pendant la récréation, dans le dortoir, dans les lavabos, m'épiant, parlant de moi, empoisonnant mes pommes de terre et mes choux à la cuisine, si bien que j'ai demandé à être reçu par celui qui commandait et je lui ai dit Ils veulent me tuer, monsieur, et lui Ils veulent te tuer, Valadas? et moi Mettez-moi dans une cellule où je sois seul, et lui Avec salle de bains particulière et femme de chambre? et moi Mettez-moi dans une cellule où je sois seul, délivrez-moi d'eux, punissez-moi, mettez-moi au secret, et lui Tu es fou, j'ai autre chose à faire, Valadas, alors j'ai compris qu'il était de mèche avec les autres, j'ai compris que lui aussi était un oiseau, un de ces oiseaux dont j'ai oublié le nom, et lui Qu'est-ce qu'il y a encore, Valadas, tu restes planté là, tu ne m'as pas entendu? et moi Si vous voulez me tirer une balle dans la tête allez-y, mais ne me faites pas endurer ça, et lui Attention à toi, Valadas, ne me cherche pas, la sirène du bateau de sauvetage a dévidé un cri qui était un message, et moi Tirez, canaille, et lui Que je sois pendu si je ne te fous pas dehors à coups de pied, un garde est venu et il m'a chassé dans le corridor, et moi Abattez-moi vite, chiens, et l'avocat Qu'est-ce que c'est que cette histoire qu'on vous suce le sang avec des seringues, major? et moi, exhibant mon bras Vous ne voyez pas la trace des aiguilles, maître? et lui, refusant exprès de voir les cinq ou six piqûres sur ma peau, Je ne vois absolument rien, qu'est-ce que c'est que cette lubie? et moi, lui montrant une tache rose, Une lubie, maître, et ça, qu'est-ce que c'est? et lui, palpant du doigt, Un grain de beauté, qu'est-ce que vous vous imaginez? et moi Vous êtes tous de mèche, je vais écrire aux journaux, et lui Ne soyez pas hystérique, major, je vais demander un calmant, et moi, arrachant sa serviette de ses genoux et la jetant contre le mur, Il ne manquerait plus que ça, si vous croyez me détruire avec du cyanure, vous vous trompez, et il s'est dirigé vers la porte pendant que je déchirais ses papiers, Vite, garde, vite, et ils m'ont cravaché les reins, et je suis tombé face contre terre, et le froid de la pierre était doux sous ma bouche, calme et doux, et la mer coulait le long de mon corps puis allait se perdre sur la grève où gisaient mes pieds, blancs et nus comme ceux des pigeons défunts.

Aujourd'hui encore j'entends les vagues de Peniche, Margarida, j'entends encore la cloche de l'usine de conserves (était-ce bien une usine, était-ce vraiment une usine ?) appeler les ouvriers, j'entends l'eau sous les dalles, pas l'eau de Tavira, pas la mer de l'Algarve, mais les vagues qui découpaient la muraille du fort comme un couteau, j'entends encore les vagues de Peniche et l'avocat expliquer à celui qui commandait Il a eu un coup de folie, mon lieutenant, un vrai coup de folie, je sens des mains me pousser le visage contre la pierre et l'avocat Non, il ne m'a pas blessé, il m'a abîmé quelques pages, et celui qui commandait Il est venu dans mon bureau me débiter des discours étranges, exiger que je le mette au secret, et un des gardes Il fuit les autres, il a peur de manger, il ne veut pas qu'on le touche, et celui qui commandait Il joue sûrement la comédie, Azevedo, vous connaissez la roublardise de ces bougres, et l'avocat Même si c'est vrai, mon lieutenant, même si c'est vrai, ce type-là, à mon avis, n'a pas toute sa tête à lui, le bateau de sauvetage a émis un sifflement et s'est tu, Laissez-moi rester couché, ai-je imploré, lâchez-moi, je n'ai plus de sang dans les veines, et celui qui commandait Coup de folie ou pas, je ne ferai pas les quatre volontés du prisonnier, s'il veut être au secret c'est sûrement pour une raison précise, il y a un souterrain qui rejoint la falaise, et le garde Allons, Valadas, nous allons nous lever doucement et gentiment, nous allons nous mettre debout comme un bon petit garçon, et l'avocat Un souterrain, mon lieutenant, je ne savais pas, et celui qui commandait Des petits malins je vous dis, maître, je les flaire à mille lieues, cela fait quinze ans que c'est mon métier, pourquoi diable quelqu'un voudrait-il être mis au secret sans aucun motif et l'avocat Vous avez tout à fait raison, mon lieutenant, le gars est finalement bien plus retors que je ne croyais, et celui qui commandait Mais je ne dis pas cela pour faire comme les autres, je suis très compréhensif et tout et tout, mais je n'aime pas qu'on se foute de ma poire, et le garde Très bien, Valadas, au garde-à-vous, et celui qui commandait m'a déboîté la mâchoire avec une beigne, Ramasse les papiers que tu as jetés par terre, Valadas, apprends à ne pas mordre celui qui te tend la main.

Aujourd'hui encore j'entends les vagues de Peniche à Tavira, Margarida, les vagues de cet hiver, aujourd'hui encore j'entends l'écume sous les dalles et la cloche de l'usine de conserves appeler les ouvriers, comme je me souviens de la façon dont les codétenus détruisaient mes énergies en mettant des barbituriques dans ma soupe et en m'appelant, quand j'étais seul, avec la voix du directeur de Santo Tirso, la voix d'Alice, la voix de mon père, m'obligeant à me replonger dans le passé pour m'interdire le présent, et pas seulement les codétenus mais aussi celui qui commandait, et les gardes, et l'avocat qui étalait des pages sur la table du parloir Aujourd'hui je vous trouve meilleure mine, major, nous pourrons peut-être travailler sur votre dossier, et pas seulement l'avocat mais aussi ma famille, et toi, Margarida, car je t'entendais converser avec eux, et moi, qui refusais de fermer l'œil de peur qu'on ne me vide un chargeur dans le cœur, j'acquiesçais Vous avez raison, maître, j'ai une mine splendide, vous n'avez pas réussi à m'abattre, tous autant que vous êtes, et lui Avant que vous ne commenciez avec vos bêtises, major, j'aimerais vous demander si vous accepteriez une confrontation avec le colonel Gomes et son avocat, et moi Le colonel Gomes ? et lui Il a été incarcéré hier dans cette prison et le lieutenant a permis que nous nous rencontrions pour avoir une conversation, et moi, réunissant les fragments du puzzle Le colonel Gomes est l'homme qui dirige la cabale, maître ? et le bateau de sauvetage se taisait, et la cloche se taisait, et même les vagues se taisaient contre les murs du fort, et le colonel Gomes, en pantalon de serge et grelottant dans un vieux pardessus, me tendait sa paume, Bonjour, Valadas, on ne salue plus les amis ? et moi Bien sûr qu'on les salue, mon colonel, le problème c'est que vous n'êtes pas un ami, mon colonel, et son avocat Pour l'amour de Dieu, major, le colonel Gomes a beaucoup d'estime pour vous, et le colonel Gomes C'est moi qui vous ai prévenu que la police était après vous, et moi Vous l'avez envoyée chez moi, dites plutôt que vous lui avez téléphoné et que vous l'avez envoyée chez moi, et le colonel Gomes Je ne tolérerai pas d'infâmes insinuations, je ne tolérerai pas les insultes, et mon avocat Je vous demande pardon, mon colonel, le major n'a pas voulu vous offenser, presque un an de prison ça vous met les nerfs en pelote, et le colonel, plus serein, Qu'il se rétracte et j'oublie cet épisode, et son avocat, se tournant vers moi, Nous souhaitons mettre au point une stratégie commune, décider ce qu'on dira et ne dira pas, le procureur est un dur à cuire, paraît-il, et moi Le jour du jugement je n'ouvrirai pas la bouche, et je ne l'ai pas ouverte, le colonel Gomes a été condamné à onze ans et renvoyé de l'armée, le commodore Capelo, promu amiral, a témoigné, il m'a semblé voir Alice dans l'assistance, dans une des rangées au fond, entre sa mère et son mari, mais quand j'ai regardé avec plus d'attention il y avait d'autres spectateurs à leurs places ou alors leurs places étaient vides, le juge a ajourné ma sentence sur l'avis des médecins, nous sommes revenus à Peniche dans un fourgon blindé, le colonel Gomes m'a dit Onze ans, Valadas, je ne durerai pas onze ans, en sortant du Tribunal j'avais aperçu sa femme qui pleurait et je lui ai dit J'espère que vous ne durerez pas, mon colonel, j'ai déjà assez d'ennemis comme ça, quand nous sommes arrivés à Peniche il tonnait, le ciel se fendait en blessures d'éclairs qui déchiraient la ville, qui déchiraient la mer, s'emparant des ombres phosphorescentes avant qu'elles ne s'enfouissent dans leurs replis de ténèbres, un bateau, presque sur la ligne d'horizon, flottait sur des nuages d'où suppuraient des larmes rouges, les maisons s'écroulaient, les entrepôts des pêcheurs et les chalutiers à l'ancre dérivaient vers le large, la falaise, amputée, exhibant ses viscères d'ardoise, libérait des essaims d'oiseaux épouvantés, et le lendemain matin le colonel Gomes s'est pendu dans sa cellule, et quand je l'ai vu, avant qu'on ne le recouvre de son pardessus et d'une serpillière, il n'était pas violet et il ne tirait pas la langue, mais ses pupilles étaient éteintes et il avait une expression aimable, si bien que j'ai pensé Il dort, il ne s'est nullement pendu, il dort, et cela en dépit de la marque sur son cou et de ses épaules déjetées, j'ai pensé Il dort, il a fait semblant de se pendre pour essayer de me tromper, alors je me suis approché de lui, j'ai placé mon pouce sur son front, il était froid, avec des taches vineuses à la racine des cheveux, et les bottes au bout de ses jambes, Margarida, m'ont semblé vides comme des souliers de mendiants.

6

Quand le temps se mettait au beau, Conceição, et que nous allions chez le médecin ou que nous sortions pour déjeuner dehors, le dimanche, dans le petit restaurant de la Calçada do Combro, tu enfilais ton unique robe, celle que tu portais à ta mort, tu suspendais mon portrait à ton cou dans un cœur en émail, tu troquais tes savates contre une paire de souliers que j'avais cessé de mettre parce qu'ils me comprimaient les orteils,

et comme tu ne nouais pas les lacets tu marchais dans la salle tel un scaphandrier sur le pont d'un bateau, faisant retomber les semelles sur le plancher avec un bruit de plomb,

et j'étais surpris que des petites bulles d'air ne s'élèvent pas de ta bouche chaque fois que tu respirais et qu'il n'y ait pas de calmars flottant autour de nous entre les rideaux et les meubles,

Il en était déjà ainsi quand je t'ai connue, quand j'ai quitté la Calçada do Tojal et mes sœurs pour habiter avec toi, plein de gratitude, car tu étais la première et la dernière femme à t'être intéressée à moi, à m'avoir trouvé beau, à m'accompagner bras dessus bras dessous aux matinées du Condes, à accepter de coucher avec moi dans une pension de la rue des Doiradores, escaladant trois étages sans protester, suçant mes dernières énergies dans des baisers qui sentaient la potasse et le roux,

le cagibi sans fenêtre de la rue des Doiradores, à vingt escudos l'heure, où je t'avais promis de t'enlever à ton patron, de t'acheter une alliance et d'aller avec toi devant monsieur le maire, toi qui jusqu'à la fin m'as appelé monsieur Valadas, tout comme tu appelais l'autre monsieur Esteves,

toi qui avais cessé de coucher avec monsieur Esteves depuis que la thrombose l'avait attaqué et qu'il était devenu perclus, incapable de parler, assis sur le sofa,

monsieur Esteves qui t'avait amenée de Beja quand il était devenu veuf

(le froid de Beja l'hiver, les moissons brûlées par la gelée, le vent roulant dans la plaine comme un train hurlant)

afin que tu travailles pour lui, que tu lui réchauffes son dîner, que tu lui nettoies son appartement de la rue Conde de Valbom et que tu occupes sur le matelas le côté que la défunte avait troqué pour une dalle funéraire dans une allée des Prazeres,

monsieur Esteves dont j'ai fait la connaissance quand je t'ai accompagnée pour que tu prennes ta valise au rez-de-chaussée où tu habitais, avec la photo de la défunte sur un ovale en crochet,

monsieur Esteves, pas rasé, qui n'avait personne en dehors de toi, serrant dans ses poings la frange de la couverture,

un homme plus âgé que je ne le suis à présent, au cou fait de rouleaux de peau qui disparaissaient dans sa veste comme une tortue se recroqueville dans sa carapace,

monsieur Esteves avec les moitiés mal ajustées de son visage, semblables à des pièces de puzzle emboîtées de force,

nous avons rempli une malle de sucriers, de plateaux et de cuillers en argent, nous avons rempli une malle de nappes, de boucles d'oreilles, de colliers, de bracelets, nous avons rempli une malle de statuettes en ivoire, de soupières, de papiers qui se trouvaient dans le coffre, d'une photo de toi et de lui sur une terrasse à Badajoz,

nous avons pillé son appartement et monsieur Esteves était silencieux, immense dans sa quiétude de plâtre, dégageant un relent de pipi, j'ai presque trébuché sur lui avec une coupe dans les bras, je l'ai poussé pendant que je te caressais sur le sofa, je lui ai appliqué une petite tape sur la joue quand nous nous sommes levés pour partir,

il n'a pas réagi, Conceição, il avait les jambes réunies sous la couverture, le bout de ses pantoufles écossaises pointait par-dessous, il a émis un borborygme, le seul bruit que je lui ai entendu lorsque j'ai pris congé de lui, Merci pour la dot, monsieur Esteves,

et toi, la paupière humide, Malgré tout c'est un brave homme, monsieur Valadas, ne riez pas, malgré tout je l'aime un petit peu,

Mais le prêteur sur gages d'Alverca, un beau parleur, ne nous a presque rien offert pour tout cela, Ce sont des vieilleries démodées, a-t-il déclaré, il n'y a pas un objet en argent qui ne soit rayé, pas un bibelot qui vaille tripette,

et nous, qui avions même volé la radio de l'invalide, le poste que tu faisais hurler dans l'idée d'amuser le veuf perdu dans ses limbes sans mémoire, nous avons obtenu finalement à peine de quoi meubler de bric-à-brac la mansarde de la rue Ivens où tu devais mourir, Conceiçao, et où je mourrai aussi cette année ou l'année prochaine, comme monsieur Esteves dans l'appartement de la rue Conde de Valbom, avec la photo de son épouse sur un ovale en crochet,

monsieur Esteves, sans cuillers, sans sucriers,

sans cristaux, sans musique, fixant les ténèbres et la lumière avec son visage tirant à hue et à dia,

monsieur Esteves, qui est peut-être toujours en train de mourir là-bas, au milieu des consoles d'un oncle commerçant mort il y a des siècles,

monsieur Esteves encore vivant, mais sans parents, sans personne pour s'occuper de lui, assistant au lever du jour et à la tombée de la nuit dans la carapace de tortue de sa veste,

monsieur Esteves, de qui je suis jaloux encore aujourd'hui, jaloux de cette épave, de ce cadavre, de cette tortue qui t'a arrachée à Beja,

(le froid de Beja, les moissons brûlées par la gelée, le vent roulant dans la plaine comme un train hurlant)

afin que tu travailles pour lui, que tu lui réchauffes son dîner, que tu lui nettoies et cires et aspires son rez-de-chaussée, que tu lui battes ses tapis, que tu lui amidonnes ses draps, que tu lui ravaudes ses chemises et que tu occupes le côté du matelas déserté par la défunte,

je suis jaloux qu'il t'ait touchée, jaloux qu'il t'ait embrassée, installée sur ses genoux, caressée, déshabillée,

si bien que s'il t'arrivait de parler de lui je disais Tais-toi, si bien que si tu demandais Qu'est donc devenu ce pauvre monsieur Esteves? je rétorquais Tu veux une gifle ou quoi? si bien que quand tu m'as prié Laissez-moi lui faire une petite visite, monsieur Valadas, je t'ai prévenue Si tu vas le voir, tu n'auras plus un os entier, maintenant à toi de choisir,

et jamais plus tu ne l'as mentionné, jamais tu n'es allée le voir, et s'il t'arrivait de te taire je te questionnais avec méfiance, Tu penses à l'Alentéjain, Conceição et toi, très vite, éloignant ta chaise de la mienne, Non, monsieur Valadas, je pensais que nous pourrions aller au Politeama dimanche,

et le dimanche venu, tu troquais tes savates contre

les souliers qui me comprimaient les orteils et tu te propulsais au-delà du Chiado, avec mon sourire sur la poitrine, jusqu'à une salle sombre où au bout de cinq minutes tu reniflais dans ton mouchoir, solidaire des malheurs de l'actrice, lâchant à chaque respiration un nuage de petites bulles qui dansaient un instant avant de s'évaporer dans le faisceau du projecteur qui sortait d'une petite ouverture en haut, la seule flamme du Saint-Esprit dans laquelle je crois.

Et quand nous avons fini de semer une demi-douzaine de meubles branlants dans l'arrière-cour de la rue Ivens (un lit, une table, un fourneau, deux chaises, une glace), quand nous avons payé le loyer à l'ingénieur qui nous avait loué la chambre en soupirant de méfiance et que j'ai changé mes chaussettes dépareillées pour la malle de monsieur Esteves, je t'ai dit Demain je te présente à ma famille, Conceição, et toi Vous allez me présenter, monsieur Valadas? et moi, Coiffe-toi, achète-toi une robe à la mercerie et ne parle pas trop pour ne pas me faire mal voir,

et après avoir examiné ton chignon et ta toilette, j'ai téléphoné à la Calçada do Tojal et j'ai dit à ma sœur Je viens déjeuner avec ma fiancée, Teresinha, et elle Ta fiancée? et moi Eh oui, ma fiancée, je n'ai pas le droit d'avoir une fiancée par hasard? et elle, après un silence où l'on devinait le silence de mes parents et où l'on entendait les coucous des pendules, C'est quelqu'un que je connais, Fernando? et moi, regardant ta robe et pensant Ce qu'elle est moche, Ne sois pas curieuse, sœurette, tu n'adores pas les surprises?

et j'ai ouvert le portail de Benfica en recommandant Mâche la bouche fermée et ne mets pas les coudes sur la table, c'était le mois de mars, je m'en souviens, car le mauvais temps et les orages d'avril n'étaient encore pas arrivés, le renard tournicotait dans la cage et des petites fleurs éclosaient dans l'herbe du jardin,

(les mêmes que lorsque j'étais enfant, Conceição, les mêmes que lorsque nous avons déménagé de Queluz à Benfica, le jardinier arrosait les massifs et l'arôme de la terre était doux à mes narines)

au lieu de me servir de ma clé j'ai tiré la sonnette et ma sœur Anita est venue ouvrir, elle t'a vue et s'est étonnée Nous n'attendions la nouvelle bonne que demain, entrez, vous avez fait bon voyage, vous n'avez pas apporté votre valise?

j'ai surgi derrière ton épaule et Anita mettait et enlevait ses lunettes comme chaque fois qu'elle était embarrassée Excusez-moi, quelle honte, j'avais oublié, je n'ai vraiment pas de tête,

nous sommes entrés dans la salle de séjour où le soleil s'était immobilisé sur les rideaux et envoyait une tache de lumière sur le tapis abîmé par le renard, je regardais les tableaux, les petites tables parsemées de vases, de chandeliers et de cendriers,

je regardais comme un étranger la maison où j'avais grandi, dans ses silences, dans ses odeurs, dans ses échos,

j'entendais les pas de ma sœur Julieta et je m'interrogeais Qui cela peut-il bien être? j'entendais le grincement de la chaise à bascule et je m'étonnais Qu'est-ce que c'est que ça? j'entendais les tangos du phonographe et je me demandais en mon for intérieur D'où vient cette fanfare?

ma sœur Teresinha est arrivée en s'essuyant les mains sur son tablier et moi, Voici Conceição, Teresinha, salue ta future belle-sœur, et toi sans savoir quoi faire et elle t'examinant et secouant la tête en silence,

et moi, qui suis peut-être stupide mais pas autant que ma famille le prétend, moi qui percevais à cent lieues ce que ma sœur pensait Une bonniche, comme notre père l'avait prédit, si maman était encore en vie elle ne supporterait pas cela, d'abord l'emprisonnement de Jorge et maintenant Fernando avec une fiancée qui pourrait vendre des cochons de lait à la foire de Viseu, et le fils de ma sœur Julieta a dévalé l'escalier et moi Dis bonjour à ta tante, petiot,

et toi, jambes écartées dans le vestibule, et ma sœur Anita te désignant une chaise Vous ne voulez pas vous asseoir, vous ne voulez pas boire quelque chose? et toi Un petit marc, madame, car j'ai la langue rêche comme une langue de perroquet, et ma sœur Anita, remuant des bouteilles, Je ne sais pas si nous avons du marc, je vais voir, mais je peux vous servir un jus d'orange avec de la glace, et toi, posant la pointe de tes fesses sur un coin de chaise et me cherchant des yeux pour que je te guide dans le monde étrange des salamalecs des riches, car tu étais perdue dans le labyrinthe de formules de politesse qui te dépassaient, Le jus d'orange me donne la dysenterie, madame, vous n'auriez pas plutôt un verre de vin rouge?

mais pour ce qui est de manier la fourchette, d'utiliser la serviette, de mâcher la bouche fermée et de ne pas mettre les coudes sur la table, alors là,

répondant en te suçant les dents aux phrases de ma sœur Anita, Oui, madame, Non, madame, Pas possible, madame?

troublée par le silence de ma sœur Teresinha qui te toisait des pieds à la tête, troublée par le silence de mon neveu qui commençait à prendre de l'embonpoint et à perdre ses cheveux, le nez dans son assiette, troublée par les photographies, les pendules et les révérences des coucous et sursautant à chaque carillon d'horloge, désirant que vienne le café pour que nous puissions nous en aller, regrettant déjà d'avoir abandonné monsieur Esteves qui t'avait amenée de Beja, après s'être mis d'accord avec ton parrain, enfermés tous les deux dans la baraque loin du centre de la ville qui donnait sur les oliviers et l'immensité des champs, afin que tu travailles chez lui,

et ton parrain Fais ton baluchon, ma fille,

et toi Mon baluchon?

et monsieur Esteves dans l'automobile, plaquant sa main sur ton genou, J'ai besoin de quelqu'un qui s'occupe de ma maison, tu n'es jamais sortie de Beja, Conceição, tu n'es jamais sortie des moissons brûlées par la gelée, du vent roulant dans la plaine comme un train hurlant?

et toi, rétractant ta cuisse Non, monsieur,

et cette nuit-là monsieur Esteves est allé dans ta chambre sans allumer la lumière, chuchotant N'aie pas peur, petite, n'aie pas peur, gamine, enlève ta chemise, je ne te ferai pas mal,

et il s'est étendu sur moi en toussant et il m'a comprimé la poitrine et j'ai étendu les bras en croix et ça m'a fait mal et j'ai serré les dents pour ne pas pleurer mais je n'avais pas envie de pleurer, j'avais envie de retourner à Beja,

et monsieur Esteves, en allumant une cigarette, Bravo, gosseline, si tu sais faire la cuisine je ne te renverrai pas,

et cette année-là à Noël il m'a offert une bague que je n'ai pu utiliser qu'en la mettant au bout d'un fil et il m'a déménagée dans son lit, Dorénavant tu dormiras ici, dorénavant ta place est ici,

et je me suis habituée aux ronflements du vieux, je me suis habituée à son tabac, je me suis habituée à l'entendre parler en dormant, je me suis habituée à la sonnerie du réveil qui me perçait les oreilles comme un fil de fer brûlant,

monsieur Esteves, qui n'avait ni amis ni parents, ne recevait jamais personne, ne parlait jamais à personne, ne lisait jamais le journal, plaçait l'aiguille de la radio sur la station des opéras et m'expliquait C'est du Verdi, Conceição, écoute,

mais pour moi c'était des beuglements, pour moi

c'était une femme et un monsieur qui se disputaient comme ma marraine et mon parrain dans la baraque de Beja,

et un jeudi il a mis la radio plus fort que d'habitude, *La Tosca,* Conceição, écoute-moi ce ténor, si fort que le voisin du sous-sol, un médecin de la peau, a commencé à frapper au plafond avec un manche à balai, et j'ai eu peur de la furie du docteur, j'ai voulu réduire le son et quand je me suis approchée de la radio j'ai trouvé monsieur Esteves tremblant, bavant, en train de s'affaisser par terre,

Il a eu une attaque, a dit le médecin de la peau en lui donnant des petits coups de marteau sur les jointures, le balai avec lequel il avait frappé au plafond encore sous l'aisselle, au moins me voilà débarrassé des opéras,

et mon patron voulait me communiquer quelque chose, et je collais mon visage contre le sien, je le secouais par le revers de sa veste Qu'avez-vous, monsieur Esteves?

et lui *La Tosca,* Conceição, quelle musique merveilleuse, et onze mois plus tard j'ai fait la connaissance de monsieur Valadas au restaurant et son double menton m'a plu, il n'était pas aussi beau garçon que le médecin de la peau, celui qui détestait Verdi, mais sa solitude, il était toujours seul à sa table, m'a attendrie,

et ma sœur Teresinha, qui n'arrêtait pas de te regarder et de secouer la tête comme si le plus grand malheur du monde venait de lui arriver, Le mariage est pour quand, Fernando?

et ma sœur Anita, en débarrassant la table, Le mariage aura lieu quand, Dona Conceição?

et toi, déposant un noyau d'olive sur le couteau, C'est monsieur Valadas qui connaît la date, c'est monsieur Valadas qui s'occupe de tout parce que moi je ne sais pas lire,

si bien que l'après-midi, pour le distraire, je lui

trouvais un opéra à la radio et j'avais à peine tourné le bouton que la femme et le monsieur sortaient de chez eux en hurlant, mais monsieur Esteves restait impassible, le médecin de la peau frappait le balai contre le plafond, mon neveu a été le seul à ne rien dire, il pelait une poire, le nez dans son assiette, il ne semblait même pas entendre le phonographe de ma sœur Julieta, le phonographe de sa mère, qui éternuait des tangos dans le grenier, et une fois dans la rue tu m'as demandé J'ai été bien, monsieur Valadas? et moi Tout à fait bien, Conceição,

me souvenant de ma sœur Teresinha qui, le déjeuner terminé, n'a même pas dit au revoir, elle s'était réfugiée dans la cuisine et tirait son mouchoir de sa manche en répétant, Ah si mon père avait imaginé cela, saint Antoine,

pensant à ma sœur Anita qui te tendait la main, la suspendait en l'air, la retirait, esquissant un difficile geste d'adieu, Enchantée d'avoir fait votre connaissance,

de sorte que je ne devinais pas s'il continuait à apprécier l'opéra ou pas, il était si tranquille sur le sofa, il sentait tellement l'urine, monsieur Esteves qui était né à Beja et qui n'avait pas d'enfants, pas de cousins, pas un ami ou un collègue qui s'intéresse à sa vie, ma marraine m'écrivait à Pâques, elle m'envoyait un saucisson, et la concierge me lisait ses lettres Nous avons tous notre croix, petite,

pensant à mon neveu qui est parti en courant Au revoir, en retard pour son travail au Secrétariat d'État, mon neveu presque aussi stupide que moi, presque aussi dépourvu de volonté que moi,

pensant à la fureur des morts, pensant à la colère inutile des morts,

samedi j'ai pris le tram et je suis allé à la Calçada do Tojal chercher mes trois costumes, celui à rayures, le bleu et le marron, avec une tache incompréhensible sur le gilet que la teinturerie refusait de nettoyer, mes pull-overs, l'étui de mes rasoirs et le cuir à rasoir, lustré à force d'usure, que j'avais oublié,

et les fleurettes éclosaient dans l'herbe sous le soleil, il y avait des feuilles neuves aux arbustes, la rampe de gravier couleur de lait étincelait au soleil, la gouttière grimpait le long du mur, verte au soleil, deux ramoneurs marchaient sur le toit à quatre pattes et le renard glapissait dans sa cage,

j'ai franchi le portail avec une gravure représentant Pilate sur la terrasse du temple en train de condamner Jésus devant une multitude de tuniques, du seuil de la salle j'ai constaté que mes photos avaient été retirées du mur et des commodes, et sur celles où je figurais avec mon frère et mes sœurs des rondelles de papier de soie recouvraient mon visage, si bien que j'étais moi jusqu'à hauteur de la poitrine seulement, Conceição, comme ces silhouettes à la gouache sur les rideaux des photographes auxquelles nous prêtons notre tête, sauf votre respect,

bref, tout était pareil, à ceci près que ma personne avait cessé d'exister pour eux, ma sœur Teresinha est venue avec une boîte en fer-blanc pleine de haricots rouges sur laquelle était écrit Riz et elle m'a dit Va-t'en, Fernando, nous ne voulons plus de toi ici, et moi, assailli par les sanglots des coucous, Cette maison est autant à moi qu'à toi, qui m'a recouvert sur les sous-verre? et elle Tu as offensé la mémoire de nos parents, tu as offensé la famille, tu es insensible, Fernando, va-t'en vite, notre père avait raison à ton sujet, et moi Je voulais te demander de porter les alliances, Conceição insiste beaucoup là-dessus, et elle Va-t'en, Fernando, si Jorge était ici, il te chasserait avec des gifles, et moi Jorge ne chasse plus personne avec des gifles, Jorge s'est suicidé à Tavira, sœurette, et ma sœur Julieta a arrêté sa chaise à bascule et elle s'est mise à crier dans le grenier, je suis monté dans ma chambre, j'ai ramassé les costumes et les pull-overs et l'étui et le cuir à rasoir, la colline de Monsanto brillait dans la fenêtre avec ses poteaux électriques et le bâtiment de la prison tout en haut, et j'ai pensé sans tristesse C'est la dernière fois de ma vie que je vois cela, jusqu'au jour où le médecin de la peau s'est plaint à la police et ensuite j'ai mis la radio plus bas, et ma sœur Teresinha Ne parle pas de Jorge, n'aie pas le front de parler de Jorge,

Jorge s'est suicidé dans la mer, à Tavira, il s'est enfui de la prison pour se suicider dans la mer, d'après ce que le commandant de la caserne nous a dit son corps a été retrouvé accroché à une falaise et gonflé d'eau, et suant sur la route au milieu des marguerites nous avons transporté Jorge à Lisbonne dans un cercueil de plomb,

les ramoneurs rangeaient leurs hérissons en se retenant aux saillies du toit,

et ma sœur Anita Si Jorge était là, tu ne te marierais pas, Fernando, et moi, ma valise à la main, Je vous enverrai un faire-part, venez si le cœur vous en dit,

Mais les seuls à venir furent toi et moi, Conceição, plus la dame de l'état civil et l'employé de la mercerie qui était notre témoin, si bien que je ne suis pas retourné à la Calçada do Tojal et que je ne sais pas ce que sont devenus ma sœur Teresinha, ma sœur Anita, ma sœur Julieta, mon neveu,

notre repas de noce a consisté en un demi et un hot dog dégustés au comptoir d'un bistrot place Camoens où les gâteaux et les rissoles étaient couverts de mouches comme celles qui se frottaient les pattes sur tes joues quand tu es morte et que tu as cessé d'entendre le vent de Beja rouler dans la plaine comme un train hurlant, et monsieur Esteves et moi, chacun à un bout de la ville, également immobiles, également vieux, également silencieux, également sans musique, lui t'attendant, Conceição, et moi attendant mon neveu qui ne viendra pas,

après avoir terminé bière et hot dog dans le bistrot des gâteaux, des rissoles et des grosses mouches bleues, toi dans la robe de la mercerie et moi dans mon costume rayé, nous avons essuyé la moutarde de nos doigts et nous sommes rentrés à la nuit tombante dans l'arrière-cour de la rue Ivens, quatre volées d'escalier qui protestaient sous nos semelles,

nous nous sommes arrêtés à chaque palier pour calmer notre sang et la respiration qui nous fuyait, comme peut-être Jorge s'était arrêté au bord de l'eau avant d'avancer dans la mer, Qu'est-ce que j'ai fait à Dieu pour avoir un frère aussi stupide, un frère qui a épousé une bonniche, messieurs?

en arrivant là-haut, j'ai regardé les meubles branlants que nous avions achetés et tes savates sous le lit, et j'ai songé à faire machine arrière, à retourner à la Calçada do Tojal, et à mes sœurs, et au renard, et aux tangos, et aux jours de congé passés dans la pâtisserie à sourire aux dames blondes qui échangeaient des chuchotements, indifférentes à moi, et toi, préoccupée par mon silence, Vous vous sentez mal, monsieur Valadas?

je lui ai secoué la tête comme j'avais fait pour monsieur Esteves, pendant l'opéra à la radio, j'avais peur qu'il n'ait une attaque, j'avais peur de me retrouver avec un autre patron bavant, assis sur le sofa, une couverture sur les genoux,

et loin de Beja, loin du froid de Beja l'hiver, loin des moissons brûlées par la gelée, loin du vent roulant dans la plaine comme un train hurlant, je devrais m'occuper de lui, le nourrir, nettoyer ses excréments, l'habiller et le déshabiller, le coucher dans son lit,

Vous vous sentez mal, monsieur Valadas?

et moi, regrettant Benfica, Ce n'est rien, Conceição, ne fais pas attention, c'est la faute de ces marches que j'ai du mal à monter, et toi, soulagée, Ouf, monsieur Valadas, vous m'avez fait une de ces peurs,

et moi, regardant par la fenêtre la nuit de Lisbonne comme dans mon enfance quand je me réveillais avant l'aube et que je m'approchais de la balustrade, effaré par les arbres qui s'élevaient haut dans le ciel.

7

Quand on m'a fourré pour la première fois dans l'ambulance, après m'avoir arrêté, et que j'ai demandé où nous allions, on m'a répondu En Chine, mon garçon, et il faut un bon bout de temps pour arriver là-bas, or depuis ce temps-là j'ai navigué d'un côté et de l'autre avant de jeter l'ancre à Tavira, dans la caserne près de la mer d'où je ne vois pas la mer, où j'entends les vagues mais où je ne les vois pas, où j'entends les oiseaux mais où je ne les vois pas, de sorte que j'ai compris qu'on m'avait menti, que je ne suis pas à Tavira, que je ne suis pas dans une caserne, que je ne suis pas dans l'Algarve, qu'on m'avait fait traverser sans que je m'en rende compte une masse de pays et de fleuves, une masse de continents, et qu'on m'avait largué ici, non pas au Portugal mais près de la frontière avec la Chine, dans un pays semblable aux assiettes orientales de ma grand-mère, avec des femmes tenant des éventails, avec des pagodes ressemblant à des kiosques à journaux et des arbustes penchés au-dessus de lacs bordés d'hibiscus, aux berges reliées par des ponts délicats comme des sourcils arqués par la surprise. J'ai compris que j'habite non pas une prison mais une soupière de faïence rangée dans une armoire entre des cuillers en porcelaine ornées de dragons qui tirent la langue le long du manche. Ma sœur Anita s'ébahissait devant les mandarins qui souriaient sur les tasses, ma sœur Maria Teresa s'effrayait des Bouddhas en terre cuite dont le cou palpitait de face et de dos, nous entendions la canne de la vieille servante se traîner comme un gondolier dans le couloir pour venir nous interdire de toucher aux théières et aux soucoupes décorées d'amandiers nains où s'enroulaient des serpents ailés comme des anges de missel.

J'ai compris qu'on m'avait abandonné exprès à la frontière de la Chine pour que je la traverse seul, tout comme, enfant, la nuit, lourd de pipi, je traversais les pièces dans l'obscurité pour aller aux toilettes, tourmenté par une conspiration d'ombres et de bruits minuscules (susurrements de meubles, soupirs de pendules, galops de souris à l'intérieur des murs, respiration du réfrigérateur qui changeait de position dans son sommeil). J'ai compris qu'un beau matin on me dirait Va, et je sortirais de ce qu'ils appellent caserne dans ce qu'ils appellent Tavira, entendant les vagues sans voir les vagues, entendant les mouettes sans voir les mouettes, entendant les voix de gens sans les apercevoir, pour me diriger vers les silhouettes des assiettes qui m'attendaient en silence dans leurs paysages de faïence, comme les défunts nous attendent derrière une ultime porte dont nous comprenons trop tard qu'elle est la dernière car elle se ferme sur nous comme le couvercle d'un cercueil.

Alors j'ai cessé d'avoir peur qu'on ne me poursuive puisque moi seul aurais pu me poursuivre, d'avoir peur qu'on ne m'épie puisque moi seul aurais pu m'épier, d'avoir peur qu'on ne me tue puisque moi seul aurais pu me tuer, et j'ai accepté leur nourriture, leur eau et le verre de vin de leurs dimanches, et les visites de celui qui faisait semblant d'être leur commandant faisant semblant de se préoccuper pour moi, Vous avez meilleur appétit, major? et moi, comme si je ne savais rien, Je vais très bien, mon lieutenant-colonel, et lui Vous vous êtes sorti toutes ces idées de la cervelle? et moi Complètement, mon lieutenant-colonel, et lui, tournant la poignée, Asseyez-vous, asseyez-vous, Valadas, faites comme chez vous, je suis heureux de vous voir en meilleure forme, et moi, nouant ma serviette autour de mon cou et goûtant la soupe, pendant que le clairon sonnait le rassemblement des officiers, Merci de votre intérêt, mon lieutenant-colonel, voulez-vous manger avec moi? et lui, déjà dans sa parade, Bon appétit, Valadas, si vous continuez comme ça je téléphonerai à votre famille pour lui annoncer qu'elle pourra vous parler, et cet après-midi-là, Margarida, j'ai eu l'autorisation de me promener au milieu des casernes jusqu'à l'heure de la bouffe, des constructions en brique imitant des casernes avec des hommes imitant des soldats en train de manier des fusils, et un faux capitaine m'a payé un whisky au mess où de faux lieutenants et de faux sous-lieutenants jouaient aux cartes ou tournaient autour d'une table de billard.

Les vagues, elles, je me suis trouvé devant la semaine suivante seulement, devant les vagues, devant les navires, devant les pêcheurs qui raccommodaient leurs filets, et la semaine suivante seulement je suis descendu en ville, en direction de la Chine, et j'ai rencontré la mer, quand celui qui faisait semblant d'être un commandant m'a rattrapé près des cabines de bain des sergents, il a sorti un paquet de sa poche et me l'a tendu Une cigarette, Valadas? et allumant une allumette dans ses deux mains réunies il m'a dit, penché avec moi vers la flamme tremblante, J'ai écrit à vos sœurs pour leur donner de vos nouvelles, j'espère que dès qu'elles recevront la lettre elles prendront le train pour l'Algarve, et j'ai pensé Julieta, et lui Qu'est-ce que vous dites, major? et j'ai pensé Elles sortiront Julieta du grenier, elles l'arracheront à ses tangos pour l'amener ici? et lui Il me semble que vous avez dit quelque chose, Valadas, et moi, inspirant la fumée et comprenant qu'on m'ordonnait Va, Je vous suis reconnaissant de vous être souvenu d'elles, mon lieutenant-colonel, j'ai toujours été très attaché à ma famille, et le commandant, refermant le paquet, Je ne suis pas un geôlier, Valadas, je suis un militaire, la police ne m'intéresse pas du tout, et j'ai pensé, elles amèneront Julieta pour exposer notre honte aux yeux de tous, elles amèneront Julieta pour m'humilier avec mon impuissance, pour nous humilier avec l'impuissance de mon père, pour se gausser de nous, Ils ne sont pas des hommes, ils ne sont pas des hommes, ils ne sont même pas des hommes, quel malheur, Julieta, qui n'est jamais sortie de la Calçada do Tojal, hurlera cramponnée à son phonographe dans la gare de Barreiro, et le commandant Je n'approuve pas que vous ayez conspiré, Valadas, mais le fait est qu'une unité, en tout cas tant que je serai là, une unité n'est pas une geôle, et ma sœur Maria Teresa Tais-toi, Julieta, et ma sœur Anita Et si nous retournions à Benfica, sœurette? et ma sœur Maria Teresa Si on nous écrit d'aller voir Jorge on va voir Jorge, et ma sœur Julieta Non non non non non, et les porteurs regarderont les trois créatures perdues au bord de la ligne de chemin de fer, l'une un phonographe dans les bras et les deux autres essayant de lui retirer le pavillon des mains, alors, à peine le commandant s'était-il éloigné, fâché contre une ordonnance qui n'arrosait pas les massifs pour aller conter fleurette aux bonnes en ville, j'ai empêché mes sœurs de quitter Benfica en me dirigeant sans presser le pas vers la porte principale de la caserne, en me dirigeant vers la ville pendant que la sentinelle se redressait avec des mouvements saccadés de pantin mécanique.

Ce que les types déguisés en soldats désignaient sous le nom de Tavira ressemblait à Tavira sans être vraiment Tavira : le même soleil, la même disposition des rues et des maisons, les mêmes édifices anciens et la place et le pont romain que j'aimais tant, les mêmes terrasses avec les mêmes veufs assis sur les mêmes chaises devant les mêmes sirops intacts, les mêmes chiens, la même odeur de poisson, les mêmes mouettes, jusques et y compris la même petite pension au-dessus du garage, Residencial Rabat, tu te souviens? des chambres le long d'un corridor blanchi à la chaux, la douche au fond, après le déjeuner nous additionnions tous les deux les moustiques au plafond qui, à peine aurions-nous éteint la lumière le soir, rempliraient nos oreilles de vrombissements d'aéroplanes, et toi Demain matin la première chose que je ferai ce sera d'acheter une bombe d'insecticide, et moi, allumant la lampe et m'appliquant des claques sur la figure, Je vais mettre mon maillot de bain et aller dormir sur la plage, je ne supporte plus ces bestioles.

Ce n'était pas Tavira car l'employée de la pension était différente, elle lavait le carrelage avec un torchon et un seau, ce n'était pas Tavira parce que la droguerie où nous avions acheté la bombe pour les moustiques avait été remplacée par un magasin de robes de mariée avec dans la vitrine des mannequins affublés de satin et avec de la gaze plantée sur l'occiput et des mariés en veston croisé et gants, pétrifiés dans des étreintes qui n'aboutiraient jamais. Je me souviens qu'en arrivant de Santo Tirso, avant d'entrer à l'École de l'armée, j'avais assisté une fois à l'arrivée dans un établissement de mode de ces grands pantins, encore sans vêtements, portés par des employés qui les sortaient d'une camionnette sur le trottoir où ils étaient entassés comme un peloton dépourvu de sexe, je me souviens de leur aspect d'extra-terrestres androgynes, postés ici et là dans les avenues de Lisbonne afin d'espionner les ingénus dans mon genre avec leur sourire ténébreux. J'ai compris trop tard que c'était moi qu'ils surveillaient en trouvant chez le tailleur une veste que j'avais commandée couverte de traits à la craie et enfilée sur un mannequin à trois pieds, au cou et aux membres sectionnés.

Ce n'était pas Tavira et le fait que les mannequins m'aient suivi (mais comment, mais en utilisant quel moyen de transport, mais en obéissant à qui?) jusqu'à la frontière avec la Chine m'a poussé à entrer dans le magasin à la recherche de pistes susceptibles de m'éclairer sur les intentions des créatures dans la vitrine qui demeuraient tournées vers la rue avec une indifférence feinte, offrant leurs bonnets en dentelle à l'étude du notaire dans la ruelle, visitée par des fourmis qui transportaient des rouleaux de papier en quête d'une bénédiction de tampons, et je me suis trouvé face à des dizaines de joues lustrées qui me contemplaient avec une sympathie trompeuse, munies de tubéreuses de feutre qui remplissaient l'espace de corolles postiches. Des statues en frac avaient l'air prêtes à s'envoler dans leurs chaussures vernies, des demoiselles d'honneur avec des mèches en étoupe se noyaient sous leur tignasse, des témoins en pantalon fantaisie présidaient des groupes en smoking qui s'inclinaient dans des postures variées et qui reculaient au-delà du comptoir, se protégeant et se défendant, en direction d'une porte annonçant Bureau, au-delà de laquelle on devinait d'autres joues lustrées, d'autres tubéreuses, d'autres satins montant de la cave du magasin dans un fracas de marches nuptiales. J'ai quitté l'établissement en courant au moment où un mannequin me demandait Je peux vous aider, monsieur l'officier? et j'ai trotté dans des ruelles et des impasses avant de déboucher sur la place à côté du pont romain, et de là j'ai continué vers la mer en suivant le trajet que nous faisions la nuit pour fuir les moustiques de la Residencial Rabat qui sifflaient dans l'obscurité, nous étendant tous les deux dans le sable d'août, comptant les étoiles qui se confondaient avec les fanaux des bateaux, comme si nous étions entre deux ciels parallèles, des chauves-souris s'agitaient au-dessous et au-dessus de nous et Tavira dérivait vers l'Afrique avec ses terrasses et ses veufs devant leur sirop intact.

De la place de Tavira qui n'était pas Tavira puisque les mannequins me surveillaient, et si les mannequins me surveillaient c'était bien la frontière avec la Chine, je suis arrivé à la plage, Margarida, pas celle que tu connaissais mais une plage exactement pareille et pourtant différente, avec moins de mouettes et une mer plus claire, où les pêcheurs ravaudaient leurs filets avec une lenteur de lézard, et il y avait des chiens venus des montagnes de l'intérieur de l'Algarve qui sentaient la figue et le citron, attirés par l'odeur de la criée, il y avait l'aveugle d'autrefois sur son pliant de toile qui contemplait l'écume à travers ses lunettes de mica, il y avait les vagues de juin semblables à de grandes ouïes figées, et la Chine, comme sur les assiettes et les soupières de ma grand-mère, tout de suite après la mer, la Chine gardée par la vieille servante avec sa canne qui se traînait comme un gondolier le long du corridor pour enfermer à clé dans l'amoire de la salle les dragons, les serpents et les Bouddhas en terre cuite, ma sœur Anita s'ébahissait devant les mandarins qui souriaient sur les tasses, Fernando a pris une cuiller de porcelaine et la servante, furieuse, Laissez ça, Fernando, la Chine qu'on atteignait au bout de longs mois et les fleurs bizarres et les sourcils des ponts, et en revenant à la maison j'ai demandé à ma mère C'est très loin la Chine? et ma sœur Maria Teresa, qui portait des nattes en ce temps-là, Elle est dans la maison de grand-mère, nous en revenons à l'instant même, si bien que l'Orient, Margarida, se trouvait à un deuxième étage de la rue Braamcamp, petite salle après petite salle, avec des lits ouvragés, des pianos droits et des fauteuils de cuir recouverts de draps, ma grand-mère, minuscule dans une bergère immense, nous donnait des caramels fourrés à l'anis, à sa mort la Chine a été vendue au Consulat du Pérou et la rue Braamcamp a été transférée en Amérique sans changer de place, avec des diplomates en poncho jouant de la guitare au fond des soupières. La Chine n'est nulle part, a décrété mon père en nous ramenant en auto à la maison, la Chine n'existe pas, et moi, menton posé sur le dossier de la banquette avant, je ne comprenais plus rien parce que je venais de la voir sur les rayons de l'armoire, Mais alors, et les pagodes, et les dames avec les éventails? et mon frère Fernando, qui bien des années plus tard finirait par épouser une bonniche horrible, Mais si, papa, elle existe, je lui ai même cassé une soucoupe, Je le dirai à votre grand-mère, a menacé la servante à la canne avec un bêlement tremblé, je dirai à votre grand-mère que vous cassez son service, et ma grand-mère me demandait du fond de sa bergère, Tu es Fernando ou Jorge, petit? et moi, offensé qu'elle me confonde avec ce nigaud, Je suis Jorge, voyons, grand-maman, et elle Je me disais bien, tu as toujours les ongles plus propres, et ma sœur Maria Teresa, qui n'avait pas remarqué que la vieille dormait, Fernando vous a cassé une assiette, grand-mère, Alors si tu as cassé une soucoupe, a dit mon père en doublant un tramway, la Chine n'existe plus, et ma mère Allons, Alvaro, et mon frère Fernando Mais si, elle existe, il en reste encore toute une pile, et mon père, se tournant vers ma mère, Quoi, allons, Alvaro? et ma sœur Maria Teresa Grand-mère, Fernando vous a cassé une petite assiette, et la grand-mère ne disait rien, et ma mère a dit à mon père Si tu trouves cela drôle et si tu l'encourages, le petit mettra tout en pièces, et ma sœur Maria Teresa en hurlant, Grand-mère, vous entendez, grand-mère, Fernando vous a cassé une petite assiette, Et s'il met tout en pièces, qu'est-ce que ça fait? a répondu mon père en insultant une charrette, je ne veux pas de cette camelote, et ma grand-mère ne bougeait pas, ne parlait pas, elle ronflait la bouche ouverte et son dentier se détachait, et moi, effrayé, Grand-mère, qu'avez-vous, grand-mère? et mon père disait à ma mère Tu ne comprendras pas ce que je vais te dire, mais depuis que je suis enfant je rêve de fracasser cette armoire à coups de bâton, et ma mère Bravo, Alvaro, bravo, c'est un bel exemple que tu donnes là à tes enfants, et j'ai imaginé mon père en culottes courtes, dans un costume de marin comme moi à cette époque, brisant les porcelaines avec une gaule, et quand nous sommes arrivés au deuxième étage de la rue Braamcamp j'ai aussitôt jeté une poterie par terre et mon oncle Eduardo m'a envoyé une beigne, et ma mère C'était ça que tu voulais, Alvaro? et mon père à mon oncle Si tu frappes de nouveau Jorge je te flanque une dérouillée et ma grand-mère, une poignée de caramels dans la main Quelqu'un veut encore des bonbons, les enfants? et mon oncle, qui n'était pas militaire mais avocat, Essaie un peu, et mon père Je vais essayer, je vais essayer, lâche-moi, Madalena, et ma sœur Anita, se cramponnant à son pantalon, Père père père père père père père, et mon père Montre donc comme tu es hardi, montre donc comme tu es courageux, et mon oncle Eduardo, bombant le torse, Je vais te le montrer, et tout de suite encore, tu crois que j'ai peur de toi? il y avait une vieille photographie, couleur de teinture pour les égratignures, où tous deux tenaient une bicyclette sans pneus, et mon oncle José, qui était vieux garçon et qui travaillait dans une compagnie de navigation, a surgi soudain Venez vite, maman a eu une attaque, nous nous sommes précipités dans la chambre au moment où la main de ma grand-mère s'ouvrait et où tombait de ses doigts une pluie de caramels fourrés à l'anis.

Il devait être dix ou onze heures du matin quand je suis arrivé sur la plage à l'endroit de la frontière avec la Chine, l'aveugle en casquette à visière sur son pliant de toile a tourné ses lunettes de mica vers moi, et ce n'était pas l'aveugle d'autrefois, Margarida, car celui-ci, en dépit de la ressemblance des traits, était plus maigre et avait un visage labouré de creux et de plis comme un rocher érodé, ce n'était pas le même aveugle mais une créature usée par le vent et les vagues, devant, derrière, comme des branchies fatiguées, un aveugle pieds nus avec des chevilles de mouette qui m'a observé avec une sérénité de statue, qui a grommelé Une petite aumône, voisin, l'aveugle et les chiens qui sentaient la figue et le citron, venus des montagnes de l'Algarve attirés par l'odeur de la criée, les pêcheurs qui ravaudaient leurs filets avec une nonchalance de lézard, des bateaux quille en l'air qui attendaient la nuit et moi qui attendais la nuit avec eux, accroupi dans une caisse, avant de m'embarquer pour la Chine sur la mer.

Au soleil couchant le clairon de la caserne a sonné l'heure de la tambouille et j'ai pensé J'ai faim. J'ai pensé Cela me ferait peut-être du bien de manger avant de traverser la frontière, mais je me suis dit Ça n'a pas d'importance, c'est une question de minutes, je mangerai de l'autre côté en arrivant. Il n'y avait plus de pêcheurs, il n'y avait plus de mouettes abritées sous l'arche du pont, il y avait tout juste l'aveugle, les chiens qui aboyaient leur nostalgie de tripes de pieuvre, et les réverbères allumés de Tavira (Mais ce n'était pas Tavira, je te jure que c'était une ville inventée) creusaient les façades comme lorsqu'on approche une flamme de pétrole d'un visage et qu'on aperçoit ses cordillères, ses vallées, les fleuves des artères, les pores qui s'ouvrent et se ferment, la disposition des poils. Juste les chiens, l'aveugle et moi, la lune émergeant de la mer et le bruit des vagues, jusqu'au moment où la noirceur a englouti l'aveugle et les chiens, et quand j'ai cessé de voir la caisse dans laquelle j'étais accroupi, je me suis levé, j'ai rajusté mon dolman et j'ai marché vers les vagues. J'ai hésité à enlever les chaussures qui rendaient ma marche sur l'eau difficile, mais je n'ai pas trouvé raisonnable de débarquer en chaussettes dans un pays inconnu : je suppose que tu es d'accord avec moi, Margarida, mes parents n'auraient pas aimé ça.

Livre Quatre

LA VIE AVEC TOI

1

Habiter à Alcântara ne me plaît pas car c'est loin du lycée : deux autobus plus le temps d'attente entre les deux ça fait au minimum une heure. Et l'après-midi c'est encore pire, même quand il ne pleut pas, avec les gens qui reviennent du travail et qui se bousculent aux arrêts. Et puis il n'y a pas de cinéma : rien que des maisons et des brasseries et des bureaux et des clochards dans les entrepôts déserts. Pas le moindre cinéma, pas le moindre café, pas le moindre billard pour passer le temps, rien. C'est le bout du monde, ce trou : misère et murs qui dégringolent. Peut-être que nous n'aurions pas dû quitter Lourenço Marques : ma mère vivait avec son père sur une île avec des singes et des cocotiers sur la plage, si bien que quand je m'ennuie j'imagine les singes assis sur le sable, regardant fixement la mer. Au Zoo les singes ne regardent pas la mer : ils nous regardent nous avec une tristesse douloureuse comme celui qui dort avec moi et qui mendie la cacahuète d'un baiser. Quand nous nous retrouvons à table, ses doigts extraient les arêtes du poisson avec la délicatesse d'un mandrill épuçant ses petits, et après avoir dîné il croise son couteau et sa fourchette sur son assiette et il disparaît dans le jardin derrière pour pleurer sans bruit comme les bêtes. Je ne le vois pas mais je le sens là-bas, sur le banc de pierre, en train de suer des larmes sous le noyer. Ou en train de rire. Ou d'écouter les trains en contrebas, près du fleuve, et le phare qui mugit dans la brume. Quand nous nous sommes connus il m'a raconté que lorsqu'il était petit il entendait le phare mugir toute la journée et crier au secours, un faisceau balayait sans cesse sa chambre à sa recherche, et lui se recroquevillait dans son lit de peur que la lumière ne le débusque et ne l'emmène. Puis sa marraine est morte, on l'a amené à Lisbonne et le phare s'est tu.

Notre maison de la Quinta do Jacinto comporte ma chambre, la chambre de ma tante et la chambre de mon père, la cuisine, la salle avec la télévision et la table des repas. On se lave les mains dans le hangar avec une glace, les brosses à dents et une bassine pour la toilette. Je déteste cette glace parce que mon visage ne sourit pas dans le tain, comme les photos des photomatons contractées dans des expressions qui me font peur. J'ai la bouche qui déborde de Colgate et mon visage m'examine : il ne me juge pas, il ne me condamne pas, il se contente de m'examiner, attendant que je me fane et que j'atteigne son âge, tout comme les platanes attendent le vent d'octobre pour ressembler à eux-mêmes, réduits au vert-de-gris de leurs membres.

La maison de la Quinta do Jacinto est dans la rue Oito, où l'on arrive au Tage et, au-delà du Tage, aux bateaux et au pont, de sorte que si mon père ne branche pas la télé, si les voisins du dessus se taisent et si aucune casserole ne grésille sur le fourneau, le ronflement de coquillage du pont fait tressaillir la lampe du plafond et les locomotives répondent par leurs cris d'urgence. Comme je préfère le silence, je déménagerais bien dans un quartier de Lisbonne où à la place d'un fleuve il y aurait des cinémas, des pâtisseries et des billards, et celui qui dort avec moi n'aurait pas de banc à l'abri d'un noyer. A Alvalade, par exemple, comme mes cousins qui ne sont pas nés en Afrique et qui ne s'amusent pas à percer le plancher pour voler sous la terre, mes cousins qui tutoient ma tante et mon père et que mon père et ma tante vouvoient sans oser s'asseoir, Alvalade ou Campo de Ourique où habite la grand-mère de Laura, à côté du théâtre, et où de la fenêtre on peut voir les artistes entrer à l'heure des répétitions. Mais nous habitons ici car nous n'avons pas d'argent pour un appartement où il ne pleut pas l'hiver et où on ne claque pas des dents en décembre et janvier, quand la rampe de la Quinta se transforme en bourbier, et où les chiens ne galopent pas dans les rues, nous habitons ici et nous grillons en août et il faut des siècles pour aller d'Alcântara au lycée et du lycée à Alcântara, des siècles et des siècles dans la circulation du matin, dans la circulation du soir. Nous habitons ici, et avant que celui qui dort avec moi ne paye le loyer et l'épicier et le boucher, il y avait des mois où nous ne payions pas l'électricité et où mon père allumait la lampe de son casque et disait On dirait que nous sommes de retour à Johannesburg, petites, donnez-moi ma pioche, quelque chose me dit qu'il y a de l'or dans les murs, et ma tante Il n'y a pas d'or, Domingos, reste tranquille, autrement le propriétaire va nous mettre à la porte, et mon père, se donnant du cœur à l'ouvrage avec une gorgée de bière, Comment ça, il n'y en a pas, Orquídea, comment ça, il n'y en a pas, regarde donc les wagonnets de minerai qui s'approchent de nous, et moi, craignant qu'il ne défonce une des cloisons, Ce ne sont pas des wagonnets de minerai, c'est le train de Cascais, le grondement de tonnerre du train enflait, explosait, s'éloignait et mon père, déçu, posait la pioche et s'asseyait sur la chaise où il passait ses journées, Ces vauriens de Noirs sont partis et ils ne nous ont même pas regardés, demain matin je ferai un rapport au contremaître. Ma tante, oubliant sa maladie de reins, empruntait de l'argent à une voisine pour la quittance de la lumière, et mon père, furieux parce que les interrupteurs fonctionnaient, se laissait choir dans son fauteuil en disant La prochaine fois que nous descendrons dans le monte-charge je reviendrai avec une brouette pleine de sable et de pierre et nous serons riches. C'est à cette époque que j'ai fait la connaissance dans la pâtisserie à côté du lycée de celui qui dort avec moi.

Pour être sincère, au début je ne l'avais même pas remarqué, c'est Laura qui m'a donné un coup de coude dès que nous avons découvert une table libre, Tu as une touche avec le vioque là-bas, et Ana et moi avons commencé à rire parce qu'à force d'épier les artistes de théâtre les drames lui étaient montés à la tête et Laura inventait des passions à droite et à gauche alors qu'en fait ce que veulent les garçons c'est se frotter contre nous, nous peloter les seins et adieu, car en apprenant que j'étais diabétique, que je ne pouvais pas boire de milk-shakes ni mâcher de chewing-gum à cause du sucre dans mon sang, ils cessaient de me dire bonjour et m'évitaient, et je sentais leur peur que je ne leur passe ma maladie comme ma mère me l'avait passée, dit-on, elle qui prenait aussi des injections d'insuline, elle que je n'ai pas connue, et je ne sais pas si elle est vivante ou morte au Mozambique, elle qui a refusé de revenir au Portugal en bateau, et je ne la blâme pas car si j'avais une île avec des singes et des cocotiers sur la plage et si je savais ce qu'est la Quinta do Jacinto je ferais sûrement de même. Il n'y a pas au monde de pire endroit où habiter.

Je n'ai pas prêté l'oreille à Laura et à ses excitations mais je me souviens qu'il pleuvait, les gens secouaient leur parapluie comme les canards en sortant de l'eau, alors Ana m'a tirée par la manche Ne regarde pas, le vioque a quitté le comptoir et il vient droit sur nous, et Laura Vous n'avez pas voulu me croire, les filles, je vous l'avais bien dit, et moi Si ça se trouve c'est le grand-père d'une fille de notre classe, sa petite-fille n'était pas au rendez-vous et il vient nous demander où elle est, et j'ai senti le poids d'une ombre sur moi, j'ai senti un sourire me chercher, j'ai entendu une voix demander Vous permettez? et Laura et Ana se sont écartées en pouffant de rire, un thé au citron s'est glissé à côté de mon eau minérale

(le médecin m'a interdit les jus de fruits, le Coca-Cola, le lait au chocolat, les yaourts)

et un petit type chauve et laid de l'âge de mon père a surgi, donnant des chiquenaudes à un petit sachet de sucre et disant Excusez-moi de vous déranger, je me suis dit que vous accepteriez peut-être de faire un brin de causette avec moi, les dames à la table voisine l'ont regardé, scandalisées, deux individus qui lisaient le journal l'ont désigné avec une grimace de pitié, et lui, sans se rendre compte qu'il était ridicule, versait le sucre en dehors de la tasse, les petits grains poisseux brillaient sur la table, il s'excusait, sortait son mouchoir de sa poche Ne le prenez pas en mauvaise part, mais quand je m'enrhume j'ai toujours envie de parler à quelqu'un, et Ana Vous vous enrhumez chaque semaine, pas vrai? et une des dames Il y en a qui sont vicieux tout de même, et lui Non, et heureusement, car j'ai les bronches fragiles, c'est mon deuxième refroidissement cet hiver, et bien qu'il ne fût que quatre heures le gérant du snack-bar a allumé les tubes au plafond où le fluor s'intensifiait avant de se stabiliser en un jet qui dépouillait de leur peau les traits du visage et les gestes, et le vieux, remuant son thé au citron avec la petite cuiller Vous permettez que je vous raccompagne chez vous, mademoiselle? vous habitez à Alcântara, n'est-ce pas? et Laura Il est tombé amoureux, le pauvre, et

Ana Accepte, il a peut-être une voiture, et moi Me raccompagner chez moi? et le vieux C'est un prétexte pour faire une balade dans Lisbonne, un prétexte pour regarder les trains et le fleuve, j'aime énormément le Tage, et la dame à la table voisine J'ai une de ces envies de lui flanquer un œil au beurre noir, si je n'étais pas une femme je lui aurais déjà envoyé une gifle, et un des deux qui lisaient le journal, Fais-lui plaisir, au pépé, petite, et Laura Accepte, grande sotte, il a peut-être une voiture, et le serveur, observant le costume et les manières de celui qui dort avec moi, Ce monsieur vous importune? et Laura Ce qu'on va rire quand on racontera cela au lycée, et moi Non, il ne nous importune pas, c'est un ami de mon père, ils ont travaillé ensemble en Afrique du Sud, je vous dois combien pour l'eau minérale?

Quand nous sommes arrivés à Alcântara il pleuvait toujours, une pluie grise comme les entrepôts et les garages et les murs de l'avenue de Ceuta, et le terrain vague où les gitans ancraient leurs roulottes et plantaient dans la boue leurs tentes rapiécées, et j'ai pensé Je parie qu'il pleut déjà dans la maison, je parie qu'il y a plus de dix casseroles où l'eau joue du tambour sur l'aluminium, ma tante trotte avec un seau et une serpillière, mon père, une bouteille de bière sur le genou et son casque sur la tête, dit Ce n'est rien comparé à Johannesburg, ce n'est pas de la pluie, c'est de la bruine, il n'y a pas d'éclairs, il n'y a pas de coups de tonnerre, un jour, en débarquant en haut de l'ascenseur de la mine, le quartier ouvrier avait disparu avec l'orage, il restait un mur ici, un mur là, les négresses se tenaient devant leurs meubles naufragés, et ma tante Nous ne sommes pas à Johannesburg, nous sommes à Lisbonne, je m'en fous moi de Johannesburg, Domingos, et quand nous avons sauté du car on ne voyait pas le Tage, on ne voyait pas les canots, celui qui dort avec moi m'a invité à un thé au citron à la brasserie du rond-point où les camionneurs qui partaient pour traverser l'Alentejo et ses chênes-lièges se donnaient du courage en expédiant biftecks et verres de vin, et comme je n'avais pas envie d'aider à répartir des casseroles sur le tapis pendant que mon père dissertait sur les typhons tropicaux, je l'ai accompagné, patinant dans les caniveaux, il secouait l'eau de sa veste et éternuait, Quelle belle nuit, vous ne trouvez pas? quel temps merveilleux, et j'ai pensé Il débloque, c'est l'effet de l'âge, l'eau coulait le long de mes vertèbres, demain je me réveillerai avec quarante degrés de fièvre et une pneumonie, ai-je pensé, et ce mec me parle de la beauté du soir et de la merveille du temps, l'enseigne de la brasserie se reflétait sur le trottoir, un ruisseau se précipitait sur la pente de la Quinta do Jacinto, il n'y avait pas une silhouette dans la rue, pas même les gitans que la pluie ne mouille pas car ils sont protégés par leur cloche de mystère, il n'y avait que l'alignement des façades, les branches des arbres et le semis de gouttes qui piquetait le halo des réverbères, pas un camionneur ne s'est retourné pour nous regarder, le propriétaire a cessé de crier des ordres en direction de la cuisine où bougonnait une forme et il s'est approché en s'essuyant les mains sur un torchon, et le vieux, versant le sachet de sucre dans la tasse et nettoyant les petits grains avec sa manche, Vous ne seriez pas fâchée, j'espère, si je vous proposais de vous marier avec moi?

Il y a des moments où je pense que si mon père ne m'avait pas emmenée à Lisbonne je serais heureuse, et par être heureuse je veux dire ne pas être aussi seule avec ma maladie qu'ici, où je la devine, où je la mesure à l'intérieur de mon corps, où je calcule ses progrès dans le foie, dans le cœur, dans les reins, où si j'ai des vertiges je me fais des injections deux fois par jour dans les cabinets du lycée pour que mes camarades ne se doutent de rien, parce que celles à qui je l'ai dit s'imaginent que je suis porteuse d'une mort contagieuse, et même à ma tante je ne raconte rien, quand je reviens de chez le médecin elle fait semblant de ne pas savoir où je suis allée, Bonne nuit, ma fille, ma tante qui n'a pas apprécié que mon père se marie en Afrique avec une inconnue, une mulâtresse peut-être, sans prévenir la famille, sans la faire venir d'abord au Portugal pour la soumettre à l'approbation de mes grands-parents, et la seule fois qu'ils sont venus ils ont débarqué à Porto sans prévenir, ils ont fait le reste du voyage en car et ma mère cherchait le Mozambique par les fenêtres, ils ont surgi chez mes grands-parents à l'heure du déjeuner avec une valise pleine de statuettes et de masques en bois, et mon grand-père, qui vendait des étoffes dans un établissement appelé La Perle du terylène, Qu'est-ce que c'est que ça? et ma grand-mère en se signant Enlève-moi d'ici cette face de démon, Domingos, je sens une odeur d'enfer dans cette maison, et c'était l'odeur du diabète, et ma mère a dit à mon père sans leur prêter attention, sans leur parler, accoudée à l'appui de la fenêtre, cherchant les chalutiers de l'île, ma mère, intriguée par les mouettes, C'est quoi, ces oiseaux, Domingos? et mon grand-père, prenant une girafe en ivoire, Regarde-moi cette bête, Orquídea, là où vous vivez il y a des éléphants? et mon père Ce sont des mouettes, elles engloutissent les navires jusqu'à ce qu'il n'y ait plus d'écume derrière les hélices, et ma grand-mère, cramponnée à son chapelet, Ça sent l'enfer, je vous dis que ça sent l'enfer, ça sent les fleurs pour les morts, passe-moi mon châle, je m'en vais aller chercher le curé, et mon grand-père en se versant de l'eau-de-vie, Je donnerais dix mètres de flanelle pour voir des éléphants galoper dans la forêt, et ma tante Et les hippopotames, Domingos, comment font-ils avec les hippopotames? et mon père Rien n'échappe aux mouettes, pas même le brouillard ni le vent, elles dévorent tout, même un cinéma ambulant qui est venu ici a disparu dans leur estomac, pas vrai, Orquídea, pas vrai qu'on n'a jamais su ce qu'est devenu celui qui faisait tourner la machine? et ma tante Le cinéma est allé à Póvoa, Domingos, a-t-on jamais vu des mouettes donner des coups de bec à des films? et mon grand-père, en se resservant de l'eau-de-vie, Je n'en ai jamais vu que sur le calendrier de la taverne, et mon père Elles ne picorent pas les films mais elles ont picoré ton ami qui vendait les billets, celui qui n'est pas revenu te faire la cour, et mon grand-père Quoi? et mon père Pose la question à Orquídea, elle te parlera des saules pleureurs, et ma tante Menteur, que tes jambes deviennent paralysées, menteur, et mon grand-père Dans les saules pleureurs, dévergondée? et ma mère Des mouettes, dis-tu, on appelle ça des mouettes, Domingos? et ma tante Qu'est-ce que j'en sais, père, c'est une invention de Domingos, le Mozambique lui a tourneboulé la cervelle, et mon père à mon grand-père Tu ne veux pas voler avec moi sous la terre? et le curé, occupé à bénir la malle et les coins de la boutique et couvrant ma mère d'un crucifix énorme, Ça sent vraiment l'enfer et les fleurs de Satan, mais ça ne vient pas des statuettes, ça vient de cette pécheresse là-bas, et mon grand-père à mon père Tu voles sous la terre, mon garçon? et ma grand-mère à mon père Ah mon Dieu, tu as amené le Malin avec toi, Domingos, et le curé, lançant de l'eau bénite sur ma mère, Au nom de Jésus Christ, *vade retro*, empereur des ténèbres, je t'ordonne de libérer ta servante et de retourner à ton royaume, et ma grand-mère Et si elle accouche d'un loup-garou, hein? et mon père à mon grand-père J'ai volé dans la mine à Johannesburg, père, si vous avez une pioche et si vous voulez essayer, je vous montrerai, nous creuserons un trou dans le sol et ça suffira, et le curé *Vade retro*, et ma mère Elles dévorent des navires mais pour l'instant elles piaillent au-dessus de nous, si ça se trouve elles vont nous fourrer dans leur panse, et ma grand-mère, lançant des crocodiles et des perroquets en bois par la fenêtre, Un bébé sombre, plein de poils, quelle horreur, un bébé qui saute de son berceau pour galoper dans la maison, il y a des années, je venais de Lamego par le train et j'en ai aperçu deux au loin qui riaient aux éclats dans une pinède, le prêtre a pris ma mère par le bras *Vade retro*, et mon père Halte-là, coquin, lâchez ma femme, et mon grand-père Je n'ai pas de pioche, un râteau ne ferait-il pas l'affaire, fiston? et ma tante Je n'ai couché avec aucun homme après les spectacles, je n'ai pas voulu perdre ce qu'on sait qu'on possède uniquement au moment où on le perd, ce qui devient important uniquement au moment où cela cesse d'être, parce lorsqu'on l'avait cela n'existait pas et ce que j'avais est resté dans le sable d'Esposende et fait partie des marées et des arbustes de la grève, et ma mère Je n'ai pas l'intention de finir comme elles, piaillant au-dessus de cette maison, et mon père au curé Si vous la touchez encore je vous casse la gueule, allez faire pleuvoir votre eau ailleurs, et ma grand-mère Et l'encens, monsieur le curé, si vous avez apporté l'encensoir lancez-lui un peu de fumée et cela ira, et mon grand-père Qui dit râteau dit quelque chose qui perce, une bêche, une houe, des ciseaux, ce qu'il faut c'est creuser un trou, pas vrai? et ma tante Je ne l'ai jamais vu la tête découverte, je ne l'ai jamais vu nu, mais son souffle dans mes oreilles me manque, ses doigts me manquent, la paix qui vient ensuite me manque et la mer qui fouette mes os sur les rochers, je ne voulais pas, père, je ne voulais pas, je voulais et ne voulais pas, je voulais, je ne voulais pas vouloir et je voulais, je suis allée lui rendre visite à Póvoa et l'employé a dit Il y a là une fille qui veut te voir,

Claudino, et lui à l'employé Celle-là je ne l'ai jamais vue de ma vie, dis-lui que c'est une erreur, mon gars, et l'employé m'a dit Il ne vous a jamais vue de sa vie, et moi je n'avais pas le courage de parler, j'attachais mes épingles à cheveux sans me rendre compte que je les attachais, et le curé aspergeait mon père d'eau bénite, Je n'ai pas touché votre épouse, monsieur, je suis venu conjurer le Prince du Mal, et mon grand-père, frappant le plancher à coups de marteau, Et il faut descendre très bas pour voler, Domingos? et ma tante Mais je suis restée jusqu'à la fin du film et quand les gens sont sortis, quand l'employé a éteint les lumières à l'intérieur, quand il a fermé la porte avec un cadenas et barricadé la guérite des billets et disparu dans les rues de la ville, quand le propriétaire du cinéma a sauté des marches de la cabine, j'étais là, moi l'erreur, celle qu'il n'avait jamais vue de sa vie, je le regardais, je ne lui faisais pas de reproches, je ne le frappais pas, je ne pleurais pas, je le regardais, et lui Qu'est-ce qu'il y a? et moi Je voudrais seulement que tu me rendes ce que tu m'as pris à Esposende pour pouvoir m'en aller, et ma mère, habituée aux cocotiers le long de la plage, Les mouettes ont mangé les chalutiers, quel dommage, et mon père à mon grand-père Dix ou quinze mètres suffiront, après nous nous servirons de l'ascenseur de la mine, et dans la brasserie des camionneurs qui prenaient leur élan pour l'Alentejo le vieux m'a dit, se mouchant, commandant un autre thé au citron, posant sa main sur la mienne, la retirant, la posant de nouveau, tapotant ses mèches de sa main libre, Vous n'avez toujours pas répondu à ma question, mademoiselle, en fin de compte vous m'épousez ou quoi?

Alors je l'ai emmené rue Oito dans l'idée que la maison de la Quinta do Jacinto le décevrait, dans l'idée que le quartier, les dahlias fanés et le bourbier des trottoirs l'effraieraient, dans l'idée qu'il penserait, comme je croyais que tout le monde pensait, qu'il était horrible d'habiter un pâté de maisons traversé par des trains qui détruisent les murs, mais le vieux, bouillonnant d'ardeur, de plus en plus trempé, qui ressemblait de plus en plus à un naufragé extrait du fleuve avec un croc, Pas mal, pas mal du tout, voilà un petit quartier résidentiel assez coquet, des maisons tranquilles, des jardins mignons, le Tage, et moi Vous trouvez vraiment que c'est un quartier résidentiel, et les réverbères des rues transversales ne fonctionnaient même pas, nous palpions l'obscurité comme on cherche des marches dans un couloir inconnu, et dans le vestibule, sans électricité comme le reste de la maison et le reste de la Quinta, et une partie d'Alcântara et de l'avenue de Ceuta au passage à niveau, dans le vestibule, c'est-à-dire dans un espace de la taille d'une armoire, la lanterne de mon père nous a aveuglés de sa lumière verte comme le soleil dans une treille, et ma tante Qui est avec toi, Iolanda? et le vieux, éternuant et trébuchant sur le portemanteau, Je suppose que c'est votre tante, mademoiselle, enchanté, madame, je vous demande infiniment pardon d'envahir votre intimité de cette façon, et je pensais Quand je décrirai ça au lycée, Ana s'évanouira, et ma tante, indifférente aux amabilités du vieux, Qui est avec toi, Iolanda? et l'électricité est revenue, révélant les meubles de bric-à-brac du salon, les chaises, la table avec l'annuaire téléphonique sous le pied plus court que les autres, les bouteilles, le papier peint qui se décollait des cloisons, le plancher ravagé par la pioche, et celui qui dort avec moi Permettez que je me présente, madame, je suis venu demander la main de cette jeune personne, le téléviseur a recommencé à fonctionner en hurlant et ma tante, tordant la serpillière bien que le médecin des reins lui ait déconseillé de travailler, Une demande en mariage, c'est de la pure démence, tu as envie d'épouser cet olibrius, Iolanda? et moi, étourdie par le vacarme de la télévision, j'avais besoin d'insuline, je me disais Il faut que je me fasse une injection et j'ai répondu Qu'est-ce que j'en sais, car vraiment je n'en savais rien, car je ne pensais pas à cela, car j'étais devenue toute faible et je sentais mon corps se vider, car sous le froid j'avais chaud, car les jacinthes de mon haleine se multipliaient sur ma langue, car j'allais mourir, mourir pendant que ce vieux annonçait à ma tante son mariage avec moi, car je m'absentais dans un évanouissement, je me retenais à la commode pendant que la salle devenait floue, je voyais mon père éteindre la lampe sur son front, ouvrir la dixième, ou la centième, ou la millième, ou la millionième bouteille de bière de la soirée, je le voyais exhiber sa pioche et demander, comme on s'informe d'une fortune, ou d'une dot, ou d'un don Vous savez voler à l'intérieur de la terre, l'ami?

2

Quant à moi, jamais je ne serais allé à la Quinta do Jacinto si elle ne m'avait pas dit Viens. C'est trop loin, il n'y a pas d'autobus la nuit, il n'y a même pas de station de taxis au rond-point, il faut aller à pied jusqu'au Quai du Sodré pour trouver un transport à la gare de chemin de fer où les machines qui vendent du Coca-Cola et des cigarettes bourdonnent dans la salle des pas perdus déserte. Quand je suis arrivé rue Oito j'ai senti une odeur funèbre, une odeur de musc et de tombeau, j'ai compris, avant même d'avoir vu les massifs de dahlias fanés à l'entrée des maisons, que son parfum, qui reste sur les doigts quand on lui serre la main, ne vient pas de sa peau mais des tiges affalées les unes sur les autres comme des anguilles que le Tage aurait oubliées en se retirant et qu'il reviendrait chercher un jour, quand il s'apercevrait de leur absence en palpant les poches tapissées d'algues de sa veste. Si bien que chaque fois que je lui rendais visite j'avais peur de trouver le fleuve en train de chercher les dahlias dans les rues d'Alcântara et de fouiller les poulaillers dans les potagers comme les clochards fouillent les poubelles, et quand je lui ai raconté ma peur elle a répondu, effeuillant une corolle qui faisait le guet à la grille du portail :

– Le fleuve n'a pas besoin de se déranger car les locomotives lui apportent les dahlias là en bas.

En effet, dès que nous avons commencé à étudier la géographie ou les mathématiques ou l'anglais, l'odeur s'est penchée sur mon épaule comme ces personnes qui s'inclinent vers votre journal dans le tram en vous soufflant dans le cou, une locomotive a traversé la Quinta do Jacinto, transportant vers la mer des brassées de fleurs qui gigotaient, contractant et dilatant leurs pétales avides d'eau.

Alors j'ai compris les trains. J'ai grandi derrière Santa Apolónia, dans un édifice noirci par la fumée des wagons, où la vibration des roues avait creusé des fissures dans le stuc des murs. Les sifflements des départs labouraient mon sommeil, des plumes volaient des matelas, nous allions à Castelo Branco ou à Santarém ou à Agueda et Lisbonne voyageait avec nous le long de chaînes de montagnes et de pinèdes, le long de ponts, le long de petits villages sur la pente des collines. J'ai grandi derrière Santa Apolónia, penché sur des valises et des adieux d'émigrants, et ce que je comprenais des trains c'était un aquarium de larmes avec des paniers et des yeux à la dérive à l'intérieur, perdus dans des sous-sols en France, dans des sous-sols en Allemagne, regardant tomber la neige dans l'encadrement de la fenêtre. Et ce n'est qu'à Alcântara que j'ai compris que finalement les trains ne transportaient pas des personnes mais les dahlias fanés qui s'en retournaient au Tage, rendant les anguilles aux poches du fleuve, si bien qu'en rentrant chez moi à l'heure du dîner j'ai annoncé à mes parents,

– J'ai découvert que les habitants des wagons poussent dans les massifs à Alcântara

et ma mère, qui mettait la table,

– Je parie que tu es allé chez ces fous qui volent, ton père t'a défendu mille fois de fréquenter les gens qui reviennent d'Afrique.

Par conséquent jamais je ne serais allé à la Quinta do Jacinto si elle ne m'avait pas dit Viens. L'appartement où j'habite est plus petit que le logement d'Alcântara, avec la chambre de mes parents et la chambre de mon oncle, car moi je dors sur le divan de la salle quand ma famille ferme les portes et me laisse seul avec les restes du dîner sur la table et la sainte qui m'empêche de me tripoter dans le noir, et dès que j'éteins le plafonnier la nappe et les serviettes flottent autour de moi comme des oiseaux chiffonnés, leurs ailes d'étoffe suspendues aux ténèbres. Mon père ne peut pas travailler à cause de son ulcère d'estomac, il boit du lait, il mange des bouillies de farines et il suce des comprimés contre les aigreurs, ma mère aide au nettoyage de l'hôpital d'Arroios, elle se plaint d'un prolapsus de son utérus, et mon oncle, de neuf heures du matin à six heures du soir, va de palier en palier, la Bible à la main, prêcher la parole de Dieu aux voisins, il a lâché son emploi dans les assurances pour offrir la vie éternelle au pâté de maisons, prônant la tempérance et la chasteté à l'indifférence des rues, et quand ma mère, mon père et mon oncle s'étaient claquemurés dans leur trou de stuc, j'écoutais le train pour Paris gémir dans mon corps la nuit entière, en compagnie de la sainte et de la blancheur des napperons. Des nuits et des nuits passées avec les jambes dépassant du divan et l'oreiller fuyant ma tête, de temps en temps mon oncle faisait irruption dans la salle pour annoncer la Fin du Monde et la Résurrection de la Chair et il m'ordonnait de m'agenouiller pour demander au martyr Étienne d'avoir pitié de moi, jusqu'au moment où ma mère menaçait de l'interner à Mitra et où l'apôtre s'enfermait dans sa chambre, bénissant l'univers de sa paume affreusement maigre.

Jamais je ne serais allé rue Oito dans la Quinta

do Jacinto à l'autre bout de la ville car les dahlias m'effrayaient presque autant que le petit vieux qui couche avec toi, attendant que je m'en aille pour décoller de son banc et se diriger vers la maison, si je lève les yeux du livre de géographie, de mathématique ou d'anglais, je le trouve en train d'enfler parmi les choux comme un végétal et il me fixe comme la mer nous fixe, et j'ai envie de sortir de ta chambre et de contourner la villa pour l'assurer que je ne suis pas amoureux, tout comme toi tu n'es pas amoureuse de moi, que je ne t'aime pas, pas plus que toi tu ne m'aimes, que je ne t'ai jamais prise dans mes bras, que je ne t'ai jamais caressée, que je ne t'ai même pas embrassée, que j'ai seulement pitié de toi, réduite à la compagnie de deux idiotes qui s'habillent comme des poupées espagnoles, parce que les autres élèves ont peur de ta maladie, peur de ton odeur de crème caramel, peur d'une camarade condamnée à un régime de légumes verts à l'eau et de merlan, qui est prise de tremblements et qui se fait des injections dans les toilettes du lycée, une camarade que l'ambulance transporte presque chaque année sur un brancard à Saint-Joseph, comme si elle allait mourir. Je m'approchais du petit vieux et, m'installant à côté de lui sur le petit banc de pierre, je lui demandais,

– Pourquoi ne rentrez-vous pas à l'intérieur, monsieur?

peut-être m'entendrait-il entre les soupirs des choux et les castagnettes des noix, peut-être se redresserait-il sur son siège, peut-être sourirait-il, peut-être me dirait-il

Merci, petit

et j'occupais sa place, regardant le pont qui traverse le Tage en direction de nulle part comme les sentiers de ronces du village de ma mère, dans le Trás-os-Montes, coincés entre les murs des enclos

je lui dirais

– Je ne lui fais pas la cour, monsieur
je lui dirais
– Personne ne lui fait la cour, personne ne veut lui faire la cour à cause du diabète et de l'odeur et des évanouissements et des remèdes qu'elle prend
je lui dirais
– Ne vous faites pas de soucis, Iolanda a besoin de vous
je lui dirais
– Elle est comme ça, ne vous offensez pas, elle répond de travers parce que la maladie qu'elle a attrapée en Afrique la pourrit en dedans
et le petit vieux, sans ouvrir la bouche, ramasse sa serviette, se lève, regarde la fenêtre de la chambre, se rassoit de nouveau, et moi
– Alors, vous n'y allez pas?
et lui, décoiffant les choux avec son parapluie,
– Iolanda n'a pas besoin de moi, Iolanda ne s'intéresse pas à ce que je lui dis
et ma mère
– Ne fréquente pas ces fous, Alfredo
et mon oncle, consultant la Bible et reprenant de la soupe,
– Jésus-Christ a été le seul à marcher sur les eaux
et moi au petit vieux
– Et de quoi lui parlez-vous, monsieur?
les trains remplis des dahlias des massifs allaient de la Quinta do Jacinto vers le fleuve et vers la nuit qui sort de l'eau pour s'élever vers le ciel et non du ciel pour descendre vers l'eau, et le petit vieux, d'une voix de glycérine, sa serviette sur les genoux,
– De mon enfance, de mes tantes, d'Ericeira, de la Calçada do Tojal, des pas dans le grenier, que sais-je
contrairement au village de ma mère où la nuit commence dans le ciel et dans les saules près des bacs à laver le linge, à l'écart de la place, et glisse

vers nous en longeant le cimetière et la maison du président du Comité de paroisse, une nuit qui étrangle les insectes, les voix et les sonnailles du bétail, et ma grand-mère s'inclinait vers l'âtre avec un petit verre de muscat, et mon oncle

– *Ite missa est*

la nuit descend des saules où pendant le jour elle est réduite à des petites semences d'ombre comme si les arbres l'incubaient, tel un enfant, dans leur utérus d'ardoise, et le petit vieux, d'une petite voix intriguée,

– On ne m'a jamais expliqué de qui étaient les pas dans le grenier, on ne m'a jamais expliqué ce qu'était devenu monsieur Jorge à Tavira, Dona Maria Teresa m'ordonnait de me taire, Taisez-vous, et j'écoutais les pas et l'opéra en tremblant dans ma chambre

comme moi, à Santa Apolónia, j'écoute le religieux qui a obligé ma mère à arracher un morceau de rideau des anneaux pour lui coudre une tunique, beuglant à tout le voisinage Sauvez vos âmes, pécheurs, j'ai presque oublié le village et les pinsons le matin dans les arbres de Judée, oublié de plonger dans le réservoir et oublié les femmes qui se plaignaient à mon père, et mon père

– Nous ne t'avons pas fait faire des études pour que tu te comportes comme ça

il ne me frappait pas, il ne me grondait pas, il n'élevait pas la voix, il s'agenouillait dans le verger pour monter des pièges destinés aux rouges-gorges comme vous, monsieur, vous comprenez? dirais-je au petit vieux, comme vous, monsieur, car vous vous ressemblez jusque dans vos gestes, et Iolanda

– Tu t'es trompé dans la solution du problème, cela ne fait pas onze virgule trois mais douze virgule sept, espèce d'abruti

et moi je ne l'entendais pas, j'étais dans le lavoir du village, sous les arbres de Judée, et elle

– Qu'est-ce que tu regardes, Alfredo?
un train emportait à toute vitesse, comme une offrande, des brassées de dahlias qui étaient restitués au fleuve, et ton père frappait le plancher avec sa pioche, et moi
– Le petit vieux dehors, sur le banc sous le noyer, qui attend que je retourne à Santa Apolónia pour entrer dans la maison
et comme ma mère le répète encore aujourd'hui, je n'aurais pas dû aller à Alcântara bien qu'elle m'eût ordonné, ou demandé, ou dit Viens, bien qu'elle n'eût pas d'amies sauf les deux poupées espagnoles, bien qu'elle fût malade, toujours en train d'aller à l'hôpital avec ses sueurs et ses évanouissements, bien qu'elle fût la personne la plus triste du monde, semblait-il, plus triste que ma grand-mère, qui portait un manteau en plein mois de septembre, penchée vers la cheminée avec un petit verre de muscat, j'aurais dû me comporter comme les autres élèves qui s'éloignaient de toi et t'évitaient, qui fréquentaient un autre snack-bar pour ne pas courir le risque de boire dans ton verre, et toi
– J'aimerais bien que le vieux n'entre pas dans la maison, il passe les nuits éveillé, à me souffler des histoires idiotes dans les oreilles
et j'ai pensé Comme mon oncle dont les gens se moquent en l'apercevant dans la rue, enveloppé dans le rideau, annonçant le Déluge, mon oncle qui, lorsque ma mère le grondait Tu devrais prendre un bain, Artur, tu sens le blaireau, répondait en fuyant les robinets, Seulement dans le Jourdain, Ausenda, la semaine prochaine j'irai là-bas en taxi, si bien, et c'est moi qui le dis, qu'il n'y avait pas des fous seulement à la Quinta do Jacinto, pourtant ma famille n'avait pas vécu en Afrique et mon oncle ne s'était pas embarqué pour la guerre à cause de sa myopie, et ma mère Fais comme si le

Jourdain était ici, Artur, j'ai acheté un excellent savon et je te remplirai la baignoire d'eau chaude, et moi, corrigeant la solution du problème,

– Tu en connais des histoires qui ne sont pas idiotes, Iolanda?

et mon oncle

– Je ne me baignerai que dans le Jourdain, Ausenda

car à mon avis les histoires sont aussi bêtes que la vie, aussi bêtes qu'étudier les mathématiques et l'anglais et la géographie, et quand j'aurai appris les solutions de tous les problèmes, les temps de tous les verbes et les capitales de tous les pays, je me coucherai comme ma grand-mère s'est couchée, je demanderai un petit verre de muscat d'une voix faible et je mourrai, après l'enterrement ma mère n'avait pas voulu retourner au village si bien que peu à peu j'ai oublié le lavoir, les arbres de Judée et les pinsons,

– Les histoires sont toujours bêtes

t'ai-je dit, et je t'ai dit encore

– Pourquoi n'ouvres-tu pas la fenêtre pour l'appeler, il se lèvera du banc dans le jardin et il viendra, pourquoi le laisses-tu là-bas, le menton dans la main, dans le noir

et ma mère

– Si ceci n'est pas la Palestine, qu'est-ce que c'est alors, Artur? enlève ta tunique, tu pues

finalement il a été accepté dans une clinique de moines, il récitait l'Évangile aux autres malades qui le lui récitaient à leur tour, les frères les chassaient comme on chasse des poules vers une espèce de bunker où leurs manches continuaient à gesticuler des discours, et mon oncle, en espadrilles, nous voyant,

– *Deo gratias*, mes frères

et ma mère, en lui tendant un petit sachet d'amandes,

– Comment te sens-tu, Artur?

et moi à Iolanda,

– Appelle-le

et mon oncle m'a conduit au-delà des infirmeries et nous nous sommes assis parmi les arbustes près des lances de la grille, mangeant des amandes, regardant les ouvrières en toque et blouse bleue de la fabrique de biscuits surgir du portail et les voitures passer sur la route en direction de l'église de la Luz à côté de la petite place avec un collège et une caserne où l'on organisait une foire de pauvres en juillet, et j'ai dit à mon oncle

– Ça vous plaît ici, mon oncle?

et lui, de profil, mastiquant,

– *Deo gratias*

mais il ne ressemblait pas à un prophète, il ressemblait à un mendiant recueilli par charité dans un asile, un de ces mendiants qui se traînent sur l'Avenida et qui dorment dans des emballages en carton, couverts de journaux, Ce n'est pas mon oncle, ai-je pensé, qu'est devenue la Bible, qu'est devenue sa soif de convertir la planète, il est tout tranquille maintenant, il ne regarde personne sauf les autos sur les routes et les ouvrières de la fabrique, il mâche des amandes et grommelle *Deo gratias,* et j'ai dit à Iolanda

– Appelle-le, ça me fait de la peine de le voir là dehors, dans le noir

et je ne sais pas si je lui demandais d'appeler celui qui dort avec elle ou si je lui demandais d'appeler mon oncle, indifférent à moi, répétant *Deo gratias,* si je lui demandais de nous appeler tous, ma mère, mon père, son père à elle, moi, qui ne serais pas allé à la Quinta do Jacinto si elle ne m'avait pas dit Viens, à la Quinta do Jacinto où il n'y a même pas une station de taxis au rond-point pour qu'on n'ait pas à trotter à pied jusqu'au Quai du Sodré, sous les platanes, pour trouver un transport à la gare de chemin de fer, moi qui aurais mieux fait d'aller avec mes camarades au cinéma où l'on donne des films policiers au lieu de risquer d'attraper la maladie des dahlias fanés, avec leur odeur de putréfaction et de musc, et de les accompagner après le cinéma à la cave de femmes de la Graça où l'on boit de la bière et où l'on danse dans une salle avec des miroirs, on peut s'observer sur tous les murs, sous tous les angles et dans toutes les positions, comme si on cessait d'être un pour devenir une nichée de soi-mêmes accrochée à une nichée de femmes qui prennent cinquante escudos par tango et trente par valse, et mon père, me flairant,

– Tu as acheté une grosse bouteille de cinq litres de parfum pour putes, Alfredo?

et moi,

– Quelle idée, père, je déteste les parfums, c'est peut-être un réactif du labo de chimie

et ma mère, essuyant la vaisselle,

– Mon frère sent le blaireau et mon fils la gourgandine, quelle famille

et après m'avoir prêté de l'argent pour une autre bière et un autre tango, revenir à Santa Apolónia comme les chiens retournent dans les jardins qu'ils ont fuis en reniflant leur propre absence à chaque coin de rue, monter l'escalier et occuper le lit vide de mon oncle pendant qu'un train définitif part, et ma mère

– Tes draps suent l'eau de Cologne, Alfredo, où as-tu été?

car je ne ne dors plus dans la salle avec la vierge dans le sous-verre qui m'empêchait de me tripoter en cachette, j'ai une petite pièce avec un balcon donnant sur les locomotives, une petite pièce comme celle de mes parents, avec un matelas, une table de nuit, une commode à tiroirs bourrés d'Évangiles et le portrait de mon oncle avec ses copains, avant qu'il ne devienne apôtre, avant que Dieu ne le choisisse pour annoncer l'Apocalypse et avant que les frères ne lui tondent les cheveux et la barbe et lui permettent de s'asseoir avec moi à côté de la clôture, mâchonnant des amandes et priant

– *Deo gratias*

j'ai une chambre et ma famille ne veut pas que je m'approche de toi parce que tu es arrivée malade du Mozambique, ils ont peur que je pourrisse aussi du diabète, ils ont peur que je ne t'épouse et que ton père ne débarque dans leur quartier en compagnie de sa sœur, pioche à l'épaule et déshabillant les gens avec la lanterne de son casque, et Iolanda, ouvrant la fenêtre,

– Je l'appelle, mais toi tu te farcis ses histoires, Alfredo

mais il n'a pas semblé l'entendre quand elle a crié Viens donc, car rien, pas même une ombre, n'a bougé dans le jardin, il n'a pas semblé l'entendre quand elle a crié plus fort Viens donc, seul un chien lui a répondu par un aboiement, le noyer est resté immobile, je distinguais ses branches, les choux continuaient tout droits dans les plates-bandes, alors j'ai pensé Il est mort et je me suis levé, j'ai quitté la chambre, j'ai traversé la petite salle de la télévision et j'ai contourné la maison embaumée par l'haleine des dahlias ou des anguilles du fleuve que les wagons transportaient vers l'eau d'où elles étaient sorties, et j'ai avancé à l'aveuglette, écrasant des légumes et me dirigeant vers le banc, la fenêtre était prolongée par un losange de clarté tordue, un deuxième chien a hurlé au loin, à Alcântara, ou à Ajuda, ou à Santo Amaro, j'ai heurté du genou une arête de pierre et je me suis assis comme je m'asseyais à côté de mon oncle, mâchonnant des amandes, face à la route qui menait à l'église de la Luz et face aux ouvrières de la fabrique de biscuits, la silhouette de Iolanda, un crayon entre les doigts, se penchait vers nous au-dessus de l'appui de la fenêtre et demandait Alors? le petit vieux a bougé légèrement comme un pigeon dans son nid, et frôlant ma nuque de sa bouche, il a demandé, comme s'il te parlait à toi, dans un murmure semblable au bruissement des dahlias,

– Sais-tu de qui étaient les pas au grenier, mon amour?

3

Un dimanche après le déjeuner, Ana, mon père arrosait les dahlias, il se servait de sa pioche en guise de canne à cause de son genou malade, un taxi s'est arrêté devant la maison et celui qui couche avec moi

(je l'ai tout de suite prévenu que je ne ferais pas l'amour avec lui, je lui ai dit de ne pas m'embrasser, de ne pas me toucher, quand il a voulu me prendre par le bras je l'ai prévenu, Il n'en est pas question)

il est sorti du taxi avec une valise attachée par des courroies, un petit chapeau tyrolien sur l'occiput et un parapluie bien qu'on fût en août et que le ciel fût sans nuages, et ma tante m'a dit de l'aider à ranger ses affaires dans ma chambre

(et moi Ne t'imagine pas que tu me verras nue, si je te prends à m'épier je te flanque une gifle)

c'est-à-dire de pousser son bagage sous le lit car il n'y avait pas de place dans l'armoire ni sur les cintres suspendus à une ficelle tendue entre deux clous d'un mur à l'autre. Je lui ai interdit de farfouiller dans mes tiroirs, de toucher à mes livres, de lire mon journal intime, de décoller les photos de chanteurs et d'acteurs de cinéma que j'avais découpées dans des revues, je lui ai refilé l'oreiller décousu, celui qui donne de l'asthme, celui qui crache du kapok sur le drap, je l'envoyais éteindre la lumière, je fermais les yeux, je l'entendais se déchausser et enlever ses vêtements dans le noir comme les vers à soie qui brisent la trame de leur cocon. Les ressorts grinçaient, un soupir se noyait dans la taie, mon père se débattait en pestant contre les contremaîtres de Johannesburg, et il me semblait entendre celui qui dort avec moi parler d'une maison qui n'existait plus, où un air d'opéra descendait du grenier comme la bruine d'octobre. Les voisins du dessus (les retraités, ceux qui se détestent, ceux qui se poignardent avec des ciseaux à écailler le poisson et des tournevis) l'ont vu sur le porche, chapeau à la main, parlementer avec ma tante et lui remettre l'enveloppe du terme, ils ont entendu la petite toux de mon père dans son fauteuil et ils l'ont vu attendre le dernier train avant de traverser la cuisine en se cognant contre l'évier, contre les chaises, contre les meubles, et échouer sur le matelas comme s'il se trompait de port. Au début il m'a paru posséder une nature céleste de chérubin distrait, incapable d'allumer les brûleurs de la cuisinière à gaz, d'éplucher une orange, d'étaler du dentifrice sur une brosse, et je me suis imaginé que s'il enlevait sa veste et déboutonnait sa chemise une paire de petites ailes se mettrait à battre sur ses omoplates et qu'il monterait dans le soir vers les nuages, s'élevant péniblement comme un avion de musée. Un ange à Alcântara, tâtant la brise avant de s'évaporer en cahotant du côté du fleuve où un essaim de séraphins, eux aussi avec des valises à courroies et des petits chapeaux tyroliens, l'attendaient en voletant comme sur les panneaux des églises autour des supplices des martyrs. Les voisins du dessus, que ses manœuvres d'oiseaux intriguaient au point d'en oublier de se détester, l'ont trouvé au milieu des choux, un samedi de Pentecôte, en train de converser avec des créatures invisibles dans une langue lunaire, et ma tante le rencontrait parfois en train de sautiller autour du rond-point près de la brasserie des escargots et des salades de pieuvre, indifférent à la circulation, se heurtant aux façades dans des courses éperdues de perdrix qui l'obligeaient à rentrer à la maison couvert de teinture et de sparadrap pour s'effondrer sur le banc du potager avec la résignation d'un ange raté, et le lundi matin il mettait son chapeau tyrolien, s'armait de son parapluie et de sa serviette et prenait l'autobus pour le Secrétariat d'État comme il avait pris le train l'an dernier en ce juillet fatidique où ma tante avait décidé que nous irions à Esposende, Ana, faire une visite à mes grands-parents, de sorte que nous avons voyagé des heures et des heures le long d'un paysage de pins et de dunes, et à l'aube du jour suivant seulement nous avons débarqué dans une petite ville au bord de la mer où les nuages frôlaient les vagues, les saules pleureurs et les cistes du rivage, et nous avons trouvé le magasin de mon grand-père avec les volets encore fermés à l'une des extrémités de la place,

(Des cistes, répétait ma tante à la cuisine sans que je comprenne pourquoi en déshabillant dans la bassine le poulet du déjeuner, des cistes des cistes des cistes des cistes)

le magasin d'étoffes, la gare routière, des cafés endormis, des maisons, et je me disais que si mon père n'avait pas émigré en Afrique, c'était là, dans cette grisaille de mouettes, que je serais née, non de ma mère mais d'une autre mère quelconque, sans diabète, sans haleine de fleurs, sans injections d'insuline, sans la honte de ma maladie qui m'isole des autres, qui m'empêche de manger des glaces, des bonbons à la fraise et du lait au chocolat, qui m'interdit les tartes aux pommes et les sucettes et d'avoir des enfants, personne n'était réveillé dans le bourg à l'exception des albatros qui criaient sur la plage

(qui criaient peut-être dans leur sommeil sur la plage)

et mon père a frappé à la porte avec sa pioche de mineur, celui qui couche avec moi s'est approché, sa serviette à la main, et une sirène s'est mise à hurler

(aiguë et rauque, aiguë et rauque, aiguë et rauque)

du côté de l'eau, une serrure s'est débloquée avec un claquement, mon grand-père est apparu sur le seuil avec un fusil de chasse, un fusil à deux canons plus grand qu'une pièce d'artillerie, et mon père Bonjour, père, et mon grand-père, vers l'intérieur, Donne-moi mes lunettes, Isaltina, on dirait Domingos, le vieux pointait son arme sur nous d'un air dubitatif et fâché, et moi Bonjour, grand-père, et lui Qui as-tu amené, Domingos? et celui qui couche avec moi

(mais qui ne fait pas l'amour avec moi, mais qui ne m'a jamais vue nue, mais qui ne me touche pas, Ana)

Comment allez-vous, monsieur Oliveira? permettez que je me présente, et mon grand-père, pointant son tromblon sur lui, Et l'homme au petit chapeau, Domingos? et ma tante C'est le gendre de Domingos, père, et ma grand-mère Entrez, et le soleil s'est accroché au coq de la girouette sur l'église qui changeait de position avec un gémissement douloureux, et j'ai aperçu des étagères de flanelles, de cheviottes, de cotonnades, de velours, de feutres, et une caisse enregistreuse qui faisait retentir dans un coin son chant de pièces de monnaie, et au-delà de l'établissement une chambre avec un lit, une table, un fourneau à pétrole, un buffet et des bouteilles de vin, mon grand-père a chaussé ses lunettes, il s'est assis en nous visant avec son fusil de chasse comme si nous venions pour le détrousser, et sur ces entrefaites il s'est étranglé avec son dentier, il a toussé, son doigt a glissé sur la gâchette, la chambre a tremblé avec la détonation, une des vitres a disparu, les persiennes en bois ont volé en éclats, et quand l'odeur de la poudre s'est atténuée le commerçant a dit avec un sourire Excusez-moi, il a sorti de sa poche une cartouche, l'a introduite dans l'arme, et ma tante Si vous ne lâchez pas ce fusil, vous finirez par nous tuer, père, et lui Je dois rester sur mes gardes à cause des voleurs, qui me garantit que vous êtes vraiment mes enfants, et ma grand-mère Ça fait des siècles que je t'ai demandé de changer de lunettes, la seule chose que tu réussis à voir ce sont les bouteilles de vin, et mon grand-père Ce n'est pas vrai, avant-hier, par exemple, j'ai abattu le milan qui rôdait autour de nos poules, et ma grand-mère Ce n'était pas un milan, c'était un de ces types avec un turban qui planent au-dessus du bourg, le malheureux se vidait de son sang dans le potager et toi tu appelais le pharmacien pour qu'il lui retire les tripes et l'empaille, et celui qui couche avec moi Et le pharmacien l'a empaillé? et ma tante Des cistes, et mon grand-père C'était si bien un milan qu'on l'a empaillé, oui, parfaitement, on lui a mis deux yeux de verre et il est sur un socle à l'entrée de la Mairie, en position d'attaque, et j'imaginais le médium tombant dans les plants de tomates, j'imaginais ses collègues le cherchant là-haut en croassant, frappant de leurs manches contre les carreaux et l'apercevant, bras écartés, figé dans une attitude de rapine, et mon grand-père On nous a même demandé à Lisbonne d'envoyer l'oiseau, prétextant que c'était une espèce en voie d'extinction alors qu'il y en a ici des douzaines et des douzaines qui volent les poules, passe-moi donc la bouteille, Orquídea, et je pensais S'il découvre que celui qui couche avec moi passe ses nuits sur la branche du noyer il lui envoie un pruneau dans la panse, et ma tante Des cistes, et ma grand-mère Qu'est-ce qu'il fait, ton gendre, Domingos? et le soleil s'est détaché de la girouette et on entendait les vagues de la marée montante sur les rochers et contre les flancs des chalutiers, on entendait les mouettes,

(dans l'île de ma mère il n'y avait pas de mouettes, Ana, il y avait des singes accroupis dans le sable et ma mère penchée vers l'horizon comptant les bateaux de son index tendu)

on entendait les sanglots des crabes dans les rochers et un bruit de voix dans la rue et je pensais C'est cela, finalement, Esposende, et mon grand-père, son fusil sur les genoux, nous observait de ses pupilles myopes, et moi j'avais la nostalgie de la Quinta do Jacinto, des trains et du ronflement de coquillage du pont, et celui qui couche avec moi

(mais il ne fait pas l'amour avec moi, mais il ne m'a jamais vue nue, mais il ne me touche pas car aucun homme ne me touchera, ils nous embrassent et le lendemain ils nous ignorent, et le lendemain c'est comme si nous n'avions jamais existé)

Je suis fonctionnaire, madame, je travaille dans un bureau, et mon grand-père C'est vous qui avez écrit de Lisbonne pour qu'on envoie l'oiseau? et l'après-midi nous sommes allés à la Mairie et nous avons vu l'être au turban fixer les vagues de ses pupilles de verre, et mon père Je le connais, et ma tante Des cistes, et ma grand-mère Quoi? et mon grand-père Tu as des milans pour amis, maintenant, Domingos? et les nuages ont ouvert une fente par où les mouettes piaillaient, et mon père Il était professeur d'hypnotisme par correspondance et il venait souvent à Alcântara boire une bière et me questionner sur celui qui dort avec ma fille, et mon grand-père Drôles de bestioles, Domingos, nous irons dans le potager avec le fusil et nous en tirerons deux ou trois, et mon père Il habite dans une pension sur la place de l'Alegria, il est amoureux d'une mulâtresse de l'Avenida, et ma tante Des cistes, et je pensais Je veux retourner à Lisbonne, je suggérais

Maintenant que nous avons rendu visite aux grands-parents nous pouvons revenir par le train de nuit, mais nous ne sommes pas revenus, Ana, nous sommes restés à Esposende, ma tante est allée vers la plage,

(moi je sais où elle est allée, je le sais parfaitement bien mais je ne le leur ai pas dit, elle est allée là où le cinéma ambulant avait été monté, il y a très longtemps, là où elle retrouvait le propriétaire de la machine)

mon grand-père et mon père ont emporté le tromblon dans le potager dans l'espoir d'y tirer des milans et celui qui couche avec moi

(mais qui ne m'a pas vue nue, Ana)

les a regardés, adossé à un tronc d'acacia, silencieux et insignifiant comme toujours, aussi silencieux que moi dans ma chambre tout au long des jours, aussi silencieux que moi, enfermée dans le parfum de fleurs du diabète, adossé à un arbre et se mouchant, me regardant et humant la brise, soudain je me suis rendu compte qu'il s'en allait, j'ai compris qu'il ne resterait plus avec moi dans la maison de la Quinta do Jacinto réduite à l'état de poussière par le carrousel des trains, j'ai compris qu'il ne me parlerait plus la nuit d'épisodes anciens concernant une maison qui n'existait plus, où un air d'opéra descendait du grenier comme la pluie d'octobre, j'ai voulu l'appeler par son nom, j'ai voulu lui dire Attends, ma tante cherchait son sang dans les dunes, les pins chuchotaient au vent, celui qui couche avec moi a abandonné le tronc de l'acacia et a couru quelques pas en agitant ses manches vers le haut et vers le bas,

(Qu'est donc devenu monsieur Jorge à Tavira, que sont donc devenus monsieur Fernando, et Dona Anita, et Dona Maria Teresa, et la couturière, et le fils de la couturière, et l'autre, ils pensent que je n'ai pas vu l'autre mais je l'ai vue, celle qui était peut-être ma mère, en train de remonter le phonographe) et il a trébuché sur une rigole d'irrigation, et il est tombé, et il s'est relevé, et il s'est remis à trotter,

(et je lui disais Ne pars pas, car je m'étais habituée à son silence, je m'étais habituée à l'avoir sur le banc du noyer m'aimant, car si ça se trouve je l'aimais, Ana, même si je l'empêchais de me caresser)

et il s'est élevé de quelques centimètres avec son chapeau tyrolien, au-dessus des oignons, du trèfle, du céleri, des pommes de terre, et moi Reste, et ma tante, se promenant parmi les saules pleureurs, Des cistes, ça sentait le poisson et les mouettes allaient et venaient de la place vers la mer et de la mer vers la place,

(et je lui disais Embrasse-moi, et je l'invitais Touche-moi, je suis ici, touche-moi)

et il s'est élevé plus haut, il a commencé à prendre de la hauteur, il a dépassé la cime de l'acacia, et je me souvenais du snack-bar, je me souvenais des thés au citron contre le rhume, je me souvenais de son sourire, je me souvenais surtout de son sourire, Ne m'abandonne pas, parle-moi d'Ericeira, parle-moi de Benfica, parle-moi en me serrant contre toi de ta vie avant de m'avoir connue, et mon père et mon grand-père dans les plants de tomates en train de guetter les milans, et ma grand-mère faisant frire des poissons à la cuisine, et ma tante à la recherche d'elle-même dans les dunes,

(Des cistes)

il s'est éloigné des arbres et a continué à s'élever, on avait déjà du mal à distinguer ses traits, on avait déjà du mal à distinguer son chapeau tyrolien, la sirène se taisait puis reprenait et lui était une petite goutte au-dessus du bourg, au-dessus d'Esposende que je déteste, je déteste Esposende, Reviens, je l'ai supplié Reviens, Ana, je l'ai supplié Reviens, ça ne me fait rien si vous vous moquez de moi, reviens, parle-moi, reviens, je te promets que tu ne t'assiéras plus sur le banc de pierre à l'arrière, accroupi dans la scintillation des choux, pardonne-moi,

à cet instant mon grand-père l'a désigné du doigt, Regarde, en voici un là-bas qui s'échappe, Domingos, mon père a levé le fusil de chasse, tout s'est immobilisé avec la détonation, les légumes, l'acacia, les poules, les édifices de la place, les mouettes, et je suis entrée très vite dans la maison pour ne pas le voir dégringoler tout en sang dans le potager.

4

Et un vendredi, Iolanda, celui qui dort avec toi avait disparu depuis trois mois dans les brumes d'Esposende,

(et tu es tout à fait capable de jurer qu'il y avait un ange, avec un chapeau tyrolien et des yeux de verre, empaillé dans l'entrée de la Mairie, à côté d'un milan coiffé d'un turban)

je ne suis pas allé faire de l'anglais ou de la géographie ou des mathématiques rue Oito à la Quinta do Jacinto car les frères nous ont autorisés à emmener mon oncle en promenade à la Cruz Quebrada, pour que le brome des vagues lui calme les nerfs. Nous l'avons trouvé non pas derrière les bunkers, assis dans les arbustes près de la clôture, parlant latin et lorgnant les ouvrières de la fabrique de biscuits et les voitures qui se dirigent vers l'église de la Luz tout près de la place où l'on montait une foire de pauvres en juillet, mais en costume et cravate, bien rasé, accompagné d'un infirmier, à l'entrée de l'asile, et ma mère, dans sa robe à ramages et une broche en corail sur la poitrine,

– Tu as grossi, Artur

de cette voix qu'on réserve aux policiers, aux malades et aux enfants, et mon oncle, tout à fait normal, l'embrassant comme avant les années de la tunique en rideau et des annonces du Déluge,

– Je me sens dans une forme splendide, Ausenda

(et toi, inattentive aux équations de deuxième degré, Cela me fait une drôle d'impression qu'on lui ait rempli le ventre de paille, cela me fait une drôle d'impression qu'on lui ait verni la figure)

et j'ai remarqué que les frères avaient ciré les souliers du prophète, dompté à force de brillantine les mèches de l'apôtre et couvert ses guibolles d'un pantalon bien repassé, pendant que l'infirmier prenait mon père à part et lui tendait un petit flacon de comprimés,

– Deux pastilles après le déjeuner et deux au milieu de l'après-midi, car être Dieu est plus fort que les médicaments, et l'équilibre de votre beau-frère est bien précaire

des moines passaient en faisant claquer leurs sandales dans un corridor, tenant des malades par le licou d'une manche, et ma mère, caressant sa broche de corail,

– Tu veux aller voir les phoques de l'Aquarium? tu aimais bien les phoques

une de ces broches bon marché, cerclées de chrome, représentant un profil de femme de vase grec, et je pensais, Iolanda, je déteste l'Aquarium, je déteste ces salles pleines de poissons lippus, je préférerais aller voir la mer à Caxias ou à Algés où les égouts vomissent la ville dans le fleuve, des ruelles entières, des maisonnettes, des terrasses, des dames accoudées à des fenêtres, des marchands de charbon et des tavernes, jusqu'à ce qu'il ne reste de Lisbonne que le cri des paons sur les collines désertes. Accoudé à la muraille, Iolanda,

(et toi Maintenant il ne parle plus de Benfica à personne, il ne se juche plus le soir sur la branche du noyer)

j'attends que l'édifice de Santa Apolónia glisse

vers l'embouchure, j'attends d'entendre siffler les locomotives au milieu des rascasses, semant la pagaille parmi les canots et effrayant les mouettes, et l'infirmier a dit à mon père

– S'il prend moins de quatre pastilles il se remettra à prêcher les Évangiles

et mon oncle, descendant les marches qui mènent à la rue en donnant le bras à ma mère,

– Aujourd'hui je ne suis pas d'humeur à regarder des phoques, ce qui me ferait plaisir c'est un bifteck avec un œuf à cheval dans un restaurant de la Cruz Quebrada

et moi, en te corrigeant un verbe,

– Ce ne sont pas les petits vieux qui manquent, apprends ta leçon

et mon père, en palpant le flacon de médicament,

– Deux au déjeuner et deux au milieu de l'après-midi, il les prendra, monsieur, soyez sans crainte

les émigrants dans le sable au fond, pêle-mêle avec les turbots, et mon oncle, en me caressant la nuque,

– Et tes notes au lycée, Alfredo?

nous avons traversé la cour qui nous séparait du portail, des lauriers, des mûriers et d'un platane appuyé à la grille, et ma mère a dit à mon oncle du ton jovial avec lequel on encourage les cancéreux,

– Nous allons prendre le tram sur le Quai du Sodré et tu regarderas le paysage

et l'infirmier à mon père

– Je ne veux pas de complications, l'ami, je ne veux pas devoir aller chercher le malheureux au diable vauvert avec une camisole de force

et mon oncle a dit à ma mère avec beaucoup de retenue, bénissant discrètement les lauriers, si discrètement que j'ai été le seul à le remarquer

– Ça ne me paraît pas une mauvaise idée du tout, Ausenda, ça fait une éternité que je n'ai pas vu de grues de sorte que nous avons pris l'autobus pour la Ville Basse pendant que les chardonnerets se posaient par erreur sur les épaules des malades et l'infirmier nous disait au revoir sur le trottoir, insistant sur les capsules,

– Dites-vous bien que si vous ne faites pas gaffe, votre beau-frère déconnera

et toi

– Je n'arrive pas à apprendre par cœur quoi que ce soit, Alfredo, il me fait pitié, empaillé comme ça à Esposende, sur une colonne de contre-plaqué avec un écriteau en latin

et moi

– Ne remets pas ça à propos du petit vieux, Iolanda, quelle est la capitale de la Norvège?

et elle, l'œil sur les choux du potager,

– Paris

nous avons dépassé Santos, et Alcântara, et Belém, et mon oncle a dit à ma mère en désignant du menton le ciel bleu,

– Dommage qu'il pleuve

et ma mère

– Où vois-tu qu'il pleut, Artur?

et mon père, très vite,

– Bien sûr qu'il pleut, tu ne remarques jamais la pluie, Ausenda

et moi à Iolanda

– Paris?

et toi, l'œil sur les choux, tes paroles embaumées de pétales de sucre,

– Paris ou Budapest, je m'en fiche, ça t'amuserait, toi, par hasard, si le pharmacien d'Esposende t'empaillait?

nous avons dépassé Algés et Pedrouços et l'Aquarium des phoques où le professeur de sciences nous emmenait au deuxième trimestre avec son fœtus de cachalot dans un cercueil de verre, et j'étais déçu qu'il n'y eût pas de sirènes, aussi déçu que le soir à

Santa Apolónia, quand ma mère allume la lampe dans le salon et que les meubles, les rideaux et ma vie deviennent tristes, tout me paraît aussi irrémédiable qu'une leucémie et j'ai envie, je ne sais pourquoi, de pleurer, si bien que je m'enferme dans ma chambre et je ne dis rien, Iolanda, et mon père

– Qu'as-tu, Alfredo?

et moi

– J'ai mal au ventre, père

car je ne peux pas lui expliquer que c'est la nuit qui me fait mal, et mon oncle à mon père, d'un ton ironique,

– Tu crois vraiment qu'il pleut, Teodoro?

alors l'hiver c'est encore plus difficile pour moi, avec ces nuages, et l'asphalte mouillé, je tremble entre les draps, sous les lampes les visages sont sans espoir, peut-être que sans la nuit il serait plus facile de grandir, et mon père

– C'est toi qui as parlé de pluie, Artur

la Cruz Quebrada était une colline jusqu'au stade et aux égouts qui se prolongeaient à l'intérieur du fleuve, avançant parmi les algues, je refuse d'être comme eux, Iolanda, mais je serai comme eux, un jour je m'approcherai de la glace, j'observerai mon visage et je vivrai du passé comme d'une pension de retraite et j'aurai pitié de moi, et mon oncle demandait l'opinion de ma mère,

– J'ai parlé de pluie, Ausenda?

et toi, suçant la pointe de ton crayon sans cesser de regarder les choux,

– Tu connais Benfica, Alfredo?

et ma mère, regardant mon père en haussant les sourcils,

– Pas du tout, Artur, c'est Teodoro qui est distrait, ne te mets pas en colère

je ne connais pas Benfica mais je parie que c'est comme Santa Apolónia ou la Quinta do Jacinto parce qu'il y a des locomotives et des réverbères et la nuit, partout sur cette terre, je parie que c'est comme Algés ou Pedrouços ou la Cruz Quebrada, les mêmes rues, les mêmes murs, le même soleil au-dessus des mêmes ténèbres, quel que soit le nombre de photos de militaires et d'horloges et de pas dans le grenier, et mon père, regrettant d'avoir sorti mon oncle de l'asile des religieux,

– C'est ma distraction, évidemment, tu sais bien que je n'ai pas de tête

je regardais son col élimé et je me demandais pourquoi nous n'avions jamais eu de voiture, pourquoi nous n'avons jamais d'argent, me demandant comment ta famille s'en sort sans celui qui dort avec toi pour payer le loyer et les factures d'électricité, j'imaginais ton père avec son casque en train de défoncer le plancher de sa pioche afin de découvrir de l'or à trois cents mètres de profondeur pour payer les traites du réfrigérateur et la quittance du gaz, nous sommes descendus au terminus de la ligne et avant de sauter des marches mon oncle a tendu la main, paume en l'air, et il a déclaré

– Tu avais raison finalement, Teodoro, il pleut

et cela en dépit du ciel sans nuages et de la chaleur et de la plage de la Cruz Quebrada pleine de gens et de voiliers, et ma mère a répondu en silence Que veux-tu que je fasse? et mon père, par gestes, Téléphone à l'infirmier de venir dare-dare, ma mère faisait signe que non, et mon oncle, mains dans les poches et nez en l'air,

– Quelle rincée, les enfants, il n'y a pas de doute possible, c'est le Déluge

et mon père a montré le petit flacon de comprimés d'un air préoccupé car les gens commençaient à nous regarder,

– Et si tu buvais quelques-unes des vitamines qu'on m'a données pour toi, Artur?

et mon oncle, rejetant la proposition d'un geste dédaigneux,

– Ce qu'il faut c'est nous dépêcher de construire une arche et de fourrer dans la cale toutes les bêtes de la création

et moi

– Pourquoi est-ce qu'on ne mange pas le bifteck d'abord?

et ma mère, s'accrochant à la suggestion avec espoir,

– Après un bon bifteck tu ferais ton arche en un clin d'œil, Artur

pendant que Lisbonne se vomissait dans le Tage, les oiseaux planaient au-dessus des détritus, des gravats, des restes de nourriture et des viscères d'animaux morts, peut-être les oiseaux engloutissent-ils les appels des locomotives et la tristesse des rideaux et de l'abat-jour à volants du salon, ils engloutissent Santa Apolónia et les dahlias de la Quinta do Jacinto et Benfica et le halo des lampes et mon envie de pleurer, ils engloutissent notre voix et le souvenir que les gens ont de nous, et mes parents ont aiguillonné mon oncle vers une gargote d'ouvriers surplombant la plage où une radio gueulait et toi, soufflant des corolles, tu cherchais celui qui dort avec toi sur le banc vide sous le noyer, la baie de Cascais se voyait au loin et mon oncle, repoussant le menu, déclarait au serveur en tablier

– Je me nourris seulement de sauterelles et de miel sauvage, mon fils

et mon père, presque à genoux par terre,

– Fais-moi plaisir, Artur, bois ton remède

une voix de femme débitait des nouvelles à la radio, un chien s'étirait dans la cuisine, le dos en forme de cimeterre, et ma mère a dit à mon père en se levant de table,

– Tu as le numéro de l'hôpital, Teodoro?

j'imaginais les moines débarquant d'une ambulance à sirène, fonçant droit sur mon oncle et le ramenant à l'asile à côté de l'église de la Luz et de la foire de pauvres de juillet, et le serveur

– Pardon?
et mon oncle
– De sauterelles et de miel sauvage comme mon disciple Jean-Baptiste qui t'a purifié dans le Jourdain
et mon père
– Ne faites pas attention, monsieur, ne vous fâchez pas, c'est une plaisanterie, apportez-nous quatre biftecks saignants
les gens de Timor qui habitaient dans les baraques du Vale do Jamor venaient sur la muraille regarder le Tage avec une nostalgie de moussons, leurs pulls de rebut m'ont fait penser à ma grand-mère habillée en mariée dans son cercueil dans le Trás-os-Montes, la robe de mariée rangée entre des sachets de lavande solidifiée qu'elle avait revêtue soixante ans plus tôt à une époque où la nuit et les trains de Santa Apolónia n'étaient pas encore nés, on était en décembre et il neigeait au village, les pieds laissaient de longues marques noires sur le plancher, nous vidions des petits verres de muscat et nous mangions des galettes, les chiens du berger hurlaient à la mort, mon oncle tournait autour du lit en aspergeant la défunte avec une branche d'olivier trempée dans de l'eau-de-vie, le froid et l'obscurité venaient non de l'hiver mais de la bouche de la défunte où une dent solitaire sortait de la lèvre comme une asperge, tout comme les gens de Timor ne venaient pas des cabanes de Jamor mais de la vase des égouts, tout comme ton odeur, Iolanda, venait non pas de toi mais des dahlias de la Quinta do Jacinto, des dahlias de la rue Dois, de la rue Quatro, de la rue Seis, de la rue Oito de la Quinta do Jacinto, qui imprégnaient le pâté de maisons de leur parfum musqué, et mon oncle, en regardant l'assiette avec le bifteck
– Je ne vois pas de sauterelles dans cette assiette
et le serveur

– Pardon?

et ma mère, en caressant sa broche de corail,

– Vous n'auriez pas un annuaire téléphonique ici?

et mon père

– Prends tes pastilles, Artur

et toi, en fermant le livre,

– Ça me rend toute chose de ne pas le voir sous le noyer

et c'était comme si les choux, le banc de pierre, les ombres, le soleil sur le mur avaient disparu du potager et que rien d'autre n'existât en dehors du regret de son absence, une mouette s'est équilibrée sur la muraille et nous a fixés de son œil écarlate,

(Un jour, ai-je pensé en trempant mon pain dans l'œuf, je m'en irai dans un lieu où il ne fera jamais nuit, un lieu sans trains où la lumière des lampes ne m'effraiera pas)

même à la Cruz Quebrada les locomotives vrombissaient comme les perroquets de mer, les gens de Timor attendaient que leur île s'approche comme une caravelle, mon oncle a dit aux ouvriers des tables voisines

– Qui m'aide à construire l'arche?

la mouette le fixait, elle nous fixait, le propriétaire de la gargote a éteint la radio et a demandé du comptoir

– La viande ne donne pas satisfaction, l'ami?

ma mère cherchait le numéro de l'hôpital dans l'annuaire et mon père

– Calme-toi, Artur, assieds-toi, goûte ton bifteck, calme-toi

maintenant il y avait cinq mouettes alignées sur le parapet de la muraille, trois femelles et deux mâles, le curé a ouvert la porte, faisant entrer la neige avec lui, et il a déclaré

– La paix du Seigneur soit avec vous

mais il n'y a pas de paix, Iolanda, il y a cette

inquiétude, cette anxiété, comment font donc les autres pour supporter la vie? et mon oncle a dit à l'homme de la gargote,

– Pour moi vous pouvez vous foutre votre bidoche là où je pense

j'ai compté douze mouettes en plus de celles qui volaient au-dessus des canots, douze mouettes qui nous fixaient, et les ouvriers des tables voisines nous fixaient eux aussi, et les gens de Timor qui habitaient à Jamor, et les wagons, et les vagues, et ma grand-mère habillée en mariée dans son cercueil et dont l'unique dent souriait au curé, ma mère ne trouvait pas le téléphone dans l'annuaire et le propriétaire a contourné le comptoir, le bras prolongé par un couteau de boucher

– Répète un peu voir, répète un peu voir

et mon oncle, inébranlable

– Pour moi, vous pouvez vous foutre votre bidoche là où je pense

le serveur l'a empoigné par-derrière, et mon père, en tentant de les séparer,

– Il est malade, messieurs, il ne va pas bien du ciboulot, ça fait un an qu'il est dans une clinique de fous

et ton père t'a dit en regardant la rue depuis le quai de la gare

– Où diable est donc passé celui qui dort avec toi, Esposende n'est pas assez grand pour qu'on s'y perde

et ta tante

– Il a demandé qu'on l'attende un petit instant, il est allé prendre un thé au citron là-bas en face

et ton père

– S'il rate le train, il n'y a plus que le train de marchandises de demain

le bateau de sauvetage ronflait et se taisait, ronflait et se taisait, ronflait et se taisait, et ton père

– Quelle fichue idée, aller prendre le thé juste maintenant

mais celui qui couche avec toi n'a pas remis les pieds à la Quinta do Jacinto, il n'a plus jamais traversé le rond-point, sa serviette à la main, il n'a plus jamais gravi le raidillon de son petit pas moribond, et tu as dit à ton père en sortant ta seringue d'insuline de ton cartable.

– Tu es sûre que grand-père ne lui a pas tiré dessus avec son fusil, tu es sûre que grand-père ne l'a pas abattu parmi les plants de tomates à Esposende comme il l'a fait de l'homme au turban empaillé à la Mairie ?

et ton père

– Quel turban, petite ?

et toi

– Le professeur d'hypnotisme par correspondance, celui qui volait, celui qui était de la police avant la Révolution, celui qui venait à Alcântara poser des questions sur nous

et ton père

– Tu bats la campagne, fillette, tu as déjà vu des hommes voler ?

et ta tante

– Des turbans ?

et le gargotier à ma mère

– Être malade n'est pas une excuse, madame, moi j'ai le foie en miettes et je n'insulte personne

et toi, d'une voix qui avait la couleur des dahlias dans les massifs,

– Les turbans qui passent par ici en allant au Maroc

et mon oncle, que le serveur étranglait,

– Lâche-moi, Belzébuth

et l'infirmier, en attachant les courroies de la camisole de force

– Ne vous avais-je pas recommandé de lui donner son remède, bon sang, ne vous ai-je pas prévenu que s'il ne prenait pas ses pastilles ça ferait du grabuge ?

si bien que le samedi suivant, quand nous l'avons

visité à l'asile, je l'ai trouvé de nouveau derrière les bunkers, assis dans les arbustes près de la clôture, observant les ouvrières de la fabrique de biscuits et la route menant à l'église de la Luz, et je lui ai dit

– Comment vous sentez-vous, mon oncle?

et lui

– *Deo gratias*

alors j'ai pensé, soulagé, Comme il ne va pas mieux on ne le renverra pas chez lui et je pourrai rester dans sa chambre et me tripoter sans que la sainte dans le sous-verre me l'interdise en pensant aux femmes à cinquante escudos par tango et à trente par valse, sans compter les ginger ales et les bières, une chambre avec un balcon qui donne sur les pigeons de l'Alfama, sur les escaliers et les arrière-cours et les cordes de fakirs que sont les gouttières de l'Alfama, un balcon sans trains ni fleuve devant moi, alors j'ai pensé qu'une chambre pour moi seul m'aiderait peut-être à traverser la nuit, alors j'ai pensé Peut-être que si j'ouvre les volets l'odeur de dahlia arrivera de la Quinta do Jacinto jusqu'ici, près de moi, je sais que tu guettes le banc sous le noyer dont les fruits claquent comme des dents, Iolanda, dans l'espoir que celui qui dort avec toi s'installe sur une branche, attendant que tu t'endormes pour entrer dans la maison et te parler de Benfica, d'airs d'opéra et d'échos dans un grenier, pourtant je t'assure qu'il ne viendra pas parce que cet après-midi, après l'asile,

(ma mère

– A samedi, Artur

et mon père

– A samedi, beau-frère

et mon oncle

– *Deo gratias*)

nous nous sommes arrêtés dans une pâtisserie de la Luz, près du lycée, pour que ma mère prenne un espresso à cause de ses chutes de tension,

(et le médecin a dit à mes parents
– Nous allons devoir l'isoler durant un mois ou deux car l'air du fleuve a aggravé son état
et ma mère, en caressant sa broche de corail cerclée de chrome qui représente un profil de vase grec,
– Il s'est mis à annoncer le Déluge au restaurant, docteur, vous ne pouvez imaginer la peur qu'il nous a faite)
il était cinq ou six heures et les tables regorgeaient d'élèves de ma classe ou de classes proches de la mienne, qui bavardaient, qui fumaient, qui se montraient des revues, qui suçaient des glaces à la vanille, à l'exception d'une fille à côté de nous qui prenait des notes dans un cahier à partir d'un livre d'histoire, devant un gâteau au riz et un verre d'eau minérale,
(et le médecin
– Je crois qu'il vaut mieux qu'il ne sorte pas d'ici, madame, si l'infirmier n'était pas arrivé à temps vous imaginez le scandale que ç'aurait été
et mon père
– Vous avez tout à fait raison, docteur, j'ai failli recevoir un coup
et je pensais
– Je ne dormirai plus jamais au salon, chic alors)
je t'assure que ce n'est pas la peine de faire semblant de dormir sans dormir, car au moment où l'on a apporté le café de ma mère, le crème de mon père et mon jus d'ananas, j'ai vu celle qui prenait des notes dans un cahier lever les yeux vers un type avec un chapeau tyrolien, une serviette de rond-de-cuir dans une main et un thé dans l'autre, qui se penchait vers elle en demandant avec un sourire honteux,
(et le médecin a dit à mon père
– Vous voyez?)
– Vous permettez que je me présente, mademoiselle? Ne prenez pas mon audace en mauvaise part mais j'aimerais bavarder un instant avec vous.

Livre Cinq

LA REPRÉSENTATION HALLUCINATOIRE DU DÉSIR

1

Tout cela s'est passé il y a longtemps, car tout s'est passé il y a longtemps, même ce qui vient de se passer maintenant, tel que remonter le phonographe pour écouter un air de *la Bohème* et me trouver assise sur la chaise à bascule en face de la colline de Monsanto avec ses arbres verts bleutés par la réfraction de la distance comme au temps où mon père avait combattu en 1919, pendant la Révolution monarchique. Ma sœur Maria Teresa et ma sœur Anita jurent qu'elles se souviennent de cette année-là parce que le téléphone sonnait sans arrêt, elles étaient allées au Pénitencier visiter mon père, elles m'ont dit que notre mère était enceinte de moi et qu'elle était toujours pâle et en train de vomir, mais mes souvenirs les plus anciens commencent ici, à la Calçada do Tojal, et pas à Queluz où mes frères sont nés dans un rez-de-chaussée près d'un parc avec des hêtres, des bancs faits de lattes et du gazon souillé de papiers gras et de mégots. J'aurais peut-être aimé vivre dans cette maison qu'on me décrit comme étant sombre et étrange, encore que toutes les maisons soient sombres et étranges quand on est enfant et qu'on n'y a pas encore grandi suffisamment pour s'apercevoir que les ombres et l'étrangeté sont en nous et pas dans les choses, et alors la vulgarité ennuyeuse et immobile des objets nous retire peu à peu toutes nos illusions. Mes souvenirs commencent à Benfica, et auparavant, quand j'entendais parler d'endroits connus d'elles et où je n'avais jamais été, j'avais l'impression brutale d'entrer dans une salle de cinéma où le film avait déjà commencé, m'obligeant ainsi à demander ce qui était arrivé avant que je n'entre pour comprendre l'intrigue et les personnages qui semblaient jouer uniquement pour les autres, comme s'ils étaient offensés par le manque d'éducation de mon retard. Mes souvenirs commencent à Benfica, pas ici dans le grenier mais en bas, dans la cour de la cuisine, du côté opposé au palmier de la Poste, je porte un tablier, je suis accroupie sur une marche et je regarde les poules picorer dans ce qui avait dû être un potager car on voyait des racines pointer dans l'herbe, ensuite mon frère Jorge me désigne les poulets et m'ordonne Tue-les, je prends une brique et je cours derrière les bêtes, et mon frère Fernando, qui jouait près de moi, se lève en pleurant et réclame la bonne à grands cris, mon frère Jorge le secoue par un bras, notre mère demande de la fenêtre qui donne sur le bac à laver le linge, Qu'est-ce qui se passe, Julieta? elle a des cheveux bruns et me regarde sans sourire, je m'arrête non parce qu'elle est fâchée mais à cause de la peur qui se devine sur son visage derrière la colère, et la peur des adultes m'inquiétait car devant elle j'étais nue et sans défense. Même en cela je crois être différente de mes sœurs, tout comme il ne m'est jamais arrivé de trouver une maison sombre et étrange, ce qui me semble être le signe que je n'ai pas eu le même genre d'enfance qu'elles, en partie parce que mon père ne me parlait pas, comme s'il ne m'aimait pas ou comme si je le gênais, une fois, un dimanche matin, alors qu'il était déjà malade et qu'il ne quittait plus son lit, je suis entrée dans sa chambre et je me suis approchée de son corps sans épaisseur où les pupilles luisaient comme des charbons de salamandre, il m'a regardée un instant, dans un silence plein du bruit de quelqu'un sur le point de parler, et il a détourné le menton vers le mur sans ouvrir la bouche et cela a été la première fois, avant sa mort, où je me suis sentie orpheline, si bien que le jour où il s'est éteint, en fait, je n'avais déjà plus de père et au lieu de me sentir triste je suis montée au grenier, j'ai ouvert la fenêtre donnant sur Monsanto et je me suis mise à observer les arbres au loin, différents des arbres de la forêt, plus près, dans laquelle retentissait l'écho du cri des paons. J'entendais les visites au premier étage qui parlaient comme à l'église, j'entendais des pas se superposer à des pas et mon frère Jorge saluer les personnes et les accompagner à la porte, mais je n'entendais pas le tic-tac des horloges ni les coucous en bois parce que mes sœurs, qui couvraient de bandes de crêpe les vitres et les photographies sur les commodes, avaient arrêté les pendules pour augmenter le silence et la dignité de l'absence, et tout me semblait vide, comme les cendres d'un incendie. Quand la sonnerie de la rue s'est mise à tinter toutes les minutes, d'autres personnes sont arrivées et elles ont commencé la veillée funèbre en transportant des chaises dans la chambre et en les disposant autour du cadavre, les hommes allaient dans le jardin fumer une cigarette, les servantes se déplaçaient sur la pointe des pieds avec des plats et des bouteilles, Monsanto était réduit aux poteaux électriques qui entouraient la prison, une chouette ou une chauve-souris est passée près des immeubles en construction un peu plus loin et j'ai fermé la fenêtre, j'ai mis une valse sur le plateau du phonographe et j'ai tourné le bouton du son pour donner le plus de volume possible, de sorte que les murs ont oscillé et que la maison tout entière vibrait avec la musique, mon frère Jorge, en uniforme de lieutenant, est entré dans le grenier en pressant ses paumes sur ses oreilles et il a arrêté l'appareil. Je suis retournée à la fenêtre et les silhouettes qui fumaient dans le potager ont regardé vers moi avec surprise.

Mais cela aussi, comme le reste, s'est passé il y a très longtemps, à moins que tout ne se soit passé en même temps, pendant une année ou un mois ou une minute de ma vie que je n'arrive pas à déterminer exactement, où avant et après ont une texture identique qui m'exclut, comme ce qui s'est passé avant ma naissance et qui se prolongera quand je m'en irai, un jour d'hiver aussi, comme celui où mon père a été enterré, et après l'enterrement on m'a fait déjeuner au salon au lieu de m'apporter ma nourriture, ma sœur Maria Teresa a retiré les crêpes des photos, mon frère Fernando a remis les pendules à l'heure, des douzaines de coucous sont sortis de leur petite fenêtre et j'ai pensé Maintenant c'est le tour de notre mère et ensuite celui de mes frères et sœurs et après le mien, et quand ce sera le mien je serai la seule à habiter ici et personne ne disposera de chaises autour du cadavre, personne n'ira fumer dans le jardin et comme personne ne saura que j'existe on démolira la maison avec des bulldozers et un dernier coucou chantera encore sous une montagne de gravats. Mon fruit terminé, je me suis dirigée vers la cour de la cuisine avec l'intention d'empoigner une brique et de pourchasser les poulets mais je me suis souvenue que nous n'avions plus de poules, mon frère Fernando a demandé Où étais-tu, Julieta? et j'ai gravi quatre à quatre les marches jusqu'au grenier, j'ai fermé les persiennes et je suis restée je ne sais combien de temps dans le noir, sans penser à rien, écoutant la pluie.

Quand j'étais petite j'aimais le mois de février. J'aimais les grippes de février et la douceur de la fièvre. Notre mère envoyait une des servantes dormir en haut avec moi et sa respiration me gardait éveillée comme s'il fallait que je me défende contre son sommeil. Tôt le matin, la femme s'habillait et disparaissait de la chambre mais la chaleur du matelas m'empêchait d'être calme, la fièvre augmentait, les bruits de la maison (robinets, lait sur le feu, gonds des placards à l'office) avaient l'intensité de détonations et j'avais peur qu'elle ne revienne la nuit suivante me persécuter avec ses soupirs d'agneau. Pourtant tout cela s'est passé il y a très longtemps, même ce qui vient de se passer maintenant (remonter le phonographe pour écouter un air de *la Bohème*), j'aime encore février et les grippes de février mais il n'y a plus de servante pour dormir avec moi car à partir d'un certain moment notre mère, ou mon père, ou mes frères, ou la famille tout entière ont empêché les étrangers de me voir, je n'ai jamais compris pourquoi, mais peut-être ne voulais-je pas comprendre puisque je n'ai jamais eu l'idée de poser la question. Ils ont poussé les objets du grenier dans un recoin mansardé, ils ont monté mon lit ici, ils me faisaient descendre uniquement le dimanche pour que je mange avec eux dans la salle à manger du rez-de-chaussée, dans une atmosphère si tendue que j'avais envie de crier ou de courir au jardin, car je sentais que leur haine avait un rapport avec moi. Quelle que soit l'heure, j'avais l'impression d'après les cadrans contradictoires que nous vivions simultanément tous les moments de la journée, ou alors que tous les moments de la journée n'en formaient qu'un seul, mon frère Jorge ordonnait Tue et je me suis levée, je suis allée dans la cour de la cuisine chercher une brique et je l'ai lancée avec force vers le centre de la table où se trouvaient l'huilier et le plat de poisson entouré de haricots et d'oignons frits dont l'œil reflétait le chandelier à six branches du plafond. L'instant d'après, j'étais ici en haut, au grenier, me balançant sur la chaise, et le bruit du plancher semblait planté comme un os dans le silence de la maison. Je pense que même le bruit de mes pas et les airs du phonographe sont une forme de silence, et que le vacarme commence au moment où l'on se tait et où l'on entend les pensées des autres se déplacer à l'intérieur d'eux comme les pièces d'un moteur détraqué qui essaient de s'ajuster. Un morceau de brique a cassé l'armoire qui contenait la cristallerie, produisant une cascade de tintements semblable à un éclat de rire aquatique. Mon père est venu me frapper avec sa ceinture puis il est reparti mais cela ne m'a rien fait parce qu'il était déjà mort. Un an ou plusieurs années après son agonie notre mère s'est plainte de la tête, d'une lame qui lui cisaillait les tempes, et cela à l'époque où les perruches cessaient de voler, se pelotonnaient sur leur perchoir en hérissant leurs plumes et tombaient sur le ciment avec un bruit mou. Après avoir retiré le dernier d'une écuelle de graines, ma sœur Anita a lavé la cage avec un désinfectant qui piquait les narines, elle a ôté les perchoirs et les boîtes pour les œufs, et la cage est restée vide jusqu'à l'arrivée du renard qui dès le premier jour a tourné en rond à l'intérieur des grilles, gémissant comme un bébé qui fait ses dents, à la recherche d'un trou par où s'échapper. Même pendant la nuit je me réveille aux hurlements de la bougainvillée qui pose des questions auxquelles personne ne répond, tout comme personne ne m'a répondu quand on a emmené Jorge du Tojal à Tavira, au bord de la mer. Ma sœur Maria Teresa a dit que Tavira est une ville sans cigognes, avec des mouettes sur les arches du pont et sur la quille des bateaux, et des vieux assis à des terrasses buvant le soleil dans des petits verres d'anis. Je ne me souviens plus si notre mère est morte alors ou avant, vu que tout cela s'est passé il y a très longtemps et que les épisodes se confondent, mais je sais qu'un infirmier lui donnait de l'oxygène en fin d'après-midi pendant qu'elle dépérissait dans le fauteuil et que mon frère Fernando se claquemurait dans sa chambre ou passait ses soirées dans la pâtisserie en face de l'église, souriant à la femme du vétérinaire qui prenait le thé avec ses amies. Le jour de l'enterrement, quelques moments avant la levée du corps, j'étais à la fenêtre quand un monsieur roux est arrivé avec un bouquet de fleurs, il a déposé le bouquet sur le paillasson et il est reparti sans sonner à la porte, j'ai pensé qu'il était venu apporter un message ou qu'il s'était trompé de porte. Cette nuit-là j'ai rêvé que notre mère se promenait dans le jardin main dans la main avec un homme roux, et mon père est de nouveau mort comme le jour où il avait détourné le visage du mien et je me suis sentie orpheline, tout comme je me suis sentie orpheline de mon fils quand on me l'a enlevé à Guarda, j'étais préoccupée par ce qui sortait par saccades et en pleurant de mes fesses couchées. Je me souviens que j'étais étendue sur un lit et que des pins se dressaient au-delà de la maison de ma grand-mère et de la clôture de planches qui se détachaient une à une, je me souviens que des oiseaux piaulaient dans l'écume des rochers. Comme il n'y avait pas de grenier où me cacher ni de chaise à bascule où m'asseoir, j'errais de pièce en pièce, regardant les pins et la rue qui se terminait par un entrepôt abandonné, avec des poches d'ombre du côté de la pluie. Ma grand-mère cousait, ses souliers posés sur le rebord du brasero, et j'ai cessé d'entendre les arbres quand un homme chauve et moustachu m'a regardée avec une sévérité inexplicable. Alors les douleurs sont devenues continues, les oiseaux se sont évaporés et je me suis désintéressée de moi-même.

Quand notre mère est morte et que mon frère Fernando est parti, nous sommes restées seules toutes les trois dans la Calçada do Tojal face à Monsanto, les fermes autour de nous se transformaient en immeubles et les camions emportaient la vigne vierge vers les dépotoirs de la ville. Le renard habitait avec nous de même qu'un garçon que je n'ai pas réussi à voir, sauf de dos, quand il descendait le gravier du jardin pour aller à l'école, aussi silencieux que le fils de la couturière à l'époque où nous jouions dans la cour de la cuisine et où je détestais ses gestes timides et l'humilité avec laquelle il supportait mes caprices, si bien qu'un jour j'ai empoigné la brique des poulets pour la lui lancer à la tête, mais le fait qu'il n'ait pas bougé, qu'il n'ait pas fui, a immobilisé mes mains au-dessus de ma tête et je suis restée ainsi, bras levés, en suspens, comme sur une photo, le regard dévié vers les cigognes du palmier de la Poste aux ailes éployées au-dessus des aiguilles des palmes. Le gamin a fini par partir il y a très longtemps, puisque tout dans ma vie s'est passé il y a très longtemps, comme l'enfance des autres, comme ce qui vient de m'arriver maintenant, encore que le passé ne me paraisse ni sombre ni étrange, comme les maisons dont on me parlait et où je n'ai jamais habité, comme celle où je vis seule depuis la mort de mes sœurs, avec des horloges qui marquent des heures différentes à l'étage du bas, comme les cadavres qui sont dans des positions différentes après un accident de chemin de fer, les coucous suspendus aux petites portes de bois, les photos envahies par la poussière, les toiles d'araignée qui unissent les volutes du chandelier de la salle à manger aux couverts qui attendent les défunts, et les vitres qui tombent comme des pellicules de soie, rendant les gémissements du renard dans la cage aussi proches de moi que si c'était ma propre gorge qui les émettait. Je me lève de la chaise à bascule, je m'appuie à l'avant-toit et les cigognes de Monsanto au-dessus de la chaise sont les mêmes que celles qui survolaient la Lunette des Casernes en 1919, déchirant de leur bec les uniformes des soldats. J'avais l'impression d'entendre des tirs distants, des sabots de chevaux, des roues de pièces d'artillerie sur les dénivellations de la colline, des hennissements, des cris, des voix, et quand tout s'est tu et que la maison a sombré de nouveau dans son silence habituel, j'ai commencé à entendre des pas dans l'escalier, hésitants comme ceux d'un enfant qui n'oserait pas prononcer mon nom. Au début, je me suis sentie perplexe car c'est là depuis toujours ma façon d'avoir peur mais ensuite j'ai pensé C'est impossible, c'est une illusion, c'est impensable, ceux qui me connaissent ont disparu, pourtant l'enfant se déplaçait de pièce en pièce, presque sans bruit, m'appelant tout bas, comme les herbes de mars, avec une clarté secrète. La nuit tombait, le soleil couchant a noyé les moineaux dans les cyprès, une des marches menant au grenier a craqué mais je n'ai pas mis de disque sur le plateau du phonographe, je n'ai pas allumé la lumière : je préférais ne pas voir mes mains côte à côte sur mes genoux comme des crabes tranquilles, je préférais oublier les traits de mon visage jusqu'au moment où ils deviendraient une surprise pour moi-même, comme lorsqu'on se regarde, adulte, pour la première fois dans une glace. Assise sur la chaise à bascule, tandis que la lumière de Monsanto illuminait les peupliers, j'ai attendu que l'enfant, que je savais plus proche à cause des craquements de l'escalier, vienne près de moi et me touche l'épaule. Tôt ou tard il le ferait et, comme les autres qui m'ont précédée, je pourrais abandonner cette maison. Si, à côté du portail, au bout de la rampe de gravier, je tournais la tête vers la fenêtre du grenier, sur l'appui de la fenêtre peint en blanc et rendu encore plus blanc par la réverbération de la nuit, j'apercevrais un bras enfantin me faisant signe de là-haut comme quelqu'un qui prend congé sur un quai, sans amitié ni remords, d'une compagnie qu'il ne reverra plus jamais.

2

Cela faisait déjà plusieurs mois que je ne me sentais pas bien mais au début il ne m'était pas venu à l'esprit que cela puisse être un cancer. Cela avait commencé par une sorte de tristesse, de lassitude, une angoisse diffuse qui m'empêchait de dormir, je me tournais dans mon lit jusqu'à ce que l'aube colore les stores en gris, que les contours se distinguent dans la pénombre et que les vitres de la pendule et les verres des photos sur la table de nuit acquièrent la dureté d'un œil plein de mépris. Je passais la journée dans la petite salle de la télévision et des épisodes si lointains que je les croyais oubliés à tout jamais resurgissaient brusquement dans ma mémoire : une balle perdue qui avait troué la penderie de ma sœur, je devais avoir deux ou trois ans à l'époque où nous habitions rue Ernesto da Silva, l'odeur de l'usine de conserves de poisson à Alger, le mois d'août à São Martinho do Porto passé à construire des murailles de sable contre la mer, des bras qui me transportaient à l'étage du dessus, et aussi l'été où j'avais connu mon mari, les thés dansants à Estoril, les promenades à bicyclette, les pique-niques, les parties de cartes, les siestes à Mortágua, les mardis gras et le vent dans les hêtres de la ferme qui ébouriffait les coiffures.

Même en me réveillant à l'hôpital je n'ai pas pensé que c'était un cancer. J'avais mal à la tête, des tasses tintaient dans le corridor, des visages inconnus se penchaient vers moi comme des corolles attentives, un doigt grimpait le long de mon avant-bras comme s'il suivait les méandres du Mondego sur une carte, une aiguille a disparu dans ma peau et j'ai vu mon sang dans la seringue, sombre comme celui des animaux que la cuisinière égorgeait pour les déjeuners de la famille. J'ai pensé Je suis un lapin mort, et mes tripes tombant dans la bassine d'étain m'ont fait crier de répulsion et d'horreur. Des poils grisâtres brillaient sur une marche entre les savates de la cuisinière, des sycomores printaniers dansaient sur le mur, c'était la nuit et c'était le jour sur les carreaux de faïence, la Fräulein qui s'occupait de nous a dit aux autres médecins Nous allons lui faire un électroencéphalogramme, des feuilles se balançaient au-dessus de ma tête et je me suis mis à crier de frayeur dans la tonnelle près du lac où les reflets de l'eau glissaient sur le ciment ébréché. Mon père me cherchait dans le jardin en répétant mon nom, j'entendais sa respiration et ses pas sans réussir à lui répondre, mais comme l'encéphalogramme était normal, on m'a renvoyée chez moi avec ordre de me reposer une semaine et on m'a conseillé de consulter un neurologue si les murs continuaient à tourner autour de moi et si la sensation de nausée ne se dissipait pas.

Comme pendant les dix premières années de mon mariage je n'ai pas eu d'enfants, je me suis attachée à mes neveux. Ils dînaient chez moi le jeudi, ils montaient au grenier écouter des disques sur le phonographe à pavillon, ils m'aidaient à arroser les arbustes, quand il faisait chaud je les aspergeais avec le tuyau d'arrosage et ils se contorsionnaient et riaient de plaisir, frappant des mains, couverts de gouttes irisées par l'après-midi, tel un petit troupeau surpris par la rosée, ou bien ils me demandaient de m'asseoir au piano que j'ouvrais pour qu'ils puissent regarder les petits marteaux percuter les cordes pendant que les sonnailles escaladaient la Calçada do Tojal en direction du cimetière abandonné. A sept heures, mon mari remontait les pendules murales à côté de deux gravures avec des légendes en espagnol. Guillermo Tell Despide Su Barca (un homme poussant du pied une espèce de galiote) et Guillermo Tell Amenaza Al Gobernador (le même homme montrant le poing à un vieillard coiffé d'une calotte écarlate) et au moment du dessert on sonnait à la porte et le voisin, qui habitait avec ses sœurs célibataires l'appartement à gauche du nôtre, qui travaillait à la Vacuum et qui s'appelait Fernando, demandait à mon mari s'il voulait bien le conduire en voiture à la Baixa quand il irait faire la veillée à la Compagnie des Téléphones. Après la Révolution nous avons vendu la maison de la Calçada do Tojal, nous avons déménagé dans un sixième étage de la zone récente de Benfica près du nouveau marché, une des gravures de Guillaume Tell s'est cassée, mes neveux ont cessé de se faire arroser au tuyau et ils ont grandi, l'un d'eux, qui est devenu chirurgien, est parti à Londres et en est revenu, si bien que la deuxième fois que je me suis évanouie avec une crise épileptique et que la voix de mon père m'a cherchée dans la tonnelle du jardin, mon neveu m'a radiographié le crâne, une première fois puis une deuxième, a diagnostiqué un épanchement cérébral, et pendant qu'il parlait en jouant avec une tige chromée munie d'un bout en caoutchouc, je me suis rendu compte que les années avaient passé pour nous. Revenant à Benfica en taxi, à travers une ville qui changeait sans cesse et qui désormais m'était étrangère, je me suis aperçue que j'avais l'âge auquel mon mari et mon père étaient morts, si bien que j'ai cherché le visage du chauffeur dans le rétroviseur pour qu'il me vienne en aide, et j'y ai trouvé une paire de pupilles étonnées comme celles des poupées sous leurs cils de nylon. Il n'y avait plus de cour ni de ferme, la maison de la Calçada do Tojal avait disparu, une succursale de banque se dressait à la place du palmier de la Poste, le jardin de mes parents s'était transformé en façades et je me suis demandé en payant la course si on transporterait mon cercueil dans l'ascenseur ou en le faisant cahoter dans l'escalier, et quand j'ai introduit la clé dans la serrure mes jambes ont flanché, je suis tombée à genoux sur le tapis, j'ai marché à quatre pattes vers le téléphone qui ne cessait de sonner, j'ai levé le bras vers le combiné, l'appareil s'est écroulé devant moi, un chuchotement a demandé si c'était la boucherie, des animaux écorchés étaient suspendus à des crocs, des hommes en tablier, couverts de croûtes de sang, dépeçaient des quartiers de viande, la bonne du Cap-Vert a surgi de la cuisine, un fer à repasser à la main, la viande s'entassait sur un plateau de balance, j'ai voulu dire Téléphonez vite au médecin et j'ai articulé Guillermo Tell Amenaza Al Gobernador, un vent a agité les bouleaux à l'intérieur de ma poitrine, mon mari mort est sorti de la salle de bains, une joue couverte de crème à raser et rasoir au poing, la certitude qu'on me trancherait les carotides a fait couler mes larmes, la bonne composait un numéro par-dessus mes sanglots, la viande dans la balance gouttait le long de ma nuque, quelqu'un frappait à la porte de l'appartement d'en bas et finalement c'était une artère de mon cou qui palpitait contre ma peau, mon neveu a annoncé qu'il s'agissait sans doute d'une chute de tension mais qu'il jugeait plus prudent de recommencer les examens, et comme nous étions en juin je l'ai arrosé, lui et ses frères, avec le tuyau du jardin et les petits sautaient de plaisir, on m'a fait entrer à l'hôpital de la CUF pour y faire des examens et des analyses, et cette nuit-là les cris d'une femme m'ont réveillée, j'ai allumé la lumière, j'ai demandé à l'infirmière de m'apporter un miroir et j'ai constaté que mon nez était devenu effilé comme celui des cadavres dans les cercueils.

Quand on m'a laissée sortir de l'hôpital d'où l'on voyait le fleuve par la fenêtre et que ma fille m'a conduite à la maison je n'étais plus capable de me brosser les dents toute seule : je me frictionnais les lèvres, la langue, les gencives et le menton, les poils de la brosse me blessaient, j'ai fini par m'étendre sur mon lit, épuisée, découvrant des fissures dans le plâtre du plafond qui devaient se situer sous les cabinets du septième étage habité par un commandant de la TAP avec des masses de belles-filles et de caniches que je rencontrais parfois dans l'ascenseur fumant une cigarette impatiente. J'avais aussi du mal à manger parce que le riz me tombait de la fourchette, et une de mes sœurs, qui était née à Alger au temps où mon père travaillait dans l'usine de conserves et où j'avais appris à lire en français, s'est assise à table avec moi, m'a coincé la serviette sous le menton, a découpé mon poisson, a poussé les arêtes sur le bord de l'assiette et m'a donné à manger en plaisantant mais je la savais paniquée derrière son sourire. Ma mère, qui est morte il y a douze ans, m'a semblé préoccupée elle aussi sur sa photo placée sur la table de chevet, et quand mon neveu est venu me voir, j'étais devant le téléviseur débranché en train d'évoquer des souvenirs de l'Afrique du Nord, je lui ai demandé de me dire quelle était ma maladie, pendant que des Arabes discutaient dans la rue, ma plus jeune sœur n'était pas encore née, mon père, le cheveu noir, lisait le journal dans le fauteuil, et mon enfance défilait devant moi comme si tout cela se produisait à l'instant même. Mon neveu me tournait le dos et observait le marché de Benfica par la fenêtre, et je me suis souvenue de l'été où il s'était cassé le bras, quand il était petit, en tombant sur le trottoir de la Calçada do Tojal, je me suis souvenue du médecin qui lui avait mis le bras dans un plâtre à Santa Maria et d'avoir grimpé le raidillon sablé dans le noir tandis que les perruches des voisins (deux sœurs vieilles filles, l'employé de la Vacuum et un militaire emprisonné dans la caserne de Tavira pour un acte quelconque d'indiscipline) chantaient à la lune dans leur cage énorme. Le palmier de la Poste se secouait et mon neveu m'a répondu sans reprendre haleine.

C'est un cancer de la tête, tante, ce n'est pas la peine d'opérer, la semaine prochaine nous commencerons les séances de cobalt,

et j'ai eu pitié de son chagrin et je lui ai caressé le poignet.

Je suis une femme de silence, je n'aime ni les effusions ni les larmes. Je parle peu car la plupart des mots me semblent vides, et je pense qu'aux yeux des autres j'ai parcouru la vie avec une gravité sereine dans laquelle ils n'ont pu deviner ni tristesse ni désespoir. Ils ne m'ont pas vue verser une seule larme le jour où mes parents ou mon mari ont disparu, tout comme ils n'ont dû entendre que de rares éclats de rire de ma part depuis soixante-dix ans que je dure. Je suis une femme de silence qui habite le silence, qui entend le silence au creux des sons, au creux des phrases et de la musique, silence des vagues à Ericeira, silence des grillons dans l'Algarve, silence des discussions quand le ton commence à monter et que les murs hurlent, se faisant l'écho du dépit de ceux qui se chamaillent. Mon neveu a abandonné la fenêtre, a redressé un tableau, a changé la position des bibelots sur l'étagère, a répété C'est un cancer, tante, une sueur luisante perlait sur son front, et comme si je me référais à une inconnue j'ai demandé Combien de temps, mon enfant? et lui, mentant mal, Nous allons attendre que le cobalt fasse son effet, nous allons considérer que c'est un cauchemar passager, une cigogne faisait claquer son bec dans la forêt, j'ai pensé que je préférais mourir non dans cet immeuble mais dans la maison de mes parents où monsieur José nettoyait les algues dans la citerne, que je préférais mourir dans la Calçada do Tojal, face à Monsanto, de sorte que j'ai feint de croire à ce que mon neveu me disait, je le voyais petit garçon au fond de son lit, tout recroquevillé par la grippe, je le bordais bien soigneusement et je lui lisais des histoires jusqu'à ce qu'il s'apaise. Après le départ de mon neveu le téléphone a sonné et s'est tu avant que je puisse décrocher car je me déplaçais avec difficulté, comme si mes articulations étaient soudées par des particules d'oxyde, et en passant devant une des grandes horloges à balancier dont le pendule n'oscillait plus, je me suis demandé pourquoi mon mari ne l'avait pas remontée et je me suis rendu compte alors que j'habitais seule dans cet édifice au-dessus du marché et que, du fait de l'ordre naturel des choses, quelqu'un (ma fille, un parent, un étranger, le commandant de la TAP) occuperait certainement bientôt l'appartement vide. Comme je n'avais pas envie de lire ni de regarder un film à la télévision, j'ai avalé un des somnifères de mon mari, je me suis étendue et l'instant d'après j'avais vingt ans, je jouais au tennis à Sintra avec mes cousines, sur un court entouré de cactus et de sapins, auréolé par le matin de septembre. Je distinguais l'océan au loin, une des balles a sauté par-dessus le grillage et a disparu dans les sapins, un ami de mes cousines a couru la chercher, je me mariais quelques semaines plus tard et je ne me sentais ni heureuse ni malheureuse, je me sentais bizarre, mon fiancé m'a caressé la main et j'ai eu envie d'être à Alger sur les genoux de mon père.

Comme je n'avais pas la force de sortir, mes amies

me rendaient visite après le déjeuner, elles occupaient les canapés, apportaient des chaises du couloir et de la salle à manger et conversaient sur un ton plus aigu que d'habitude, soudain optimistes et joyeuses et débordantes de plans pour l'avenir qui m'incluaient, et je les imaginais respirant profondément sur le palier comme des acteurs prêts à entrer en scène pour une petite comédie de bonheur et d'espoir à laquelle aucune de nous ne croyait, chacune étant préoccupée par sa propre souffrance, sa propre vie, et comme elles étaient d'un âge qui se rapprochait du mien, elles s'interrogeaient sur la façon que choisirait la mort de les entraîner avec elle, implorant Mon Dieu, surtout pas un cancer, comme si Dieu se donnait la peine de fabriquer des agonies personnelles, comme les tailleurs fabriquent des vêtements sur mesure, au lieu de nous balayer d'un geste distrait comme des insectes gênants. De temps en temps je baissais les paupières et elles se dépêchaient de chuchoter, faisant des commentaires sur ma pâleur, ma maigreur, mes cheveux, qui tombaient de mes tempes et de ma nuque, les brefs jours interminables qui me séparaient du coma, qui me séparaient du crucifix sur la poitrine des cadavres. Mes sœurs et ma belle-sœur tricotaient à côté de moi, il y avait une photo de nous cinq, jeunes, en robe de bal, très différentes de ce que nous sommes maintenant, lourdes d'un lest de résignation et de douleur. Les mûriers de la rue n'atteignaient pas la fenêtre comme dans la Calçada do Tojal où la vigne vierge tamisait la lumière, alarmant les perruches des vieilles filles. Ici, seul un caoutchouc poussait dans un pot, ses feuilles pendaient malgré les aspersions de la Cap-Verdienne qui se penchait sur lui comme sur un convalescent mélancolique. Les mûriers n'atteignaient pas la fenêtre mais les hannetons de juin raclaient leur colère contre les vitres et je me réveillais le matin au bruit de leurs ailes heurtant la surface réfléchissante dans l'illusion qu'il y avait une deuxième chambre derrière, avec une autre vieille dans un lit, d'autres rideaux, d'autres vases. J'ai pensé que les hannetons sentaient que j'allais mourir et qu'ils voulaient fuir l'odeur de mon corps, devenue différente, semblable à celle du linge ancien dans un coffre. Je détestais cette odeur que le savon accentuait davantage encore, j'aurais voulu me dépouiller de cette caricature de moi-même, reculer dans le temps et marcher entre les pins vers Ericeira, à la rencontre de ma fille et de mes neveux, pendant que l'équinoxe dressait l'eau contre les falaises et que les baigneurs s'en allaient, chargés de toiles de tente, au gré du vent. Les gamins d'une colonie de vacances s'amusaient à pêcher des têtards dans l'étang et à l'Institut de secours aux naufragés un noyé fermentait sur une table. Un petit bossu coiffé d'un panama dont la mère s'était enfuie à l'étranger avec un avocat suisse claudiquait derrière ses copains sur ses jambes grêles, le samedi mes parents venaient de Lisbonne embrasser leurs petits-enfants et ils s'installaient sur la terrasse pour boire des rafraîchissements et manger des pousse-pied, ils s'en allaient à la tombée de la nuit, l'auto disparaissait derrière la pompe à essence, un vide énorme recouvrait la plage et s'étendait vers les mimosas de la falaise, la mer ressemblait à un homme colossal frottant ses mains l'une contre l'autre, en arrière, en avant, sur ses genoux, je boutonnais ma veste de tricot et je me sentais si seule que j'avais envie de leur téléphoner simplement pour entendre leur respiration à l'autre bout du fil. Maintenant, quand les personnes qui me visitent dans ma maladie bavardent avec moi, optimistes et débordantes de projets d'avenir qui m'incluent, j'ai l'impression que c'est samedi il y a trente ou quarante ans, que je suis à Ericeira, que l'automobile de mes parents s'éloigne, phares allumés, et je ressens l'abandon et la terreur d'autrefois, et à l'instant où les phares se sont évanouis au-delà de la pompe à essence et où j'ai décidé de téléphoner à Benfica, mon neveu s'est accroupi sur un petit banc comme il le faisait dans la pension sur la place où se trouvait le garage, à vingt ou trente mètres de la plage, quand ses frères allaient à la patinoire et qu'il s'approchait de moi pour chasser sa peur d'être le seul enfant dans l'hôtel, à l'exception d'une petite rousse appelée Julieta qui jouait dans la cour derrière et qui poursuivait les poules de la gouvernante en leur jetant des bouts de brique. Je lui ai demandé combien de temps il me restait et il a grandi tout à coup jusqu'à atteindre son âge actuel, il a cessé de rire sous le tuyau d'arrosage, il s'est appuyé à la fenêtre en me tournant le dos pour regarder le marché et il a dit Deux ou trois semaines environ, je ne sais pas, Julieta, qui était la filleule de la propriétaire de la pension, courait à Ericeira derrière les poulets, mon neveu continuait à regarder le marché et je me suis souvenue d'une année lointaine où j'avais prolongé l'été jusqu'aux derniers jours d'octobre, je me suis souvenue de la pluie battante sur l'hôtel désert, du mécanicien albinos qui errait dans la tempête, des albatros sur la cave des chaudières et sur les pignons des chalets entre les figuiers sauvages, des trois messieurs en noir claquemurés dans une chambre au premier étage et du corbeau qui traînait ses ailes à la cuisine en lâchant des jurons de marin. Malgré le chauffage déficient, les fenêtres qui fermaient mal et le robinet de la douche qui refusait de fonctionner, je me sentais bien dans cet automne où les grandes marées cachaient le sable et où le ciel ne se distinguait pas de la mer, tous deux écumeux comme une bave de soufre. Je me suis amusée à imaginer la fillette rousse, sœur de mes voisins de la Calçada do Tojal, je l'ai fait habiter la maison de l'employé de la

Vacuum et de l'officier en prison, et quand mon neveu s'est remis à redresser des tableaux et à changer les bibelots de place j'ai cessé de le voir car la gérante de la pension a été foudroyée par une attaque, elle croassait, ses ongles tiraillaient son tablier, la pluie trempait sa jupe et ses cheveux, mon neveu m'a annoncé en souriant Vous durerez éternellement, ma tante, et j'ai acquiescé pour ne pas le contrarier, je lui ai enfoncé un chapeau tyrolien sur l'occiput, je l'ai mis dans la Quinta do Jacinto, à Alcântara, je l'ai marié à la fille de la couturière de mes parents, une diabétique née au Mozambique ou en Guinée ou dans la ville du Cap, pourrissant au-dedans comme moi d'un mal incurable qui la dévorait, alors j'ai recommencé à entendre la mer d'octobre et les albatros qui piaillaient sur la cave des chaudières, je me suis endormie devant le téléviseur éteint et je me suis réveillée en train de me promener dans ma chambre comme parmi les châtaigniers à Mortagua où le père de ma belle-sœur, en veston de lin, faisait des mots croisés sur la véranda donnant sur la montagne, entouré de guêpes, de grillons et du silence du soleil au-dessus des oliviers.

L'après-midi de ce même jour, après le traitement au cobalt, mes dents ont commencé à tomber : elles se détachaient de mes gencives tandis que mon visage se ratatinait et que des racines vertes pointaient dans ma bouche, j'ai pensé que c'était sûrement le printemps. Le caoutchouc se tordait en direction de la fenêtre, l'appel des cigognes dans la forêt est devenu plus proche au-dessus du terrain de football et le bruit de l'ascenseur de l'immeuble a pris une consistance de verre, comme s'il transportait des piles de plats et d'assiettes qui s'entrechoquaient joyeusement. Les voix des visites se mêlaient aux perruches de la Calçada do Tojal et les gens bavardaient avec moi juchés sur des perchoirs en jonc et des petites boîtes en bois pour les œufs, lissant leurs plumes de leur bec peint. Mon père me disait adieu à Ericeira de sa manche hors de la voiture, un train venu de Damaia a sifflé mon nom à la halte, et je me suis souvenue que quand j'allais chez la couturière à Alcântara dans une villa accolée à une autre avec des dahlias flétris dans les massifs, je m'effrayais des sifflements des locomotives qui roulaient parallèlement au Tage et à sa rive hérissée de grues. Le pensionnaire de la couturière, qui n'arrêtait pas de boire de la bière, est entré dans la petite pièce où elle me refaisait un ourlet, il a renversé la planche à repasser et a annoncé que s'il le voulait, madame, il était capable de voler en Tunisie comme les oies sauvages. La couturière l'a chassé dans sa chambre en le menaçant de ses ciseaux, mon mari remontait les pendules murales, ma sœur née à Alger m'a essuyé le menton avec un mouchoir, l'ivrogne criait Dona Orquídea j'ai envie de voler, j'ai envie de voler Dona Orquídea, laissez-moi m'envoler, la couturière plantait des épingles dans l'ourlet de ma robe et elle m'a dit qu'elle devrait renvoyer l'homme à Esposende, car à Alcântara, où tous avaient des dahlias flétris dans les massifs de leurs maisons, les gens se plaignaient que l'ivrogne sonnait à leur porte en jurant qu'il était un milan, mais ce qui me revenait en mémoire d'Esposende c'était les hurlements du bateau de sauvetage perdu dans le brouillard, les rails sur lesquels le bateau glissait dans la mer, un cinéma démontable dressé sur la plage, sur les cistes des dunes, et les haut-parleurs qui déformaient les dialogues des acteurs, les faisant ressembler aux piaulements des mouettes. Je me suis assise à l'extérieur de la tente, derrière la cage du projecteur, et j'ai aperçu un individu qui plaçait et retirait les bobines de film, une cigarette vissée à la lèvre inférieure. Entre les vagues et moi il y avait une jeune fille dans un châle, debout dans le sable comme si elle attendait quelqu'un, et quand je m'apprêtai à aller vers elle pour lui parler j'ai entendu ma jeune sœur dire à la fille au châle Maintenant elle s'endort à tout bout de champ, ce doit être le début du coma, l'ami de mes cousines a surgi des arbustes de Sintra, une balle de tennis à la main, mon mari est revenu du bureau avec une odeur d'eau de Cologne mais la cuisinière m'a arrachée de mes draps en me tenant par mes oreilles grises comme un lapin, elle s'est assise sur un banc dans la cour de la cuisine, les sycomores dansaient au-dessus du mur, c'était le jour et c'était la nuit sur les carreaux de faïence, elle m'a ouvert le ventre avec un couteau et mes tripes se sont entassées dans la cuvette en étain où du sang gouttait.

3

Je n'ai jamais vu la mer sauf sur des photos ou des tableaux. Dans le salon au rez-de-chaussée il y a une ou deux photos de mes sœurs sur la plage, assises dans le sable, en compagnie de personnes que je ne connais pas, on aperçoit les vagues au fond, à mi-vol. Dans l'ancienne chambre de mes parents il y a un paysage de falaises où l'on ne voit pas l'eau, mais on devine les vagues aux saules pleureurs dans un angle de la toile et à l'inquiétude des pins. De sorte que j'imagine la mer comme un pré avec les dames en chapeau souriant au vent. Ma sœur Maria Teresa m'a dit qu'on apercevait le Tage de la maison de Queluz et que notre mère l'amenait parfois au Guincho où un phare clignotait dans les rochers, bleutant la nuit d'une pupille qui s'ouvrait et se fermait en illuminant les arbres, les dunes et une bande d'ombre parsemée d'écailles qui se déplaçait lentement. C'est peut-être parce que je n'ai jamais vu la mer que j'ai cessé de donner des ordres au fils de la couturière quand, encore enfant, il est revenu de ses vacances à Peniche et qu'il m'a raconté que les moteurs des chalutiers le réveillaient le matin en partant vers le large, abandonnant une traînée d'huile dans leur sillage. Il se réveillait avec le vrombissement des moteurs, il se levait du lit, il allait à la porte, la lune s'étrécissait dans les branches des chênes et les bateaux s'éloignaient en éventail, labourant de leur quille la surface de l'écume. Il a sorti de sa poche un galet qui était la pupille d'un mousse noyé et j'ai oublié les poulets de la cour et la brique pour les tuer, ébahie devant cet œil aveugle qui me regardait avec une indifférence laiteuse. Cet après-midi-là j'ai demandé à mon frère Jorge, occupé à nourrir les perruches, de m'emmener à Queluz voir le fleuve, il m'a répondu en changeant l'alpiste dans les petites boîtes qu'il nettoyait avec une brosse et dont il vérifiait les œufs que mon père m'interdisait de sortir du grenier, j'ai demandé pourquoi et il a hoché la tête sans répondre en balançant un petit sac de graines au bout de son bras. Trois cigognes rôdaient aux alentours de la forêt, et sur la marche de la cour de la cuisine, pendant que la bonne écossait des petits pois dans une marmite, le fils de la couturière m'a raconté le retour des chalutiers, il m'a raconté les paniers pleins de serrans et de rascasses pour la criée et comment les pêcheurs les salaient et les offraient aux négociants qui reculaient leurs camionnettes jusqu'au bord du quai. Comme sa mer me paraissait différente de la mer des photographies et des tableaux, le fils de la couturière m'a dessiné Peniche avec des crayons de couleur sur une feuille de papier, il a passé je ne sais combien de temps à couvrir l'océan avec ses doigts et quand il m'a tendu la page j'ai trouvé des porches tordus, un papillon plus grand que les cheminées sur les toits, un tournesol qui souriait et l'œil du mousse naufragé : tout le monde me cachait les vagues si bien que je me suis mise en colère, j'ai saisi un morceau de brique pour lui fracasser la tête, il s'est enfui en pleurant au milieu des poules, il a trébuché, il s'est étalé dans les laitues et avant qu'il ne se relève pour continuer à courir, j'ai lancé la brique qui l'a atteint au cou.

Mon frère Jorge m'a agrippée par le poing et m'a traînée à l'intérieur de la maison, et quand ils m'ont apporté le plateau du dîner au grenier ils ont mis un disque sur le plateau du phonographe pour me calmer mais j'étais tellement dépitée qu'on me dénie la mer que j'ai refusé de manger.

Je n'ai rencontré à nouveau le fils de la couturière que bien des années plus tard, à l'époque où il n'y avait plus de perruches dans la cage et où le renard tournicotait sur le ciment en flairant les grilles et en urinant contre le grillage métallique. La plante grimpante atteignait maintenant le sommet du mur et explosait en grappes fleuries, mon frère Jorge ne mettait plus les pieds dans la Calçada do Tojal et mes sœurs ne quittaient plus le téléphone, essayant de le retrouver, penchées dans une attente tendue, comme si quelqu'un allait sonner à la porte et annoncer qu'il avait été arrêté par erreur, que la police s'excusait et que mon frère rentrerait chez lui le soir même, comme les chalutiers de Peniche qui arrivaient du large, illuminé lui aussi, comme les bateaux, par la transparence du soleil couchant. On commençait à édifier immeuble sur immeuble dans la Calçada do Tojal et dans les rues voisines, les troupeaux de brebis avaient laissé la place aux excavatrices, aux bulldozers, à des échaufaudages et à des ouvriers africains, pioche à l'épaule, les chiens des fermes avaient cessé d'aboyer aux portails, remplacés par le sifflet des contremaîtres, le palmier de la Poste avait été découpé en tranches et les cigognes rôdaient et rôdaient autour des morceaux de l'arbre sans savoir quoi faire, finalement elles ont émigré vers les petits manoirs de la Buraca, avec des lions en pierre au pied des escaliers. Notre mère a renvoyé la cuisinière et les bonnes, les pendules à coucou se trompaient dans les heures et multipliaient les révérences, et je ne descendais presque jamais plus du grenier, emmurée en moi-même comme les larmes à l'intérieur du globe des oignons. La poussière qui ternissait les vitres s'accumulait dans le tapis et sur le dessus des commodes, les tiroirs refusaient de s'ouvrir et les couverts s'entrechoquaient, le linge pendait des jours et des jours à la corde, les cils sur les photos s'alourdissaient de sommeil. Le dimanche matin, à l'heure de la messe, on entendait les gémissements du renard, aussi dédaigné que le linge qui claquait au vent ou que les insectes qui apparaissaient sur le côté le plus humide des plantes et qui agitaient des ailes incolores dans l'air malade. Les lames du plancher tressaillaient au rythme de la chaise à bascule comme si elles avançaient à chaque impulsion de mes pieds, et alors je me suis aperçue que les marches du premier étage menant au grenier tressaillaient elles aussi, j'ai détourné la vue du clocher de l'église où les cloches se secouaient sans bruit, et le fils de la couturière me regardait de l'embrasure de la porte avec l'expression humble avec laquelle il jouait avec moi dans la cour de la cuisine, se soumettant à mes caprices avec une docilité craintive.

Est entrée avec lui l'absence de mer, car la mer existe seulement, sans se montrer, sur les photos et sur les tableaux, et quand on me dit que mon frère Jorge est à Tavira je sais qu'on ment car la plage est une invention des photos, tout comme les mouettes et les poissons, car il s'agit de jeux de silhouettes fabriquées par la juxtaposition de doigts entre un mur et une lampe. Le fils de la couturière me regardait de la porte, la chaise à bascule craquait sur le plancher, les alluvions du passé s'accumulaient dans la mansarde, armature de bidet, commodes, couffins, relent de moisi des cartons à chapeau, valises pleines de blouses et de vieilles gabardines, et en dessous de nous le cœur des pendules qui faisait reculer le temps. J'ai repoussé mes boucles vers ma nuque, me disant que mes sœurs allaient revenir de la messe et le trouver là, en train d'écouter avec moi des opéras sur le phonographe, j'ai voulu lui ordonner Va-t'en, tu ne m'as pas dessiné la mer, mais je ne parlais à personne sauf dans les lettres que j'envoyais à mon frère Jorge à Tavira et auxquelles je n'ai jamais reçu de réponse, je suis donc restée à l'observer comme j'observais, enfant, les lézards casser des croûtes avec une patiente lenteur. Je sentais qu'avec son arrivée un cycle prenait fin et que, comme pour mon père, il ne me restait plus qu'à me coucher, à oublier Monsanto et à mourir comme meurent les fermes de Benfica et les vignes vierges de l'enfance, et quelque chose nous serre la gorge comme la gêne d'un remords. Je me suis souvenue de sa mère avec la machine à pédale placée contre la fenêtre, je me suis souvenue du murmure des tilleuls, je me suis souvenue de la soupe que la bonne vieille mangeait en continuant à repasser, du fil à coudre qui s'emmêlait dans ses cheveux, et son fils, en s'approchant de moi, Bonjour, mademoiselle, et moi Pourquoi ne m'as-tu pas dessiné la mer? mon frère Fernando dormait dans sa chambre, depuis qu'on avait coupé les plantes grimpantes il y avait trop de lumière dans le jardin, un silence différent habitait les arbustes, l'absence du palmier élargissait l'horizon, les villas aux balcons en ardoise, les demeures de la rue Emilia das Neves et de la route de Benfica jusqu'aux petits châteaux des Portas et au quartier des Noirs à Damaia, ce qui restait du Colegio Lusitano transformé en atelier de tonnelier et abri de mendiants, avec des cintres ensevelis dans l'herbe, les roseaux du ruisseau obstrué de détritus près des rails du chemin de fer où aucun train ne passait et où le cadavre d'un porteur a pourri des semaines et des semaines, Bonjour, mademoiselle, et moi Tu ne m'as pas dessiné la mer parce que la mer n'existe pas, la mer est un mensonge, tu as caché les vagues avec les doigts et tu as fait des porches et des tournesols et des papillons, un merle s'est posé au sommet de la cage où le renard s'était couché, le museau au ras de la marmite, On le voit tout de suite que la petite n'est pas ma fille, n'insiste pas, a hurlé mon père dans son bureau, je devrais la tuer et toi aussi, et des sanglots, et des gifles, et encore des cris, et mon frère Jorge, Papa a de ces idées, tu connais ses manies, et lui Bien sûr que la mer n'est pas un mensonge, c'est moi qui ne savais pas expliquer, si vous avez un stylo je vais vous montrer, notre mère m'a apporté le déjeuner une bosse au front et la joue fendue, elle a laissé le plateau sur le lit, elle a redescendu l'escalier sans me faire de caresse, sans m'embrasser, et moi Notre mère n'est pas ma mère, Jorge? le cadavre du porteur avait gonflé jusqu'à déchirer sa chemise, les élèves de l'école l'avaient découvert en train de tourner à l'aigre, et mon père La petite ne sortira plus d'ici, j'exige qu'elle ne sorte plus d'ici, j'exige que personne ne la voie, que personne ne soupçonne son existence, que personne n'en parle, le merle s'est envolé de la cage et moi Si notre mère n'est pas ma mère je n'ai ni mère ni père, j'ai placé un air d'opéra sur le phonographe, il a saisi un crayon et s'est mis à dessiner sur le mur une plage, des dunes, des rochers, des tentes de baigneurs, des paquebots, et moi, dès que le ténor s'est mis à chanter après les violons, La mer est verte, tu dois la peindre en vert, et mon frère Jorge Même si tu n'es pas d'eux, tu es ma sœur, sœurette,

Cher jorge je suis ta sœur pas vrai?

et après ce merle aucun autre n'est venu, les oiseaux ont disparu de Benfica comme le palmier de la Poste, les troupeaux et les fermes, les zoiseaux ont disparu jorge je n'ai jamais vu une maizon aussi vide et triste mais tu est mon frère n'est-ce pas?

et moi, qui suis ta sœur, car je suis ta sœur, n'est-ce pas? jure sur la tête de ta grand-mère que je suis ta sœur, La messe dure au moins une heure, nous avons le temps, et lui, désireux de me faire plaisir, barbouillait le mur, de la fenêtre à la porte, Si vous avez un crayon vert je vais vous peindre ça, il y avait une boîte de tubes de gouache dans un panier, il a mouillé les couleurs de salive et peint des vagues vertes au chevet du lit pendant que les excavatrices arrachaient les pierres tombales du cimetière abandonné, et moi, en remontant le phono, Comme c'est joli,

Cher jorge je sais coment es la mer je sais coment es tavira c'es un coquillage que j'ai dans le ventre qui me dis des secrets, qui m'enfle et qui me parle

il a colorié le chevet du lit, colorié les carreaux de la fenêtre, colorié le plafond, colorié mon corps et j'entendais le bruit de siphon de l'eau au pied de la falaise, je n'entendais plus la musique, je n'entendais plus le renard, je n'entendais plus les arbustes, j'entendais le siphon de l'eau contre la falaise

jorge jorge jorge jorge jorge

Je suis ta sœur n'est-ce pas? répète que je suis ta sœur même si mon père même si ma mère ne sont ni mon père ni ma mère,

Tu es ma sœur, sœurette,

Cher jorge la mer c'es moi prend moi dans tes bras

et il continuait, mur après mur, à remplir la mansarde de bancs de poissons et d'algues, Vous n'auriez pas une valse, mademoiselle, vous n'auriez pas un fox-trot, vous n'auriez pas un tango? on construisait un immeuble derrière notre maison, les ouvriers remplissaient l'ossature en fer de chair de ciment, ouvraient des balcons, le constructeur regardait d'en bas, appuyé à son automobile, nous allons être entourés de fenêtres, de stores, de rideaux, la vue de Monsanto sera bouchée, Je suis votre fille, mère? je suis votre fille? et elle descendait l'escalier sans me parler, des immeubles de bureaux, des immeubles d'habitations, des nappes qui sèchent, des voisins, des salons de coiffure, des fleuristes, des saunas, des photomatons,

Cher jorge a cause de la mer a cause de ce coquillage dans mon cor on va m'envoyer a guarda je ne veux pas

les petites portes des coucous claquaient au salon, il y avait un canot et une rue de Peniche au plafond, des femmes assises sur les marches des maisons, des aboiements de moteurs, le soleil, le fils de la couturière est parti avant la fin de la messe, il avait les mains vertes, des taches vertes sur sa veste et sur sa cravate, une goutte verte au menton,

vert, jorge, vert, anita n'es pas ma sœur, maria teresa n'es pas ma sœur, fernando n'es pas mon frère, notre mère n'es pas ma mère, mon père n'es pas mon père mais toi

Je suis ton frère, sœurette

vert

personne ne sait qui c'est, personne ne saura qui c'est, et mon frère Fernando Espèce de putain,

Cher jorge ils veule m'enlever la mer ne les laisse pas, quand ils m'on demander qui c'es je n'ai rien dit, je te le dis seulement a toi, la mer pleure

les draps eux aussi verts, et l'oreiller, et ma poitrine, et mes épaules, l'herbe du jardin verte sur le vert de l'herbe, et le brun des arbustes verts, et le renard vert, et les pendules vertes, et la fureur de ma famille verte, et la musique verte, et la nuit verte jusqu'au dimanche où il arrivait, vert, et s'il y avait eu un merle dans la cage il serait vert, lui aussi,

vert

la mer est verte à Guarda, la mer est verte

et ma sœur Maria Teresa qui n'était pas ma sœur Qui est-ce? et ma sœur Anita qui n'était pas ma sœur Qui est-ce? et mon frère Fernando qui n'était pas mon frère se taisait, et mon père, qui n'était pas mon père, qui n'a jamais été mon père, agitait sa cravache, De qui la rousse est-elle la fille, femme?

Pas de notre famille, à qui je n'appartiens pas, cher Jorge, seulement de toi à Tavira qui entends les mouettes sans les voir, qui entends le mouvement de l'eau sans la voir, il a peint les cabanes de Peniche dans l'escalier, dans le corridor, dans les chambres du premier étage, dans la salle à manger, sur les photos, sur les coucous, il a ouvert les volets et le vent de la plage a soufflé dans mes cheveux rouges

verts

les bergeronnettes se perchaient sur les porcelaines, sur les tringles des rideaux, sur les cadres,

et quand elles sont revenues de la messe j'étais immobile dans le vestibule comme sur un belvédère, j'ouvrais mes bras blancs hérissés de plumes, orangés de taches de rousseur

vertes

à l'étreinte de la mer.

4

Et j'ai dit à mon neveu Je ne veux plus de cobalt, laissez-moi mourir en paix, et ce n'était pas moi qui parlais, c'était une autre, même si elle utilisait mes vêtements et mon nom, une autre veuve qui me répugnait tant elle était vieille et laide, des mains que je ne connais pas avec mes bagues, des yeux que je ne reconnais pas tant ils sont sombres, des rides étranges, presque plus de cheveux, une autre déjà morte et moi vivante pour au moins cinq ou dix ou douze jours encore, sur cette chaise de malade tant j'ai peur de me coucher car au lit finit ce qui a commencé au lit et je ne peux pas, je ne souhaite pas, je ne supporte pas de finir, et si je suppliais Je ne veux plus de cobalt, laissez-moi mourir en paix, ce n'était pas de mourir que je vous parlais c'était d'août avec toi et avec mes neveux dans l'Algarve, les longs après-midi, un livre sur la terrasse, ton sourire, c'était d'avoir de nouveau les dents qui me manquent et de ne pas ressembler aux tantes de mon père que nous visitions à Pâques dans des appartements figés comme des crèches de Noël, elles jouaient du piano et m'appelaient, un invalide toussait sur un sofa, je tirais la veste de mon père, On s'en va, et le son du piano derrière nous dans l'escalier, entrant avec nous dans la voiture, le son du piano toute la nuit dans mon insomnie, et une tante Veux-tu un biscuit, petite? en me prenant le menton entre ses petites serres de chouette.

Renvoie donc les visites, Sofia, et laisse-moi mourir en paix au-dessus du nouveau marché, laisse-moi entrer dans le coma et en sortir comme on remonte à la surface avant de sombrer pour toujours, sans la voix de ma sœur au téléphone, à l'heure du dîner, Il tonne, tu n'entends pas? ce n'est pas que j'aie peur mais ne raccroche pas tout de suite, elle aussi seule, avec un sein en moins, dans un immeuble à la fois ancien et moderne comme celui-ci

(murs, plafond, plancher et chambres sans mystère, donnant sur une Benfica qui n'est plus la nôtre tout en n'appartenant encore à personne, une Benfica d'étrangers qui n'ont pas encore eu le temps d'y planter leur enfance et leurs chagrins)

car dans ces immeubles nous avons apporté, nous qui ne sommes pas d'ici, ou plutôt qui sommes d'un ici qui n'existe plus, sans appartenir à aucun autre quartier, toute une alluvion de souvenirs et d'albums et de lettres et de portraits estompés provenant du passé, nous peuplons le présent de ces détritus de la mémoire, pas seulement de la mémoire de ceux qui nous ont précédés mais de notre propre mémoire parce que nous oublions aussi, parce que les noms et les souvenirs et les visages se confondent dans un brouillard qui lisse et égalise tout, nous poussant vers un aujourd'hui habité uniquement par la mort et par sa certitude, et ma sœur Ce n'est pas que j'aie peur du tonnerre mais ne raccroche pas tout de suite, si bien que sa voix et mon silence ne sont rien d'autre que des fantômes de voix et de silence que nous sommes seules toutes les deux à connaître, comme le silence et les voix des bouleaux du jardin, le silence de la tonnelle au bord du lac, le silence de Mortágua, le silence de São Martinho do Porto et mon père Ma petite fille, je regarde ses traits et je me souviens Ma petite fille, ils peuvent parler de ma mine et dire que je vais mieux et tu as grossi, j'entends seulement sa voix à lui, Ma petite fille, la voix de mon père emporté par la tache à son poumon avant que sa maison ne soit vendue

(sa maison avec une charpente hollandaise, des remises, une grange, une étable, une serre qui prolongeait la salle à manger, la maison)

la maison dont ma mère s'est défaite l'année de la Révolution pour habiter un appartement près du mien où ne tenaient ni la roseraie ni la ferme ni les statues de faïence au-dessus des bancs, et quand on a commencé à démolir la maison, la famille a commencé à mourir sans que nous nous en rendions compte, et nous avons partagé la porcelaine, les tableaux et l'argenterie qui n'avaient de sens qu'ensemble, dans les lieux où je les avais vus pour la première fois et où, en mon for intérieur, je continue à les ranger, et un matin très tôt la bonne s'est suspendue à ma sonnette, Votre mère va très mal, mademoiselle, j'ai enfilé un manteau sur ma chemise de nuit, et quand je suis arrivée le médecin qui habitait au huitième étage était en train de ranger son stéthoscope, nous l'avons vêtue, nous avons parfumé sa chambre et je me suis souvenue que quand mon père agonisait, s'arrêtant de respirer pour continuer à respirer, tout son corps se révoltant contre sa propre mort, ma mère m'a dit sans larmes Joaquim est un très grand arbre, très difficile à abattre, et moi qui ne pleurais pas non plus je les ai plus aimés ce jour-là que je ne les avais jamais aimés, Un très grand arbre, mère, vous êtes un arbre aussi grand et fort et victorieux que lui,

(Les jacinthes ployaient dans les massifs, comme les jacinthes ployaient dans les massifs)

et nous sommes allés à Alger, et nous sommes revenus d'Alger, et nous avons été heureux longtemps, jusqu'à ce que Benfica se transforme en terre d'exil sur notre propre terre, le Patronato a été rasé, les demeures de l'avenue Gomes Pereira et de l'avenue Grão Vasco ont été rasées, la charrette du laitier a disparu, les vaches, les légumes et le maïs du Poço do Chão ont disparu

(le tintement des bidons, vous vous souvenez du tintement des bidons, vous vous souvenez des caillots d'écume ?)

on a démoli ma maison de la Calçada do Tojal dans le grenier de laquelle j'habite tout l'été, même quand je suis à Balaia, face à Monsanto où mon père a combattu, écrivant ce livre que quelqu'un terminera pour moi et plaçant des disques sur mon phonographe à pavillon, et les femmes qui me rendent visite appartiennent à la même race d'apatrides, étrangères sur une terre étrangère qui malgré tout est la leur, et c'est pour cette raison que je les tolérais autour de moi, terrorisées, et c'est pour cette raison que je ne me fâchais pas de leurs chuchotements de mauvais augure, de leurs grimaces, de leur angoisse pour moi et pour elles, Pauvre Maria Antónia, pauvres nous, et moi Pourquoi pas, quand vous mourrez même la forêt n'existera plus, il y aura un autre quartier sur ces quartiers, d'autres toits sur ces toits, d'autres cheminées sur ces cheminées, et notre pâté de maisons sera sous tant d'autres pâtés de maisons qu'il ne méritera même pas de durer, que deviendront les glycines, que deviendront les tilleuls, les ormes, les oies qui nous fuyaient, fâchées et asthmatiques, nous qui ne sommes plus nous, tant nous sommes différentes et usées, vous n'avez pas de chance vous qui restez, vous qui vous perdez dans des rues où jadis il y avait des champs, vous qui vous perdez sur des places où le maïs ne frissonne plus et où les oliviers ne ploient plus, ma belle-sœur m'a pris les doigts et c'était comme si nous courions, de rose vêtues, sur la route militaire bordée de saules, avec des camions de l'armée qui grondaient en direction de la caserne dans une spirale de poussière,

(les mûres, Graça, la saveur des mûres, le goût de l'oseille)

et j'ai serré sa manche avec force, croyant que nous pouvions peut-être encore partir mais nous ne le pouvions plus, comme le dos ploie difficilement, comme les bras ont du mal à bouger, comme les jambes avancent laborieusement, à l'endroit de la route militaire il n'y a pas de soldats qui marchent, un officier et un tambour à leur tête, mais des cahutes de Noirs et de gitans, de gitans et de Noirs, sans autre lumière que celle des dents et de la bave de chiens aussi efflanqués qu'eux, des cabanes en plaques de carton, en planches, en douves de tonneaux, en madriers d'échafaudage, des femmes pieds nus chauffant des marmites sur des pierres, des enfants avec des visages comme des flaques, des aveugles, un bourbier de pluie même en septembre, pauvres de vous qui entrez dans l'église (moi je suis enfermée dans mon cercueil) et quand vous pousserez la porte les flammes des cierges s'inclineront en vacillant vers votre deuil qui durera le temps d'une messe et d'un enterrement, et vous vous mesurerez, indécises, Laquelle d'entre nous sera la suivante, Manuela? Laquelle d'entre nous sera la suivante, Luisa? le cimetière plein de maris qui n'ont pas attendu, qui n'attendent pas, Tu entends les coups de tonnerre? ce n'est pas que j'aie peur, tu sais que je n'ai pas peur, à quoi cela sert-il d'avoir peur, mais parle-moi, mais reste encore un peu, mais ne raccroche pas tout de suite, à Ericeira on allumait la salamandre en fin de journée, le vent dans les pins me terrorisait, par la fenêtre du salon la colline descendait vers les dunes et le sable brillait, les vagues me brisaient les os sur la muraille, mes neveux allaient à bicyclette vers l'eau interdite par le drapeau rouge, il y avait un café désert avec de grandes lettres pâles au sommet de la falaise, personne ne fréquentait encore la plage de São Lourenço, habitée seulement par quelques rares mouettes, aucun estivant, aucun poteau de baraque, aucun baigneur, des adolescents qui avaient fui leurs parents et qui sautaient dans les rochers, et elles qui projetaient des canastas, qui projetaient des excursions en Sicile, en Yougoslavie, à Leningrad, en Égypte, Qu'en penses-tu, Maria Antónia? et je faisais oui de la tête, imaginant un autocar rempli de visiteuses tricotant à travers l'Europe, la Sicile quelle bonne idée, la Yougoslavie quelle excellente idée, et Leningrad bien entendu, il y a un musée magnifique là-bas, l'Égypte, les pyramides, le Sphynx, et pourquoi pas une excursion à Benfica, et pourquoi pas une excursion dans notre passé, mariages, processions, bals de carnaval, parties de hockey, le chien-loup de mon père, enfermé dans une cage et hurlant, et une fois mes visites parties avec leur Sicile et leurs musées, mon neveu, qui me tournait le dos et qui observait le marché, Ma tante, si vous ne voulez pas de rayons, vous n'en aurez pas, ne vous préoccupez pas, et moi Combien de temps, mon fils? et lui, changeant les bibelots de place, Je ne sais pas, et je l'ai vu assis dans la Quinta do Jacinto sous un noyer mort, et lui qui a vécu à Londres, qui a travaillé à Londres, qui avait huit chaînes de télévision et une bonne espagnole, ne connaissait même pas l'existence de la Quinta do Jacinto, des villas aux dahlias fanés sur le coteau d'Alcântara, l'ivrogne faisait irruption dans la salle de couture et proclamait Je vole, la couturière le menaçait avec le fer à repasser, après quoi plus calme, Excusez-moi, mademoiselle, mais c'est pour cette raison et pour d'autres encore que j'ai le cœur en si piètre état, et mon neveu, sa serviette sur les genoux, attendait la nuit pour rentrer chez lui comme moi j'attends le jour pour entrer dans la mort, car bien que je ne sache pas grand-chose je sais que je mourrai de jour, aux premières heures du jour, avec un voisin médecin, convoqué avec une telle urgence qu'il n'aura même pas eu le temps de se coiffer, qui auscultera mon cœur immobile et qui croira l'entendre alors que ce qu'il entend en fait c'est la poulie de l'ascenseur, et avec moi mourront les personnages de ce livre qu'on appellera roman et que j'ai écrit dans ma tête habitée d'une épouvante dont je ne parle pas et que quelqu'un, une année ou une autre, répétera pour moi, suivant en cela l'ordre naturel des choses, tout comme Benfica se répétera dans ces rues et dans ces immeubles sans destin, alors, sans rides ni cheveux gris, je prendrai le tuyau d'arrosage et j'arroserai mon jardin le soir, et le palmier de la Poste se dressera de nouveau devant la maison de mes parents et du moulin de zinc en quête de vent, et ma sœur, veuve elle aussi et privée de son sein droit, amputé à cause d'un cancer, un cancer comme le mien, un cancer, un cancer, Ce n'est pas que j'aie peur du tonnerre, il y a des paratonnerres partout et d'ailleurs à quoi cela sert-il d'avoir peur, mais ne raccroche pas encore,

(je promets de ne pas raccrocher, je bavarde avec toi, nous sommes de très grands arbres difficiles à abattre, nous sommes les derniers arbres de ce quartier sans arbres, à l'exception de ceux de la forêt qui par miracle résistent encore à la furie insensée des constructeurs, peut-être les tapissent-ils de carreaux de faïence, peut-être les encadrent-ils de balcons en aluminium comme ils ont encadré les vergers et les veaux du Poço do Chão, érigeant autour de nous un présent sans passé, une espèce de futur où seuls les robinets ont droit aux larmes, nous sommes de très grands arbres, mère, nous sommes des arbres, mais expliquez-moi où se trouve l'espace pour les racines si on macadamise et revêt de bois et tapisse la terre, car même le sol du cimetière a été couvert de briques, et si pour mon corps, bien que maigre à présent, réduit à une ombre qui s'obstine et proteste, il n'y a même pas deux empans d'herbe, cet appartement rapetisse jusqu'à prendre la dimension exacte de ma terreur, de sorte que j'ai inventé Tavira et Esposende et Johannesburg et Lourdes, de sorte que j'ai inventé Alcântara et le fleuve et les trains et Peniche, j'ignore si le Tage existe encore, et la plage de la Cruz Quebrada, et les égouts par où s'écoule cette ville que je hais à force de tant l'aimer, mais je n'ai pas inventé Mortágua, je n'ai pas inventé São Martinho do Porto, je n'ai pas inventé Benfica, non pas Benfica, je n'ai pas inventé Benfica, je n'ai pas inventé l'agonie de mon père, je n'ai pas inventé la fin de ma mère, je n'ai pas inventé cette mort, je bavarde avec toi, je ne m'en vais pas, je ne raccroche pas déjà, mais comment te communiquer, sœurette, la terreur qui m'attend puisque je ne parle pas de sentiments, je déteste l'intimité de la tristesse, je déteste ce qu'il y a d'onctueux dans la peur, ce qu'il y a d'obscène dans le désespoir, je n'ai jamais beaucoup ri non plus, je crois que je ne sais pas rire, quand ma fille a fait risette pour la première fois j'ai eu peur pour elle, elle marchait à ma rencontre en titubant, les mains bien à plat sur le mur, fifille, ma petite fille, Sofia, je ne raccroche pas encore, je bavarde avec toi, même si nous ne sommes pas de très grands arbres il est difficile de nous abattre, et même si on nous abat, nous resterons sur les photos, dans les albums, dans les miroirs, dans les objets qui nous prolongent et nous rappellent, dans les pendules, mon Dieu, qui s'arrêteront avec nous au moment où nous nous arrêterons, et toi tu me souriais, il y a si longtemps, de ton sourire unique jusqu'à aujourd'hui, pardonne-moi, et qui me fait pleurer)

et mon neveu, oubliant le nouveau marché dans le fauteuil à côté de moi, Vous n'avez pas mal, ma tante, vous avez bien dormi? et moi, qui ne pouvais plus marcher, Je dors tout le temps, je dors chaque fois plus longtemps, si je me réveille on veut me donner à manger et la nourriture ne passe pas, et ta cousine Allons, allons, maman, et j'essaie de lui faire plaisir mais mes mâchoires ne mastiquent pas, on me verse du sérum dans les veines, je vois les gouttes entrer dans mon bras, et quand ils croient que je ne les entends pas ma sœur d'Alger demande Pourquoi tant de souffrance, pourquoi faut-il tant souffrir? mais je ne souffre pas, je peins la mer ici chez moi, je retire de leur clou les photos des moments heureux et les tableaux qui sont des cadeaux de mariage, des huiles, des aquarelles, des gravures, Guillermo Tell Despide Su Barca, Guillermo Tell Amenaza Al Gobernador, l'un d'eux, je ne sais pas lequel, est tombé par terre quand nous avons emménagé ici et s'est cassé, je retire les photos et les cadres et je suspends des poissons, des vagues, des mâts, et mon neveu Je vais vous donner des comprimés faciles à avaler pour que vous vous reposiez mieux, et moi J'aimerais avoir de nouveau des dents, des cheveux, perdre cette couleur, être moi, et ma fille Aujourd'hui vous semblez différente, maman, et ma jeune sœur Je trouve aussi, pourtant mes amies ne viennent plus avec leurs projets d'excursions car on leur a interdit de me rendre visite, Elle se fatigue, le cobalt l'a épuisée, dès qu'elle ira mieux nous vous téléphonerons et on organisera une sortie au cinéma, une promenade, une partie de canasta, et elles Mais bien sûr, mais bien sûr, les convalescences c'est long, nous attendrons que vous téléphoniez, et des susurrements, et des baisers apitoyés, et des pas qui s'éloignent, et la porte qui s'ouvre et qui se ferme, et nous sommes toutes les deux seules, ma fille, comme le jour où tu es née, pas dans cette maison qui n'existait pas encore ni dans l'autre qui n'existe plus mais dans une salle blanche d'hôpital où les draps blancs et une lumière blanche m'aveuglaient, d'abord mes cuisses se sont mouillées sans que je m'en rende compte et ce n'était pas du sang mais de l'eau, de l'eau de citerne ou d'aquarium, de l'eau faite d'eau et de membranes qui se répandait tranquillement sous mes fesses, et après l'eau un poids au centre de mon corps, des tentacules qui s'écartaient lentement comme on disjoint les membres des défunts, et la première douleur comme une crampe qui m'écrasait le ventre, les artères rapides, les veines énormes, les cartilages qui résistaient, la douleur qui s'évanouissait, le corps au repos enfin tranquille, puis une autre douleur, C'est le vingt-cinq août, ai-je pensé, signe, Vierge, intelligents, ordonnés, méthodiques, ennemis de l'aventure et du désordre, Mettez le menton sur la poitrine et poussez, la douleur, blanche, blanche comme la salle et la clarté dans la salle et le bruit du coup de fusil avec lequel mon grand-père a tué en lui ce qui le tuait, elle allait et venait, elle se dissolvait et réapparaissait, elle s'éteignait et scintillait, Poussez, je pousse, docteur, je pousse, et je pensais Pourquoi dois-je expulser de moi la vie qu'il y a en moi, mon grand-père a placé un pistolet contre chaque oreille, le pistolet de mon père et son pistolet à lui, mais il a appuyé sur la gâchette avec la main gauche seulement et nous n'avons pas compris une seule syllabe à la lettre qu'il nous a laissée, des gribouillis et des traits qui étaient des cris, Poussez, poussez, poussez, poussez, poussez, les jambes prisonnières d'étriers, la sage-femme à des lieues de moi, et moi j'étais épuisée, Poussez, mettez le menton sur la poitrine et poussez, peut-être que tu ne voulais pas naître et qu'on m'obligeait à te faire naître, peut-être que tu t'accrochais à moi pour m'entraîner avec toi pendant qu'on t'entraînait, Vingt-cinq août, signe, Vierge, mais en quelle position se trouve Mercure et quelles sont tes planètes? La douleur se superposait à une autre douleur et à une autre encore comme les immeubles de Benfica qui ont bu notre vie et notre passé, je ne veux pas de visites, ni de comprimés, ni manger, mon grand-père effondré sur son bureau, les revolvers par terre, un éternuement de mille gouttes sur le papier, Poussez, des immeubles par-dessus les cigognes, par-dessus les palmiers, par-dessus l'horizon de Monsanto, et mon père Fifille, ma fille, pousse, Je ne veux plus de sérum, père, je ne veux plus de colbat, je ne veux pas avoir meilleure mine, je ne veux pas être plus grosse, Tu ne voulais pas vivre et je t'ai obligée, tu voulais rester en moi et je t'ai expulsée, et une voix On voit déjà ses petits cheveux, poussez, et le menton sur la poitrine j'ai vu le sang et l'enfant la tête en bas, huileuse et glissante et sale de moi et d'elle et ridée, liée à moi par une tresse, Fifille, a dit mon père, fifille, ma fille, et ma sœur au téléphone Ne raccroche pas encore, j'ai peur, et ma sœur d'Alger Pourquoi tant de souffrance, Dieu du ciel? et on m'a emmenée dans ma chambre sur un lit à roulettes qui grinçait, et on t'a apportée lavée et habillée, le cheveu noir, les paupières tuméfiées comme des palourdes, c'était le soir, la nuit allait bientôt tomber et j'ai demandé qu'on te laisse sur mes genoux, on a allumé ma lampe de chevet, on a soulevé mon lit avec la manivelle du phonographe dans le grenier et un opéra ou un tango ou une valse a commencé à retentir et tu étais en paix et tranquille et tu ne pleurais pas, l'odeur d'un pommier au-dehors a restitué à ma mémoire l'arôme aigre-doux, dense, suave, léger, de la tonnelle, des tilleuls, des immortelles, des jacinthes, dans les matins printaniers du jardin, illuminant le corridor de la maison, j'ai placé plus confortablement dans mes bras l'enfant qui dormait ou qui s'habituait au monde, je l'ai serrée contre moi, fifille, ma fille, fifille, mon grand-père inerte, la couverture qui glissait de ses genoux, et moi Combien de temps, et mon neveu Beaucoup de temps, ma tante, beaucoup de temps, nous avons arrêté les injections, nous avons arrêté le sérum, nous avons arrêté le cobalt, et mes cheveux sont de nouveau châtains et abondants, ils repoussent, on a placé mon dîner devant moi sur un plateau chromé, de la soupe de légumes, du poisson, une poire cuite, une carafe d'eau immobile, l'infirmière coiffée d'une toque a ouvert la porte et j'ai supplié N'emmenez pas la petite, d'ici peu elle grandira et je la perdrai, d'ici peu elle cessera d'être mienne, elle sera mienne si peu de temps, j'ai déboutonné ma chemise, j'ai découvert ma poitrine, tu t'es appuyée doucement contre elle, j'ai caressé avec le mamelon ton front, le contour de tes joues, ton nez, et quand je me suis introduite dans ta bouche l'odeur de pommier ombrait ta face, la certitude que je ne mourrais pas, que je ne mourrais jamais a dilaté mon sang, j'ai senti sur ma peau, ou à l'intérieur de ma peau, les canines que tu n'avais pas, et pendant que je me vidais de moi en toi, ma fille, j'ai compris que je naissais.

5

Le renard est mort le premier jour où je n'ai rien trouvé à manger dans l'office et la veille de la visite du vieux rouquin qui a commencé par sonner au portail, qui a attendu, qui a sonné de nouveau, qui s'est remis à attendre, qui a poussé le loquet oxydé et écaillé qui a cédé avec un craquement d'os qui se brise, qui a gravi la rampe de gravier envahie par un fouillis d'herbes à petits pas hésitants qui semblaient s'excuser avec timidité,

le vieux s'est arrêté en haut, essayant de déchiffrer l'intérieur de la maison à travers les persiennes déjetées et il a approché enfin les doigts non pas du bouton électrique, lequel d'ailleurs ne fonctionnait pas, mais du heurtoir de fer sans peinture en forme de poing fermé avec un anneau au milieu qui venait frapper une monnaie, elle aussi en fer, produisant un son urgent qui se prolongeait en vibrations atténuées dans l'air immobile du grenier,

et cela vingt-quatre heures après m'être levée de la chaise à bascule et avoir regardé dans la direction de Monsanto, moins vers la prison et la montagne que vers ce qui restait de touffes d'arums dans le jardin de la Calçada do Tojal, et alors j'ai aperçu la bête couchée sur le ciment de la cage, des fissures de laquelle jaillissaient des petites mèches de mousse, et j'ai compris qu'elle ne dormait pas, j'ai compris qu'elle était morte à côté de sa marmite vide, j'ai compris que les gémissements de la nuit passée étaient sa façon de dire adieu à une existence absurde, aussi bruyamment absurde que la mienne,

je suis restée à l'observer du sommet de la maison, si précaire qu'elle en tremblait, comme faite de boîtes en carton moisi et dont les tuiles, jadis rouges, n'étaient plus tachées par les gouttes de cire durcie des pigeons, lesquels avaient émigré à Venda Nova ou à Amadora,

je suis restée à l'observer sans descendre l'escalier, sans aller dans le jardin, sans m'approcher de lui, sans éprouver quoi que ce soit qui ressemble à de l'alarme ou à de l'étonnement, certaine que tout disparaissait autour de moi et m'invitait à disparaître moi aussi,

et cet après-midi-là, quand j'ai eu faim, je suis allée chercher à manger dans le garde-manger et dans la cuisine, sans rien trouver d'autre que des boîtes de conserve vides et des bocaux de compote constellés de croûtes de sucre que la fourchette ne parvenait pas à détacher du verre dont elles faisaient désormais partie, comme s'il s'agissait d'imperfections dans les pots,

j'ai placé un verre sous un robinet que j'ai tourné, quelque chose a parcouru lentement les canalisations dans le mur, une glu a laissé tomber une larme sur la crépine puis s'est tue et j'ai pensé Ils ont coupé l'eau, ils ont coupé la lumière, ils ont coupé le gaz, ils ont dû oublier que j'existe, si tant est qu'ils l'aient jamais su car ils ont fait de ma vie une perpétuelle absence, un néant depuis son début irrévocable, et cela sans que je sois fâchée avec mes parents ou avec mes frères et sœurs car je comprenais leur embarras et leur peur,

de sorte qu'au moment où la nuit tombait et où le profil de Monsanto devenait orange et où les buis rapetissaient au-dessus de l'herbe j'ai fini par utiliser l'eau du pot destiné au renard pour faire une infusion avec les feuilles du néflier attaqué par les parasites mais qui résistait dans la cour de la cuisine,

et j'ai traversé les chambres, j'ai traversé le silence des pendules et des photographies, les images de l'oratoire, les plants de cumin qui passaient la tête par les trous dans la tapisserie des sofas, j'ai gravi l'escalier menant au premier étage où se trouvaient les lits de mes sœurs, de mes frères et, dans la pièce au milieu d'eux, le lit de mes parents, le rosaire aux perles d'ivoire pendu à l'ornement central avec son crucifix d'argent verdi,

et pas seulement le lit : les huiles aussi, les trumeaux, les vêtements qui se décomposaient dans les armoires à glace,

et pas seulement les armoires : la paralysie du silence aussi, le silence menaçant de mon père et le silence craintif, chancelant de ma mère, couchés tous deux, hanche de flanelle contre hanche de flanelle, dans la terreur et dans la haine, et quand j'ai atteint le grenier le ciel était devenu complètement noir au-dessus de Monsanto, un ciel d'indifférence, pas de cauchemar, j'ai cherché l'ouverture d'*Aïda* dans la pile de disques entre la chaise à bascule et le matelas, je l'ai trouvée, j'ai tourné la manivelle du phonographe, j'ai changé l'aiguille d'acier pour une autre aiguille d'acier aussi émoussée que la précédente, je l'ai posée sur le premier sillon et j'ai écouté la musique qui montait du phono comme si elle naissait de moi, et les yeux fixés sur la ronde de fenêtres en quoi le quartier s'était transformé j'ai dû m'endormir,

Jorge,

parce que en me levant de la chaise il devait être dix ou onze heures d'après la position du soleil, lequel était encore du côté de la cour de la cuisine mais frôlait déjà les lances du portail, et c'est à cet instant que j'ai aperçu le vieillard roux, qui aurait eu l'âge de ma mère et de mon père si ma mère et mon père avaient continué à avoir un âge au lieu d'être des voix du passé,

je l'ai vu tirer la sonnette qui refusait de sonner, je l'ai vu sur la rampe de gravier, je l'ai vu s'étonner des persiennes en ruine, je l'ai vu contempler le cadavre du renard qui commençait à sentir mauvais, je l'ai vu saisir le poing du heurtoir et en frapper la monnaie de la porte, et rester là comme s'il savait que je viendrais, je me suis souvenue que c'était le même homme que celui qui avait laissé un bouquet de fleurs sur le paillasson avant l'enterrement de ma mère et qui était parti en courant comme s'il obéissait à un ordre ou exécutait une commission, passablement plus jeune alors et vêtu avec un soin perdu depuis lors,

le même homme que personne n'avait vu dans la maison, et le bouquet que quelqu'un a ramassé et entassé sur le corbillard au moment où l'homme disparaissait sur la route de Benfica afin de prendre un tram ou un taxi pour rentrer dans la maison où il habitait avec sa femme et ses enfants ou tout seul, et cela à l'époque du palmier, et des cigognes, et de la gorge blanche des hirondelles de mai, à l'époque du cimetière abandonné, l'homme roux fuyait ses chrysanthèmes furtifs comme s'il les détestait ou comme s'il détestait ce lieu, mais cette fois-ci il n'est pas parti, il est resté là, déterminé, fragile dans son manteau élimé, râpé par les ans, veuf attendant sur le paillasson comme un chien attend ses maîtres disparus,

si bien que j'ai fini par m'approcher de l'entrée et j'ai entendu le murmure de branchies ou de poumons de papier à travers lesquels les personnes âgées respirent, sans doute plus branchies que poumons car les vieillards acquièrent une espèce de nature amphibie qui les sépare de nous et leur confère une race et un état différents, et par curiosité ou intérêt ou pitié j'ai tourné la clé et le jour de la rue a illuminé le vestibule, les parapluies des morts enterrés jusqu'à la poignée dans une potiche en porcelaine et l'atmosphère moisie de la salle semblable à un musée oublié,

tendu, embarrassé, il cherchait un prétexte qui justifiât sa visite, Excusez-moi,

et j'étais atterrée par sa ressemblance avec moi, et il insistait, en chuchotant, comme si les mots lui faisaient mal, Excusez-moi, si cela ne vous dérange pas trop, j'aimerais vous parler,

et moi, pensant que le vieillard roux m'apportait les oiseaux et les vagues de Peniche que m'avait dessinés le fils de la couturière, pendant des mois, à l'heure de la messe, à l'époque où j'avais appris que la mer m'enfle et pleure, Vous sauriez dessiner l'océan, monsieur?

et lui, ébahi, L'océan?

et moi Oui, l'océan,

et lui, L'océan?

et moi, comme si le coquillage de mon ventre se réveillait dans un sifflement de larmes, L'océan, oui, l'océan, sauriez-vous dessiner l'océan?

et lui, agitant les mains, des mains parsemées de taches de rousseur que je devinais maladroites et malheureuses, Dessiner l'océan?

la cloche de l'église a sonné la demie d'une heure quelconque, le soleil dépassait le toit et se dirigeait vers la rue Cláudio Nunes peuplée de tavernes où bourdonnaient des mouches à viande et des abats de poulet dans des pots en terre cuite, et moi Oui, dessiner l'océan, vous avez déjà vu la mer?

car depuis que mon frère Jorge s'en était allé, la seule occasion, les seules fois où on ne m'a pas ennuyée, ou grondée, ou interdit de crier, c'est quand on m'a peinturluré des dunes et des bateaux dans toute la maison, et le vieux, tournant ses mains d'un côté et de l'autre, Vous voulez vraiment que je vous dessine la mer?

et moi N'est-ce pas pour cela que vous êtes venu, pour dessiner la mer, vous n'avez pas apporté votre boîte de gouaches?

et lui, sans se laisser démonter, Je ne l'ai pas apportée, j'ai oublié, mais si vous avez un ou deux tubes par là je vous dessinerai la mer en un rien de temps,

je l'ai conduit dans la cuisine et je lui ai donné dans un gobelet d'argile ce qui restait de mon infusion de feuilles de néflier car il n'y avait plus une seule tasse intacte dans le buffet et je l'ai traîné au salon, j'ai ouvert les rideaux, je me suis assise sur le canapé et je l'ai invité à s'asseoir dans le fauteuil en cuir de mon père dont le dossier avait été taché par la sueur de sa nuque, et soufflant avec force comme si exister était un acte volontaire et pénible, m'observant de sous ses paupières de dindon de vieillard, il a articulé comme un pantin de foire, Alors comme ça vous voulez la mer, alors comme ça vous voulez la mer, alors comme ça vous voulez la mer, si bien qu'à force de répéter la mer se vidait de toute expression, elle se vidait de la sirène du canot de sauvetage, des oiseaux sur les rochers, de la brume et de la rumeur de l'eau,

et j'ai eu la nostalgie du fils de la couturière qui le dimanche matin, pendant la messe, peignait de vagues la maison, les murs, les draps, les tableaux, le plancher, le lit, et qui se peignait, et qui me peignait, et le vieillard, indigné comme si le vert le concernait Quoi?

et moi, m'étonnant de son indignation, Il peignait des vagues sur mon corps, il peignait Peniche sur ma poitrine, sur mon dos, sur mes épaules, et mes hanches se sont élargies de coquillages et de canots mais ensuite on m'a amenée à Guarda et on m'a volé la mer, on m'a volé les vagues dès que la mer est sortie en pleurant de mon ventre, et lui, dévasté de fureur, Quoi?

de sorte que j'ai pensé avec surprise que dans la fièvre de sa colère l'homme roux se comportait comme s'il était mon maître ou mon père, comme si ma vie le concernait autant qu'elle me concernait moi, si bien que je lui ai dit La mer, oui, la mer, qu'est-ce que ça peut bien vous faire?

et il se taisait, il était au bord d'une phrase décisive et renonçait à la dire, sans avoir le courage de rien m'expliquer, et il murmurait Rien,

et moi, la pestilence du renard entrant par les vitres brisées, me rendant compte qu'il mentait, qu'il avait murmuré Rien car il était incapable de dire la vérité, je comparais ses mains avec les miennes, sa face avec ma face, ses cheveux avec les miens, et devinant qu'il avait envie de partir mais qu'il n'en avait pas l'énergie, j'ai répété Qu'est-ce que ça peut bien vous faire, dites-moi un peu?

et lui Rien, mademoiselle, ça ne me fait rien, excusez-moi,

comme si ce qu'il disait avait des arêtes qui le blessaient, comme s'il extrayait chaque syllabe d'un sillage de sang, et moi je découvrais soudain la raison de mon passé et de mon existence entière, les années au grenier, l'amertume de mon père, l'anxiété de mes frères, le renoncement à être heureuse de notre mère, et j'ai approché mon poing de son visage, j'ai presque touché son nez de mon nez, C'est à cause de vous qu'ils m'ont emprisonnée ici, c'est à cause de vous qu'ils ne voulaient pas qu'on me voie, c'est à cause de vous qu'ils m'ont expédiée à Guarda et qu'ils ne m'ont appris ni à lire ni à écrire et qu'ils m'ont interdit de sortir, c'est à cause de vous qu'ils m'ont obligée à pourrir dans la Calçada do Tojal, c'est à cause de vous que je suis restée seule, sans eau ni lumière, en attendant de mourir de faim comme le renard dans cette maison en ruine, parce que mon père n'est pas mon père et que c'est vous qui m'avez faite à ma mère, comme le fils de la couturière m'a fait la mer de Peniche et un coquillage qui pleurait?

et lui, d'une voix presque inaudible entre ses gencives Oui,

et moi Oui?

et lui, esquissant quelques pas de scorpion sur le tapis, bien plus âgé que lorsqu'il s'était assis, Oui,

maintenant le soleil illuminait la cage, il illuminait le jardin, les arbustes, le gazon, le portail, et au-delà du portail les balcons couverts avec les étendoirs à linge qui me cernaient et m'étouffaient, et au-delà des balcons couverts la colline de Monsanto avec sa prison et ses poteaux électriques, et au-delà de la colline et des nuages, Peniche, et Tavira, et la mer, la mer que je n'ai jamais vue sauf quand elle a pleuré dans mon corps, la mer, les chalutiers des pêcheurs, les mouettes, la mer,

la mer et lui qui parlait de pièce en pièce comme avec lui-même puisqu'il ne parlait à personne, Je pensais que personne n'était au courant de rien, je pensais que personne ne pouvait le supposer,

nous étions dans la cuisine, près de la cour des poulets, j'ai saisi une brique, et mon frère Jorge, en culottes courtes, Tue-le,

l'homme roux n'a pas émis un gloussement, il se contentait de me regarder, mâchoire pendante sur le chiffon qu'était sa cravate, Tue-le,

mon frère Jorge, qui n'était pas encore à l'École de l'armée, le désignait du doigt Tue-le,

mon frère Fernando appelait la cuisinière Viens vite, Cidália, Julieta est en train de tuer la poule mouchetée,

et l'homme roux Tout cela était si différent il y a cinquante-sept ans,

et la cuisinière, un batteur à œufs à la main, Arrêtez, mademoiselle, arrêtez, ou je le dirai à madame,

pendant qu'il me regardait, en équilibre sur des

souliers aussi plissés et anciens que lui, j'ai brandi la brique au-dessus de ma tête et j'ai dit Père, je crois que j'ai dit Père, ma voix était un aboiement de haine, Père, un aboiement de déception, de fureur et d'amertume, Père, j'ai dit Père, Père,

Père père père

et le cadavre du renard, le cadavre de ma grand-mère, les cadavres de mes frères et de mes sœurs empestaient Benfica, empestaient le quartier, empestaient Monsanto, et la cloche de l'église, et le palmier qui n'existait plus, et la rue Cláudio Nunes, et Amadora, et le ciel,

j'ai brandi la brique au-dessus de ma tête, Viens voir Julieta, Cidália, viens voir Julieta, et mon frère Jorge Tue-le, tue ton père, tue-le,

mais au lieu de cela je l'ai laissé attendre, déjà mort, plus mort que si je lui avais écrasé la tête avec une brique, ou un morceau de tronc, ou un caillou, j'ai grimpé au grenier, j'ai tourné la manivelle et j'ai mis une valse (ou un boléro, ou un paso doble, ou un tango, ou un fox-trot, ou une marche) si fort que je ne parvenais même pas à entendre mes propres cris.

6

Je tombe comme tombent les arbres et tombant je tombe comme les feuilles et légères les ombres tombent lentement et je les entends pleurer et parler avec moi et je ne peux pas répondre pendant que je tombe car si je répondais que dirais-je sinon que je m'abats comme se sont abattus autrefois mon père ma mère mon mari soudain silencieux et immobiles et blancs comme la lumière dans cette maison si blanche au-dessus des meubles blancs les miroirs renvoient leur silence et leurs larmes et demain ils monteront avec moi là-haut et sans autres paroles que celles du prêtre ils tourneront mon visage vers le soleil.

7

Je me trouvais dans la chambre de mon frère Jorge, la plus proche de l'escalier menant au rez-de-chaussée, tout de suite après celle de ma sœur Maria Teresa, quand j'ai entendu des voix en haut. J'ai d'abord pensé que les pigeons étaient revenus, gonflant leur jabot et agitant leurs ailes sur les auvents et sur le toit du grenier, ou que la bougainvillée avait poussé de nouveau le long du mur et chuchotait contre les vitres au vent d'octobre,

mais ensuite, en cherchant des disques dans le coffre où pendant des années mon frère avait entassé des journaux dépareillés, des livres scolaires, des photos de plage, des galènes, des lettres d'amoureuses, des roches à mica et des recettes de cuisine,

je me suis aperçue qu'il ne s'agissait pas de la bougainvillée ni des pigeons, ni même des craquements du plancher et des meubles qui gémissent de fatigue dans le silence de l'après-midi, mais de voix de personnes qui conversaient au grenier, des voix de femmes et d'hommes posant des questions, répondant, expliquant, de pas qui glissaient sur les lames du parquet, obéissant à une toux et à une voix plus dense qui était comme l'axe autour duquel les autres tournaient, en m'approchant de la porte pour essayer de comprendre leurs paroles, je me suis rendu compte que cette voix disait aux autres Il y a je ne sais combien d'années que personne n'habite cette maison, depuis la mort de mes cousins, il suffit de voir son état d'abandon, il suffit de voir la poussière, vous pourriez l'abattre et construire une tour de douze étages ou alors, avec quelques petits travaux, vous auriez une villa superbe, je ne vous ai pas encore montré les salons, le jardin, la cour derrière, elle semble humide et sombre mais elle ne l'est pas, il suffit de monter les stores et la lumière entre de toutes parts, et puis l'emplacement, la vue, la tranquillité,

je me disais Mais comment sont-ils entrés sans que je m'en rende compte, comment ont-ils monté les marches sans que je m'en aperçoive, comment sont-ils allés au grenier sans m'en demander la permission?

j'entendais au-dessus de ma tête un objet qui se brisait, un vase, le phonographe, une cruche de verre, Qui est donc ce cousin qui est devenu le propriétaire de la Calçada do Tojal et qui veut vendre à des étrangers ce qui m'appartient, ce cousin accompagné d'étrangers qui vient m'expulser de la maison seulement maintenant, au bout de tant d'années, fouinant dans mes vêtements, mes thés de pousses de néflier, mon grenier, s'appropriant la mansarde dans laquelle je me terre comme une bête des bois,

et la toux Impossible de dénicher pareille aubaine à Benfica, et encore moins dans le centre, songez à la construction, au terrain, à la facilité avec laquelle on se rend à n'importe quel endroit de Lisbonne, même aux heures de pointe,

et moi, craignant d'être découverte, je pensais Qu'est-ce que je fais, je monte l'escalier et je les flanque à la porte, ces acheteurs et celui qui se prétend mon cousin? je pensais Lui qui ne soupçonne même pas mon existence, qui est juste au courant de celle de mes parents, de mes sœurs, de mes frères, va croire que je suis une intruse, il va me réclamer des preuves que je n'ai pas, il va me chasser, il va appeler la police pour qu'elle m'arrête, car il n'y a pas un seul papier attestant qui je suis, et les gardes m'enverront au Tribunal, et le Tribunal, après avoir entendu des avocats, des médecins, des assistantes sociales et des témoins, m'enterrera dans un de ces foyers d'État à Sacavém ou à Alverca où l'on meurt au milieu de veuves et de retraités déjà morts,

et une voix féminine Il faudrait percer d'autres fenêtres, Alberto, changer cette décoration hideuse, je suis sûre que les petits adoreraient, enfermés comme ils sont dans l'appartement de Carnaxide, les pauvres,

et une voix masculine, moins enthousiaste, plus pondérée, Oui, mais la dépense, tu imagines les frais, le problème avec ces villas du début du siècle, outre les matériaux qui ne se fabriquent plus aujourd'hui, ce sont les prises électriques, les canalisations, les égouts, rien qu'en réparations cela coûterait une fortune, et encore faudrait-il que la municipalité donne son aval,

et la toux Ne vous faites pas de soucis à ce propos, monsieur, je vous garantis que l'électricité et la tuyauterie sont magnifiques, une petite couche de peinture ici et là et la maison sera un bijou, personnellement je n'habite pas à Benfica parce que ma femme, avec ces manies qu'ont les vieilles personnes, est très attachée à la Lapa,

et la voix féminine Les meubles sont-ils inclus dans le prix, monsieur, avez-vous inclus le mobilier dans le prix que vous nous avez mentionné?

alors ils ont descendu l'escalier menant au premier étage, et les deux hommes, celui qui affirmait être mon cousin et l'autre, continuaient à converser, et moi, pour ne pas être découverte, j'ai déménagé de la chambre de mon frère Jorge dans celle de ma sœur Maria Teresa, dont l'atmosphère raréfiée sentait la sacristie,

je me demandais Où peut bien se trouver le revolver de mon père, j'empoigne le revolver et je les abats tous, ils n'ont pas le droit de négocier ce qui m'appartient, si au moins je pouvais mettre *la Norma* sur le phonographe, si au moins je pouvais m'asseoir sur la chaise à bascule et les oublier comme j'oublie ce qui m'effraie ou m'attriste en regardant les collines de Monsanto, la prison, les arbres si bleus au loin,

tandis que les intrus visitaient la chambre de ma sœur Anita avec son lit étroit, ses poupées au visage de porcelaine, ses tentures de percale qui frissonnaient à tout instant comme les cils des lacs, pas une chambre d'adulte mais encore une chambre d'enfant, comme si la mort, la souffrance et le deuil ne l'avaient jamais traversée, un mobilier de petite fille, des chats en peluche, des photos de classe au collège avec cinq rangées de tabliers et de tresses contemplant l'objectif avec une innocence ronde, la seule chambre vivante de la Calçada do Tojal, parfumée au clou de girofle et à la lavande, une île de tendresse où il m'était interdit d'entrer,

et moi Ne me volez pas la chambre de ma sœur, ne me volez pas les poupées, je vais aller chercher le pistolet, je remplirai le chargeur de balles, je vous fracasserai la tête, je vous tuerai comme si je tuais des poulets avec une brique dans la cour,

et moi Je vous déteste, voleurs, je vous déteste, je vous déteste,

et la voix masculine Ça pue le moisi à plein nez et comme les espagnolettes sont rouillées il est impossible d'aérer, qui dormirait ici au milieu de ce bric-à-brac ?

et la voix féminine J'adore les poupées, elles sont

adorables, aujourd'hui, je ne comprends pas pourquoi, il n'y a plus de goût, plus d'amour de l'ouvrage bien fait, on fabrique tout en plastique et en série,

je me suis déchaussée dans la chambre de ma sœur Maria Teresa pour qu'aucun bruit ne me dénonce, je suis descendue au rez-de-chaussée, sans avoir le courage de chercher le pistolet de peur qu'un gond ne les alerte, que l'homme ne s'écrie Qui va là ? et la femme Je n'aime pas les fantômes, la maison ne serait-elle pas hantée, par hasard ? et celui qui s'intitulait mon cousin Mais quelle idée, madame, je n'ai jamais rien entendu à ce sujet, dès que vous vous installerez ici et que vous aurez changé une ou deux vitres, vous vous habituerez à la maison, ce qu'il faut c'est se familiariser rapidement avec les choses,

et je pensais Pourquoi est-ce que mon frère Jorge n'arrive pas maintenant de Tavira pour les fustiger avec sa cravache et les chasser dehors, fermer le verrou et monter avec moi au grenier où nous écouterions un tango ou un paso doble,

mais personne ne gravissait la rampe, nulle clé ne chantait dans la serrure : l'édifice acceptait les étrangers et en les acceptant il m'obligeait à fuir, talonnée par la toux qui faisait l'éloge de la disposition des salons, des pierres de taille, du mobilier, des estampes représentant le Christ, et la voix de l'homme Ils ne sont pas vilains, vraiment pas vilains, on dirait moi quand ma belle-mère nous rend visite, et la voix de la femme Ne faites pas attention à ce qu'il dit, monsieur, Zé raffole de ma mère, ils se liguent toujours tous les deux contre moi, et la voix de l'homme Je n'ai pas le choix, Ritinha, si je me hasardais à la contrarier, elle m'étranglerait, et la toux, sur le palier qui communiquait avec la cuisine, appuyant le soulier sur la planche disjointe qu'aucun menuisier n'avait réussi à remettre en place, Malheureusement je sais ce que c'est, mon ami, la mienne m'a empoisonné l'existence, et la voix de la femme Ce qui m'horripile chez les hommes c'est qu'ils sont tous pareils, et la toux, comme si elle considérait le chapitre clos, Là, sur le balcon, vous apercevez la cour à l'arrière, idéale pour un potager, les légumes y poussent à merveille car le soleil donne de ce côté tout l'après-midi,

je pensais que lorsque j'étais petite la cuisinière plantait des asperges et des citrouilles, un poulailler avait été construit pour empêcher les poulets d'arracher ce qui sortait de terre mais ma sœur Anita avait pitié des bêtes, elle les laissait aller dans la cour et la cuisinière désertait son fourneau pour les chasser avec son tablier loin de ses tiges dévorées. A l'époque, en plus du néflier, il y avait un arbre de la Chine dont les feuilles vibraient comme des paillettes contre le mur et en novembre on entendait les crapauds bronchitiques entre les interstices dans la chaux : la nuit il m'arrivait de me réveiller à leur chant, le brigadier en béret basque qui avait volé au début du siècle de Lisbonne à Paris dans un coucou en toile est venu dire à mon père que les crapauds le dérangeaient, l'arbre de Chine a été scié, les crapauds ont agonisé au soleil mais les racines ont continué à pousser et ont soulevé un coin de la maison, devenue oblique comme un paquebot donnant de la gîte au milieu d'un pré de thym et de safran que les voix m'ont obligée à abandonner à cause de leurs commentaires sur le garde-manger, les casseroles, les assiettes et les couverts qui débordaient de l'étagère, les torchons, une tresse d'ail suspendue à une poutre, et la voix de la femme Cela fait combien de temps que plus personne n'habite ici, monsieur? et la toux Cela fait des siècles que je me suis occupé de cette affaire au bureau des hypothèques, madame, à moins qu'un clochard ou un gitan n'ait dormi ici de temps en temps, et la voix de la femme Je ne pense pas qu'il s'agisse d'un clochard ou d'un gitan, la maison ne semble pas avoir été mise à sac, et la voix de l'homme Ta manie des revenants te reprend, Ritinha, qui pourrait bien se prélasser dans pareil foutoir? et la toux Je vous jure que personne n'habite ici, comme vous pouvez imaginer il ne se passe pas un mois sans que je vienne à la Calçada do Tojal vérifier que tout est en ordre,

et je pensais Menteur, je pensais C'est la première fois que tu mets les pieds à Benfica, charlatan, je pensais Et si je surgissais pour leur dire qui je suis, que se passerait-il? je pensais C'est inutile, je pensais Ils vont me regarder avec ébahissement, je pensais Ils vont se moquer de moi, je pensais Ils vont me mettre à la porte, me chasser dans un quartier que je ne connais pas, dans une ville que je ne connais pas, et la voix de la femme Je ne suis pas folle à ce point, il ne s'agit pas de revenants, il ne s'agit pas de fantômes, il y a une créature quelconque qui hante ces lieux, et la voix de l'homme Foutaises, tu ne grandiras jamais, Ritinha, et au même instant il a commencé à pleuvoir. Ce n'était pas une pluie violente, tambourinant sur le toit et les carreaux avec des doigts métalliques : c'était un fin manteau d'eau sans poids, une nappe de pollen argenté sous le ciel bleu qui ne mouillait pas l'herbe dans les massifs ni le gravier de la rampe, une bruine paisible de mars ou d'août qui vous enveloppe sans vous toucher dans un halo lilas, et je me suis souvenue de notre mère, veuve, qui contemplait l'hiver du fond du fauteuil au salon, je me suis souvenue de mon père qui se fustigeait la cuisse dans son bureau, je me suis souvenue de ma sœur Maria Teresa et de ma sœur Anita qui faisaient des messes basses, et de mon frère Jorge, Ne t'en fais pas, sœurette, je t'aime beaucoup, si bien que quand la toux a demandé Vous voulez que je vous montre le salon? j'ai eu envie d'appeler Jorge, j'ai eu envie de lui dire Aide-moi, la voix de l'homme insistait Ritinha, Ritinha, quelle petite fille tu es, j'ai trotté vers le vestibule, la femme a dit Il y a quelqu'un qui s'enfuit, je vous jure qu'il y a quelqu'un qui s'enfuit, et je n'ai plus rien entendu car j'ai fermé la porte sans bruit derrière moi et je me suis dirigée aussi vite que possible vers la Calçada do Tojal. La pluie faisait danser ses fils transparents et les pierres du trottoir étaient douces et fermes sur la peau. Un petit chien m'a flairé les chevilles, il a poussé un ou deux jappements et a tourné sa croupe d'un air dégoûté. Dans ce qui ressemblait à un café ou à une taverne une radio jouait une des valses du phonographe à pavillon, celle que j'avais l'habitude d'écouter le dimanche, à l'heure de la messe, en attendant que le fils de la couturière me dessine les vagues de Peniche. C'est peut-être pour cette raison que je n'ai pas ressenti de nostalgie de la Calçada do Tojal, des coucous suspendus aux spires des ressorts, ou des collines de Monsanto qui s'assombrissaient au loin. De sorte que je me suis mise à marcher vers Venda Nova, indifférente aux personnes que je croisais et qui se retournaient pour me regarder fixement, la valse s'est perdue derrière moi, un homme ivre en smoking et chapeau haut de forme a marmonné une phrase que je n'ai pas comprise, et quand j'ai atteint les immeubles d'Amadora il faisait tellement noir que même mon ombre avait disparu. Pourtant il y avait des fenêtres éclairées et la petite pluie d'octobre montait dans l'obscurité. Les ténèbres m'empêchaient de distinguer les bateaux, elles m'empêchaient de distinguer le canot de sauvetage, les chalutiers, les mouettes, les dunes, le pont romain et l'esplanade de Tavira, elles m'empêchaient de voir les bergeronnettes sur les rochers, les paniers de poisson, le soleil sur les vagues et les crabes de la marée descendante, elles m'empêchaient de distinguer mon frère Jorge qui me souriait en m'attendant, mais ce n'était pas la peine de l'appeler car j'étais près de lui, j'étais près de la mer.

Table des matières

DU MÊME AUTEUR

Le Cul de Judas
Métailié, 1983
et « Suite portugaise », 1997

Fado Alexandrino
Métailié /Albin Michel, 1987
et Métailié, « Suite portugaise », 1998

Le Retour des Caravelles
Christian Bourgois éditeur, 1990
« 10/18 », n° 2589

Explication des oiseaux
Christian Bourgois éditeur, 1991
Seuil, « Points », n° P612

La Farce des damnés
Christian Bourgois éditeur, 1992
Seuil, « Points », n° P576

Traité des passions de l'âme
Christian Bourgois éditeur, 1993
Seuil, « Points », n° P491

La Mort de Carlos Gardel
Christian Bourgois éditeur, 1995
« 10/18 », n° 2992

Le Manuel des Inquisiteurs
Christian Bourgois éditeur, 1996
« 10/18 », n° 3102

Mémoire d'éléphant
Christian Bourgois éditeur, 1998

Connaissance de l'enfer
Christian Bourgois éditeur, 1998

La Splendeur du Portugal
Christian Bourgois éditeur, 1998

Exhortation aux crocodiles
Christian Bourgois éditeur, 1999

S.N. FIRMIN-DIDOT AU MESNIL-SUR-L'ESTRÉE
DÉPÔT LÉGAL : NOVEMBRE 1999. N° 33833 (48760).

Collection Points

DERNIERS TITRES PARUS

P501. Le Mendiant de Jérusalem, *par Elie Wiesel*
P502. … Et la mer n'est pas remplie, *par Elie Wiesel*
P503. Le Sourire du chat, *par François Maspero*
P504. Merlin, *par Michel Rio*
P505. Le Semeur d'étincelles, *par Joseph Bialot*
P506. Hôtel Pastis, *par Peter Mayle*
P507. Les Éblouissements, *par Pierre Mertens*
P508. Aurélien, Clara, mademoiselle et
le lieutenant anglais, *par Anne Hébert*
P509. Dans la plus stricte intimité, *par Myriam Arissimov*
P510. Éthique à l'usage de mon fils
par Fernando Savater
P511. Aventures dans le commerce des peaux en Alaska
par John Hawkes
P512. L'Incendie de Los Angeles, *par Nathanaël West*
P513. Montana Avenue, *par April Smith*
P514. Mort à la Fenice, *par Donna Leon*
P515. Jeunes Années, t. 1, *par Julien Green*
P516. Jeunes Années, t. 2, *par Julien Green*
P517. Deux Femmes, *par Frédéric Vitoux*
P518. La Peau du tambour, *par Arturo Perez-Reverte*
P519. L'Agonie de Proserpine, *par Javier Tomeo*
P520. Un jour je reviendrai, *par Juan Marsé*
P521. L'Étrangleur, *par Manuel Vázquez Montalbán*
P522. Gais-z-et-contents, *par Françoise Giroud*
P523. Teresa l'après-midi, *par Juan Marsé*
P524. L'Expédition, *par Henri Gougaud*
P525. Le Grand Partir, *par Henri Gougaud*
P526. Le Tueur des abattoirs et autres nouvelles
par Manuel Vázquez Montalbán
P527. Le Pianiste, *par Manuel Vázquez Montalbán*
P528. Mes démons, *par Edgar Morin*
P529. Sarah et le Lieutenant français, *par John Fowles*
P530. Le Détroit de Formose, *par Anthony Hyde*
P531. Frontière des ténèbres, *par Eric Ambler*
P532. La Mort des bois, *par Brigitte Aubert*
P533. Le Blues du libraire, *par Lawrence Block*
P534. Le Poète, *par Michael Connelly*
P535. La Huitième Case, *par Herbert Lieberman*
P536. Bloody Waters, *par Carolina Garcia-Aguilera*

P537. Monsieur Tanaka aime les nymphéas
par David Ramus
P538. Place de Sienne, côté ombre
par Carlo Fruttero et Franco Lucentini
P539. Énergie du désespoir, *par Eric Ambler*
P540. Épitaphe pour un espion, *par Eric Ambler*
P541. La Nuit de l'erreur, *par Tahar Ben Jelloun*
P542. Compagnons de voyage, *par Hubert Reeves*
P543. Les amandiers sont morts de leurs blessures
par Tahar Ben Jelloun
P544. La Remontée des cendres, *par Tahar Ben Jelloun*
P545. La Terre et le Sang, *par Mouloud Feraoun*
P546. L'Aurore des bien-aimés, *par Louis Gardel*
P547. L'Éducation féline, *par Bertrand Visage*
P548. Les Insulaires, *par Christian Giudicelli*
P549. Dans un miroir obscur, *par Jostein Gaarder*
P550. Le Jeu du roman, *par Louise L.Lambrichs*
P551. Vice-versa, *par Will Self*
P552. Je voudrais vous dire, *par Nicole Notat*
P553. François, *par Christina Forsne*
P554. Mercure rouge, *par Reggie Nadelson*
P555. Même les scélérats…, *par Lawrence Block*
P556. Monnè, Outrages et Défis, *par Ahmadou Kourouma*
P557. Les Grosses Rêveuses, *par Paul Fournel*
P558. Les Athlètes dans leur tête, *par Paul Fournel*
P559. Allez les filles !
par Christian Baudelot et Roger Establet
P560. Quand vient le souvenir, *par Saul Friedländer*
P561. La Compagnie des spectres, *par Lydie Salvayre*
P562. La Poussière du monde, *par Jacques Lacarrière*
P563. Le Tailleur de Panama, *par John Le Carré*
P564. Che, *par Pierre Kalfon*
P565. Du fer dans les épinards, et autres idées reçues
par Jean-François Bouvet
P566. Étonner les Dieux, *par Ben Okri*
P567. L'Obscurité du dehors, *par Cormac McCarthy*
P568. Push, *par Sapphire*
P569. La Vie et demie, *par Sony Labou Tansi*
P570. La Route de San Giovanni, *par Italo Calvino*
P571. Requiem caraïbe, *par Brigitte Aubert*
P572. Mort en terre étrangère, *par Donna Leon*
P573. Complot à Genève, *par Eric Ambler*
P574. L'Année de la mort de Ricardo Reis
par José Saramago
P575. Le Cercle des représailles, *par Kateb Yacine*

P576. La Farce des damnés, *par António Lobo Antunes*
P577. Le Testament, *par Rainer Maria Rilke*
P578. Archipel, *par Michel Rio*
P579. Faux Pas, *par Michel Rio*
P580. La Guitare, *par Michel del Castillo*
P581. Phénomène futur, *par Olivier Rolin*
P582. Tête de cheval, *par Marc Trillard*
P583. Je pense à autre chose, *par Jean-Paul Dubois*
P584. Le Livre des amours, *par Henri Gougaud*
P585. L'Histoire des rêves danois, *par Peter Høeg*
P586. La Musique du diable, *par Walter Mosley*
P587. Amour, Poésie, Sagesse, *par Edgar Morin*
P588. L'Enfant de l'absente, *par Thierry Jonquet*
P589. Madrapour, *par Robert Merle*
P590. La Gloire de Dina, *par Michel del Castillo*
P591. Une femme en soi, *par Michel del Castillo*
P592. Mémoires d'un nomade, *par Paul Bowles*
P593. L'Affreux Pastis de la rue des Merles
par Carlo Emilio Gadda
P594. En sortant de l'école, *par Michèle Gazier*
P595. Lorsque l'enfant paraît, t.1, *par Françoise Dolto*
P596. Lorsque l'enfant paraît, t.2, *par Françoise Dolto*
P597. Lorsque l'enfant paraît, t.3, *par Françoise Dolto*
P598. La Déclaration, *par Lydie Salvayre*
P599. La Havane pour un infante défunt
par Guillermo Cabrera Infante
P600. Enfances, *par Françoise Dolto*
P601. Le Golfe des peines, *par Francisco Coloane*
P602. Le Perchoir du perroquet, *par Michel Rio*
P603. Mélancolie Nord, *par Michel Rio*
P604. Paradiso, *par José Lezama Lima*
P605. Le Jeu des décapitations, *par José Lezama Lima*
P606. Bloody Shame, *par Carolina Garcia-Aguilera*
P607. Besoin de mer, *par Hervé Hamon*
P608. Une vie de chien, *par Peter Mayle*
P609. La Tête perdue de Damasceno Monteiro
par Antonio Tabbuchi
P610. Le Dernier des Savage, *par Jay McInerney*
P611. Un enfant de Dieu, *par Cormac McCarthy*
P612. Explication des oiseaux, *par António Lobo Antunes*
P613. Le Siècle des intellectuels, *par Michel Winock*
P614. Le Colleur d'affiches, *par Michel del Castillo*
P615. L'Enfant chargé de songes, *par Anne Hébert*
P616. Une saison chez Lacan, *par Pierre Rey*
P617. Les Quatre Fils du Dr March, *par Brigitte Aubert*

P618. Un Vénitien anonyme, *par Donna Leon*
P619. Histoire du siège de Lisbonne, *par José Saramago*
P620. Le Tyran éternel, *par Patrick Grainville*
P621. Merle, *par Anne-Marie Garat*
P622. Rendez-vous d'amour dans un pays en guerre
par Luis Sepúlveda
P623. Marie d'Égypte, *par Jacques Lacarrière*
P624. Les Mystères du Sacré-Cœur
par Catherine Guigon
P625. Armadillo, *par William Boyd*
P626. Pavots brûlants, *par Reggie Nadelson*
P627. Dogfish, *par Susan Geason*
P628. Tous les soleils, *par Bertrand Visage*
P629. Petit Louis, dit XIV. L'enfance du Roi-Soleil
par Claude Duneton
P630. Poisson-chat, *par Jerome Charyn*
P631. Les Seigneurs du crime, *par Jean Ziegler*
P632. Louise, *par Didier Decoin*
P633. Rouge c'est la vie, *par Thierry Jonquet*
P634. Le Mystère de la patience, *par Jostein Gaarder*
P635. Un rire inexplicable, *par Alice Thomas Ellis*
P636. La Clinique, *par Jonathan Kellerman*
P637. Speed Queen, *par Stewart O'Nan*
P638. Égypte, passion française, *par Robert Solé*
P639. Un regrettable accident, *par Jean-Paul Nozière*
P640. Nursery Rhyme, *par Joseph Bialot*
P641. Pologne, *par James A.Michener*
P642. Patty Diphusa, *par Pedro Almodóvar*
P643. Une place pour le père, *par Aldo Naouri*
P644. La Chambre de Barbe-bleue, *par Thierry Gandillot*
P645. L'Épervier de Belsunce, *par Robert Deleuse*
P646. Le Cadavre dans la Rolls, *par Michael Connelly*
P647. Transfixions, *par Brigitte Aubert*
P648. La Spinoza connection, *par Lawrence Block*
P649. Le Cauchemar, *par Alexandra Marinina*
P650. Les Crimes de la rue Jacob, *ouvrage collectif*
P651. Bloody Secrets, *par Carolina Garcia-Aguilera*
P652. La Femme du dimanche
par Carlo Fruttero et Franco Lucentini
P653. Le Jour de l'enfant tueur, *par Pierre Pelot*
P654. Le Chamane du Bout-du-monde, *par Jean Courtin*
P655. Naissance à l'aube, *par Driss Chraïbi*
P656. Une enquête au pays, *par Driss Chraïbi*
P657. L'Île enchantée, *par Eduardo Mendoza*
P658. Une comédie légère, *par Eduardo Mendoza*

P659. Le Jardin de ciment, *par Ian McEwan*
P660. Nu couché, *par Dan Franck*
P661. Premier Regard, *par Oliver Sacks*
P662. Une autre histoire de la littérature française, tome 1, *par Jean d'Ormesson*
P663. Une autre histoire de la littérature française, tome 2, *par Jean d'Ormesson*
P664. Les Deux Léopards, *par Jacques-Pierre Amette*
P665. Evaristo Carriego, *par Jorge Luis Borges*
P666. Les Jungles pensives, *par Michel Rio*
P667. Pleine Lune, *par Antonio Muñoz Molina*
P668. La Tyrannie du plaisir, *par Jean-Claude Guillebaud*
P669. Le Concierge, *par Herbert Lieberman*
P670. Bogart et Moi, *par Jean-Paul Nozière*
P671. Une affaire pas très catholique, *par Roger Martin*
P672. Elle et Lui, *par George Sand*
P673. Histoires d'une femme sans histoire *par Michèle Gazier*
P674. Le Cimetière des fous, *par Dan Franck*
P675. Les Calendes grecques, *par Dan Franck*
P676. Mon idée du plaisir, *par Will Self*
P677. Mémorial de Sainte-Hélène, tome 1 *par Emmanuel de Las Cases*
P678. Mémorial de Sainte-Hélène, tome 2 *par Emmanuel de Las Cases*
P679. La Seiche, *par Maryline Desbiolles*
P680. Le Voyage de Théo, *par Catherine Clément*
P681. Sans moi, *par Marie Desplechin*
P682. En cherchant Sam, *par Patrick Raynal*
P683. Balkans-Transit, *par François Maspero*
P684. La Plus Belle Histoire de Dieu *par Jean Bottéro, Marc-Alain Ouaknin et Joseph Moingt*
P685. Le Gardien du verger, *par Cormac McCarthy*
P686. Le Prix de la chair, *par Donna Leon*
P687. Tir au but, *par Jean-Noël Blanc*
P688. Demander la lune, *par Dominique Muller*
P689. L'Heure des adieux, *par Jean-Noël Pancrazi*
P690. Soyez heureux, *par Jean-Marie Lustiger*
P691. L'Ordre naturel des choses *par António Lobo Antunes*
P692. Le Roman du conquérant, *par Nedim Gürsel*
P693. Black Betty, *par Walter Mosley*
P694. La Solitude du coureur de fond, *par Allan Sillitoe*
P695. Cités à la dérive, *par Stratis Tsirkas*